DOCUMENTOS LINGÜÍSTICOS
DEL ALTO ARAGÓN

PUBLICACIONES
DEL
CENTRO DE ESTUDIOS HISPÁNICOS

VOLÚMENES PUBLICADOS

I.—ESTUDIOS DE FONOLOGÍA ESPAÑOLA, por TOMÁS NAVARRO, 1 vol. 217 págs (out of print).

II.—MANUAL DE BIBLIOGRAFÍA DE LA LITERATURA ESPAÑOLA, por HOMERO SERÍS. Primera parte, 1er. fascículo, xliii, 422 págs, $4.00. 2°. fascículo, 423-1086 págs, $5.00.

III.—MÉTRICA ESPAÑOLA. Reseña histórica y descriptiva, por TOMÁS NAVARRO, 1 vol. 556 págs, Clothbound, $10.00.

IV.—DOCUMENTOS LINGÜÍSTICOS DEL ALTO ARAGÓN, por TOMÁS NAVARRO, 1 vol. 240 págs, Clothbound, $10.00.

EN PREPARACIÓN

MANUAL DE BIBLIOGRAFÍA DE LA LITERATURA ESPAÑOLA, por HOMERO SERÍS, Segunda parte. Lingüística.

Published for the Centro de Estudios Hispánicos by

SYRACUSE UNIVERSITY PRESS

SYRACUSE, NEW YORK

SYRACUSE UNIVERSITY

CENTRO DE ESTUDIOS HISPÁNICOS

DOCUMENTOS LINGÜÍSTICOS DEL ALTO ARAGÓN

POR

TOMÁS NAVARRO

COLUMBIA UNIVERSITY

SYRACUSE UNIVERSITY PRESS

SYRACUSE, NEW YORK

1957

Library of Congress Catalog Card Number: 57-9472

Manufactured in the United States
by Ganis & Harris, New York

INTRODUCCIÓN

Figuran en la presente colección ciento cincuenta documentos aragoneses comprendidos entre los años 1255 y 1494. Proceden de instituciones eclesiásticas y municipales de la provincia de Huesca. Son en su mayor parte escrituras notariales de compras, ventas, arrendamientos, fundaciones, testamentos, inventarios, etc. Algunos rompen la monotonía de estos temas con la presentación de sucesos como los siguientes: Querella de los monjes de Summo Portu por las irregularidades del hospitalero del convento, núm. 98, 1317; encarecimiento de una maravillosa oración hallada en el Valle de Josafat, núm. 132, siglo XV; rebelión de los vecinos de un pueblo del Pirineo contra el recaudador de la catedral de Jaca, núm. 135, 1420; nota de los gastos realizados con motivo de un entierro, núm. 136, 1425; bandos del concejo de Jaca sobre el orden y costumbres de la ciudad, núm. 137, 1427; cuentas presentadas al citado concejo por el cabo de un grupo de soldados enviados al servicio del rey, núm. 138, 1430; denuncia de un asalto e intento de asesinato contra un vecino de esta misma ciudad, núm. 145, 1464.

En la reunión de estos textos se atendió especialmente a su interés dialectal. Estaban destinados a formar parte de la colección de *Documentos lingüísticos de España* publicada por el Centro de Estudios Históricos, cuyo primer volumen, *Reino de Castilla*, por don Ramón Menéndez Pidal, apareció en Madrid, 1926. La edición de los presentes documentos, impresos antes de 1936, se perdió con la destrucción de la Imprenta Hernando (Perlado, Páez y Compañía) en el bombardeo de Madrid durante la guerra civil. Se salvó afortunadamente una serie única de pliegos que aunque en parte deteriorados han podido servir para la reproducción en "offset" que aquí se ofrece.* Los materiales reunidos para las secciones del Reino de Navarra, Bajo Aragón y Diócesis de Segorbe, así como el borrador de unos capítulos sobre la historia fonética

---

*Habían servido estos pliegos para hacer sobre ellos el registro total del léxico de los documentos. Todas las palabras habían sido marcadas con rayas de lápiz. En algunos casos la laboriosa limpieza de estas rayas ha debilitado detalles de la impresión. Algunas quemaduras y manchas de humedad deterioraron otras partes del texto. Ha sido necesario recomponer de nuevo las páginas 1, 2 y 209-222 sin que haya habido manera de encontrar un tipo enteramente idéntico al primitivo. Estas dificultades explican ciertas deficiencias tipográficas que a pesar del esmerado trabajo de los impresores no ha sido posible evitar.

y morfólogica del aragonés medieval, que habían de completar este volumen, desaparecieron de la casa del autor en Madrid, ocupada en los mismos años de la guerra por familias desplazadas que acaso suplieron con libros y papeles la falta de otro combustible.

De los ciento cincuenta documentos conservados, sesenta y dos corresponden a los fondos del Archivo Histórico Nacional, Madrid, y de manera principal a las extensas colecciones monásticas de Santa Cruz de Jaca, San Juan de la Peña, Montearagón, Summo Portu y San Victorián. Los restantes fueron recogidos en los archivos municipales y episcopales de Huesca y Jaca y en una excursión por diversos pueblos del Pirineo desde el valle de Ansó a las riberas del Cinca. Hice reseña de los hallazgos documentales de este viaje en "Pensión al Alto Aragón," *Memoria de la Junta para ampliación de estudios e investigaciones científicas*, Madrid, 1907.

Sabido es que en época primitiva poblaron esta zona de la Península gentes de la misma estirpe que las que ocupaban Vasconia. Dejaron huellas de su presencia en los nombres de varios pueblos,—Javierragay, Alcubierre, Lascuarre, Aragüés, Serraduy, Bentué, etc.—como hizo notar Menéndez Pidal, "Las vocales ibéricas *e* y *o* en los nombres toponímicos", *Revista de Filología Española*, 1918, V, 225-255. El mismo origen se atribuye a la conservación de las oclusivas sordas, *p, t, k,* (*lopo, collato, lacuna*), en la explicación, no por todos aceptada, de J. Saroïhandy, "Vestiges de phonétique ibérienne en territoire roman," *Revue Internationale des Études Basques*, 1913, VII, 475-497. Por mi parte, advertí la posibilidad de suponer análogo parentesco entre los rasgos más característicos de la entonación aragonesa y la vascongada, en *El acento castellano*, Madrid, 1935, p. 45.

La romanización debió llegar de manera lenta y retardada a los escondidos valles del Pirineo, aun cuando, por otra parte, Huesca, tres cuartos de siglo antes de la era cristiana, fuera escogida por Sertorio como centro de instrucción de los hijos de sus partidarios hispanos. Sin duda existían núcleos locales que se definieron a través del período visigótico y sirvieron de base más tarde en la reconquista a los señoríos de Navarra, Aragón, Sobrarbe y Ribagorza. Durante algún tiempo estos señoríos, antes de alcanzar plena autonomía, dependieron en parte de los monarcas francos, a la vez que lazos de parentesco y alianzas matrimoniales asociaban entre sí a sus propias dinastías. Hacia 1015, Sobrarbe y Ribagorza se unieron definitivamente a Aragón bajo la corona navarro-aragonesa de Sancho el Mayor. A la muerte de este rey en 1035, uno de sus hijos, Ramiro, recibió en herencia a Aragón como reino independiente del de Navarra. Pocos años después, en 1076, gran parte de Navarra, incluída Pamplona, fué incorporada a Aragón, a cuya autoridad estuvo sometida hasta el fin del reinado de Alfonso el Batallador, 1134. Bajo este estrecho cruce de relaciones políticas, el romance navarro-aragonés fue elaborándose a lo largo de los siglos IX-XII en los indicados territorios montañeses sobre el común fondo étnico de sus habitantes. Fuera de ciertos lugares fronterizos, los rasgos lingüísticos del aragonés y el catalán estaban ya diferenciados y establecidos cuando el matrimonio de Petronila, hija de Ramiro II, con el conde Ramón Berenguer IV, en 1137, juntó los dominios de Aragón y Cataluña.

La ciudad de Jaca, de origen prehistórico, capital del reino aragonés hasta la conquista de Huesca, 1096, está representada en esta colección por 26 documentos de 1292 a 1474. Entre los pueblos de su jurisdicción se hallan también representados Ansó, Biescas, Botaya, Ena, Hecho, Panticosa, Santa Cilia de Jaca, Santa Cruz, Sardas y Valle de Tena. Las principales fuentes de donde se han tomado estos textos han sido los monasterios de San Juan de la Peña, Summo Portu y Santa Cruz y el Archivo Municipal de Jaca. Huesca figura con 46 documentos de 1258 a 1369 relativos a la capital y 21 correspondientes a distintos lugares de su propio término: Angüés, Bespén, Castejón de Arbaniés, Liesa, Molinos, Montearagón, Panzano, Santa Cilia de Huesca y San Urbez. Proceden en su mayor parte del Archivo Municipal de Huesca, monasterio de Montearagón y Archivo Parroquial de Alquézar. Otros 24 documentos de 1263 a 1495 dan representación al antiguo territorio de Sobrarbe con los lugares de Aínsa, Banastón, Boltaña, Bielsa, Cortillas, Coscojuela, Gistaín, Matidero, Monclús, Santa María de Buil, Santa Olaria, Torruellola de la Plana y Valle de Sarrablo. Fueron escogidos entre las series del monasterio de San Victorián y de los Archivos Municipal y Parroquial de Aínsa. Completan este conjunto otros varios documentos de Ribagorza, del distrito de Barbastro y de la zona de Cinco Villas, entre Navarra y Aragón.

Como en las demás regiones españolas, las escrituras notariales más antiguas en el Alto Aragón se escribieron regularmente en latín. Algunas palabras romanceadas se introducían de vez en cuando en este latín antes de que los notarios empezaran a servirse del dialecto regional. La franca aparición de tal dialecto en esta clase de escrituras no se produjo hasta la segunda mitad del siglo XIII, con señalado retraso respecto al uso del castellano en la misma especie de textos. En realidad, por lo que se refiere a Jaca, los notarios no emplearon el aragonés hasta principios del siglo XIV. Entre los documentos del archivo de la catedral de Jaca, el primero en aragonés es de 1312; los anteriores a esta fecha redactados en romance, entre 1255 y 1312, están escritos en catalán. De la misma manera, en las colecciones de San Juan de la Peña, Summo Portu y Benedictinas de Santa Cruz, las escrituras en catalán son frecuentes en los últimos años del siglo XIII y desaparecen en los primeros del XIV. Caso distinto es el del monasterio de San Victorian, al oriente de la región, en cuyos documentos el uso del catalán, alternando con el aragonés, se prolongó hasta el siglo XV, especialmente en escrituras de notarios de Graus y de otros lugares ribagorzanos. Más al sur, entre los documentos de Montearagón, Alquézar y Huesca, es rara la presencia del catalán. La aceptación oficial de ambos idiomas y la antigua intercomunicación del condado catalán de Pallars con el de Ribagorza debieron servir de base al hecho de que notarios de lengua catalana se extendieran no sólo a este último dominio sino también a los demás señoríos del Pirineo aragonés.

Se comprende que tanto el catalán como el latín no representaban en los lugares a que se refieren estos documentos más que una función meramente administrativa. Sólo en determinados puntos del oriente altoaragonés fronterizos de Cataluña, el catalán correspondía sin duda al habla de la localidad. Varios testimonios indican que ni el mismo aragonés que los notarios escribían puede ser considerado como propia imagen del dialecto hablado. Respondían sin duda a la realidad de tal habla ciertos rasgos que aparecen en las escrituras notariales con carácter regular y permanente: o + yod > ue, *uelyo*, *nueyt*; pl-, cl- y fl- conservadas, *pluvia*, *clamado*, *flama*; l + yod > ly, *mulyer*, *filyo*; ct y ult > yt, *feyto*, *muyto*. Los primeros casos de sustitución de *yt* por *ch* en los documentos registrados no aparecen hasta el núm. 148, año 1476. Es de creer que representaban también una situación efectiva de la lengua hablada las diversas formas con que aparecen algunas palabras, según muestran los siguientes ejemplos: *manifiesta* 37.1, *manifiasta* 40.1 y *manifesta* 42.1; *profieyto* 3.17, *profeyto* 10.6, *profieto* 42.13, y *proveyto* 79.10; *afruenta* 23.8, *afruanta* 29.6, y *afronta* 36.14; *sigillada* 13.15, *siellado* 32.41, *sillada* 111.6, y *siguillado* 117.18; *entratas* 3.15, *entradas* 10.16; *pacada* 17.28, *pagada* 26.36; *sea* 2.1, *sia* 6.1, *siega* 7.1, *seya* 96.28; *fezieron* 2.3, *fiçon* 84.17, *fezioron* 144.41, y *fazioron* 144.13; *tornaron* 135.53, *coftoron* 138.22 y *cofton* 209.10, etc.

Algunas de estas diferencias, repetidas a veces en documentos de un mismo notario, revelaban sin duda vacilaciones corrientes y comunes; otras reflejaban probablemente maneras distintas entre unos lugares y otros. En la competencia entre tales variantes, los notarios daban preferencia a aquellas formas que no sólo eran corrientes en el resto del territorio aragonés sino que coincidían además con el uso castellano: *capiella* en vez de *capialla*, *buena* en vez de *buana*, *maestro* en lugar de *mayestro*, *linares* en lugar de *linás*, *compraron* mejor que *comproron*, *es* mejor que *yes* o *ye*, etc. En la relación de gastos del cabo de soldados de Jaca, en la nota particular de los gastos de un entierro, en los asientos del libro de cuentas de los jurados de Alquézar y en otros textos de esta especie el dialecto es más espontaneo e intenso que en las escrituras notariales. Los mismos notarios, en los apuntes provisionales de sus protocolos, solían dar entrada a las formas del habla local con más libertad que en sus actas definitivas. Me referí a este punto especialmente en "El perfecto de los verbos –ar en aragonés antiguo. Observaciones sobre el valor dialectal de los documentos notariales," en *Revue de Dialectologie Romane*, Bruxelles, 1909, I, 110-121.

En todo caso, el lenguaje de estos ciento cincuenta diplomas, salidos de las manos de más de setenta personas residentes en unos cincuenta lugares del Alto Aragón y relativos a asuntos de la vida ordinaria de cada comunidad, ofrece materia considerablemente abundante, sobre todo desde el punto de vista fonético y morfológico, para completar la pálida representación que el viejo dialecto aragonés dejó en otros textos antiguos de estilo más elaborado y menos local.

Abreviaturas: En la descripción de los documentos, A. H. significa Archivo Histórico Nacional, Madrid; la *P* antepuesta a la cifra de la signatura indica la sección de documentos *Particulares* de la correspondiente procedencia; A. C.: Archivo Catedralicio; A. M.: Archivo Municipal; A. P.: Archivo Parroquial.

DOCUMENTOS LINGÜÍSTICOS DEL ALTO ARAGÓN

DOCUMENTOS DEL ALTO ARAGÓN

I

Año **1258.** — Huesca.

Casas que pagaban censo a la iglesia de Sancti Spíritus de Huesca.

Memoria de las caſas que fazen treuudo a Sant Eſperit: primerament don *Juhan* de Peralta .v. ſueldoſ; don Do|[2] mingo dAyerbe .III. ſſ; don Martin .II. ſſ; dana Proz, la muller don Pero Sinuyſſe .v. ſſ; don Juhan|[3] de Bardaxin .x. ſſ, *z* dunas caſas de Sant Eſpirit que an .x. ſſ de loguero *z* todos anos .x. ſſ;|[4] del fiemo de la pargan......; dunas 5 caſas que a delant la caſa de don Giralt de Fontanas .IX.|[5] (IX) liuras dolio. E todo eſto prenden don Domingo Saliellas *z* don Pero Sanç *z* don Juhan de Bardaxin|[6] *z* do Miguel dAuiego, *z* tienen todo quanto ye de la gleſia. Eſto reconoſemento fo feito in pr|[7] eſencia de don Gillem de Uilla Paſſans, in era M.ª CC ª LXXXXVI,ª in teſtimonio de 10 don Arnalt Aguler|[8] *z* de don Julian de Saragoſſa, ciutadanos dUoſca. Item, Johaneſ de Mont Arouuo |[9] *kafiz tritici.*

A. M. de Huesca, perg. núm. 165; perteneció a San Pedro el Viejo de la misma ciudad; en la línea 5, donde se han puesto puntos hay señales de unos números ilegibles; en la 9, el original dice: *Eſto fo feito reconoſemento in preſencia,* pero ya el mismo notario intentó enmendar el error.

2

Año **1260,** 10 de febrero. — Montearagón, ayunt. de Quicena, part. de Huesca. — Not.: Pero Ortiz.

Escritura de cambio de propiedades entre don Fortuño de Ayera y el monasterio de Montearagón.

Manifeſta coſa ſea atodos homnes qui ſon preſenteſ e ad aqueillos qui ſon por uenir, que eſta eſ carta de cambio e de compoſición que fezieron don Johan Garceiç |[2] por la gracia de Dios abbat de Montara-

gon z don Fortuynno dAyera, con voluntad z conſentimiento de don
Gil de Lerida, prior de la clauſtra z de todo |³ el conuent daqueil logar, 5
et conuiene aſſaber que yo don Fortuynno deuantdito, rendo auos don
Johan Garceyç, deuantdito abbat, la caſa de Ayera con |⁴ todaſ ſuaſ per-
tinenciaſ, z renuncio atodo dreito que yo auja en eilla por donation que
fezo amj por todos tiempos de mi uida lifant don Ferrando, aquien Dios
per|⁵done, con uoluntad z conſentimiento del prior de clauſtra z de todo 10
el conuent de Montaragon ; et nos don Johan Garceyç, deuantdicto abbat,
damos auos don |⁶ Fortuynno, en cambio daqueilla caſa dAyera, lalmu-
nja que auemos en el riuo de Flumen, laquoal es clamada Almunja del
Rej, pero retenemos ad huebos de |⁷ noſ los molinos farineros z trape-
ros que ſon en aqueil logar ; et queremos que ayades por todos tiempos 15
de uueſtra uida ſalua z quita la deuantdita almunja, ſeneſ contra|⁸dicion
dinguna con todaſ ſuaſ pertinencias z con todos ſus dreitos, yermos z
poblados, que a en preſent z aeylla deuen pertaneſcer por dreito, reto-
uiendo pora nos |⁹ los molinos daqueil logar como de ſuſo eſ dito ; pero
ental manera, que uos dedeſ anos cadaynno por la fieſta de ſant Miguel 20
en mes de ſeptembre .VI. kafices de ceue|¹⁰ ra : los .II. kafices de trigo
z los .II. kafices de ordio, z los otros .II. kafices dauena. Queremos z
otorgamos otroſi, noſ don Johan Garceyç, deuantdito abbat, que ſi
aDios plogui |¹¹ eſſe que dona Domenga, uueſtra muiller, o alguno de
uueſtros fillos ſobraſſen auos de uida, que la deuantdita dona Domenga 25
o uno de uueſtros fillos, quoal auos ploguiere, tien|¹²gan la deuantdita
almunia en todo tiempo de lur uida, pero en tal manera, que la deuantdita dona Domenga o quoal ſe quiere de uueſtros fillos qui touiere
aqueil logar en |¹³ pueſ uueſtros diaſ, de anos cadaynno..... .XI. k. de
ceuera : loſ .IIII. k. de trigo z los .III. k. de ordio z los |¹⁴ .III. k. dauena. 30
Et yo don Furtuynno dAyera prometo a bona fe, ſeneſ engaynno, a uos
don J. Garceyç mio ſeynnor deuantdito abbat, de tener z agoar|¹⁵ dar
a todo mjo poder las conuenienças deuantditas. Et nos don J. Garceyç,
deuantdito abbat, z don Gil de Lerida, prior, con voluntad z conſenti-
miento de todo|¹⁶ el conuent de Montaragon, fazemos nueſtros signos 35
acoſtumpnados en la preſent carta, z metemos nueſtros syeillos por maor
ſegurança de todaſ laſ coſaſ deuantditas. |¹⁷ Facta carta anno Dominj
M.º CC.º LX.º menſe februarii, in die beate Scolaſtice virginiſ. Teſtimonios ſon qui fueron preſentes en logar don G. Lopeyç, prior de Go-
rrea, |¹⁸ don J. donBrun prior de Funeſ, don G. Martineyç, prior de 40

Saraynne*n*a, do*n* Seme*n* Garceyç dOriç, cauaill*er*o, do*n* Migu*e*l Lopeiç, abbat de Juiricu, do*n* G. |[19] vicario de I*f*arre, *z* mujtos otros. Et yo PerOrtiç, notario del deua*n*tdito abbat, co*n* uolu*n*tad *z* ma*n*damie*n*to de eyl *z* del conue*n*t de Mo*n*taragon, |[20] fiç esta carta por a.b.c. partida.

A. H., Montearagón, *P*-90.—Línea 5, *clauftra,* la *u* sobre el renglón.—38, día de Santa Escolástica, 10 de febrero.—*a.b.c.* partido en línea quebrada al margen superior.—Faltan los signos y los sellos que se mencionan en las líneas 35 y 36.

3

Año **1262,** 29 de óctubre.—San Urbez, ayunt. de Nocito, part. de Huesca.—. Not.: Domingo de Lusar.

*Arrendamiento de unas casas hecho por el prior de San Urbez a unos veci-
nos de Bentue.*

Manife*f*ta co*f*a *f*ia atotz los om*n*es qui *f*on en pre*f*ent *z* daquellos qui án a uenir, que e*f*ta es carta de donacion que *f*ago yo don Maçip, |[2] prior Sancti Urbicii. Do ad tributum auos Joh*an*es do*n* Petro Bentue *z* a u*ue f*tra m*u*l*er* Maria *z* a Petro u*ue f*tro jermano *z* a*ff*o m*u*l*er* Agnes |[3] *z* a Martin, jermano de uos Joh*an*es *z* de Petro, totas las ca*f*as con tota　5 la h*er*etat que pertenex en alas ditas, in villa d*e* |[4] Bentue *z* en termi- nos de O*f*e; las quales ca*f*as *z* heretat *f*oron deSaluator de Bentue *z* de *f*o m*u*l*er* Maria, *z* afrontan las |[5] ditas ca*f*as de orient en ca*f*as de Banco, de occidente en ca*f*as de fillos qui *f*oron de Guillem de Jacca, de meri- die *z* de |[6] aquilo*n*e en las carreras publicas; a*ff*i como e*f*tas afrontacio-　10 nes encloden *z* departen las ditas ca*f*as de totas partes |[7] con ellur corral, *z* con el orrio *z* el pallar, con era *z* con tota la h*er*etat que per- tenex a las ditas ca*f*as, hierma *z* popula|[8]ta, in Bentue *z* en *f*os t*er*mi- nos *z* en terminos de O*f*e, *f*ic dono u*obis* integre, *f*ine ninguno retini- miento, con entra|[9]tas *z* con exitas *z* con todas dreyturas, de cielo en-　15 tro a tierra, a*ff*i como millor mie*n*tre lo podretz diçir ni ente*n*d*er,* |[10] a profieyto vue*f*tro *z* a*f*aluamiento *z* de aquellos qui ueniran de po*f*t uos; en tal conuenio do auos la*s* ditas ca*f*as |[11] con la heretat ellur *z* con los danpos qui *f*on en t*er*minos de O*f*e a trebuto, que uos o aquellos qui por uos la teneran |[12] daqui enant que detz trebuto por las ca*f*as *z* la　20 heretat totz tienpos *z* totz an*n*os al mona*f*terio de Santi Urbicii, |[13] en-

tro en la uilla de Bentue, en la fiefta de fant Micael del mes de fepten-
bre, vIIII qr. de trigo z vIIII qr. dordio, |[14] mefura de Ofca, z deçima
z primicia de los fruytos que hybe colliretz, z de ganado z de altras
cofas que hybe faretz, |[15] z las cafas que tingatz en piede z populatas; ₂₅
z uos aquefto atendiendo z conpliendo totz annos totas eftas cofas
|[16] fobre efcriptas, ayatz z poffidatz las ditas cafas con la heretat z los
canpos de los terminos de Ofe ad uueftra propria uo|[17]luntat, quitias z
foltas, por dar, vender, enpignar z por fer affi como de uueftra propria
heretat, uos z fillos z fillas uueftros |[18] z tota uueftra generacion, uno ₃₀
de poft uno, agora z totz tienpos; z defto fon teftimonias Exemeno de
Serraun, |[19] bayl de Sancti Urbicii z don Petro don Fertunno, habitant
en Millato. Fo feyto aqueft donacion en el mes |[20] de octubre .IIII. ka-
lendas nouembre, era M. CCC. |[21] E yo don Maçip, prior sancti Urbicii,
efta carta atorgo z confirmo, z aqueft sig-(●)-nal hy fago.   ₃₅

|[22] Domingo de Lufar, fcriuano publico, efta carta fcriuia z eft
sig-(●)-nal hy façia.

A. M. de Huesca, perg. núm. 279.—El signo del notario es una mano tendida
de derecha a izquierda.

4

Año **1263,** 15 de marzo. — Santa María de Buil, part. de Boltaña. — Notario: Pero Pérez.

*Ejecución de la sentencia dada por el justicia de Ainsa en el pleito seguido
por los clérigos de Santa María de Alquézar contra Bernat Albas.*

Conefcuda cofa fia alf preffentes z a los auenides que yo don Ramon
de Banafton, jurado de Aynfa z pro|[2]curador de don Adam Olliua, juf-
ticia de Ayffa z juge delegat del feynor rey fobre el ple|[3]yto qui es
entre los clerigos de Santa Maria dAlceçar z Bernat dAlbas, meto de
partes del fyn|[4]or rey z de partes del auandito don Adam Oliua, per- ₅
fonalment, en corporal poffefion de |[5] la uilla z del termino dAllias don
Berenger de Lauata et Garcia de Rexach, clerygos z pro|[6]curados del
capitol de Santa Maria dAlqueçar, de ius aquela forma que ef conte-
nida en |[7] la carta del judicio dado per lauandito don Adam Oliua.
Defto fon teftimo|[8]nias don Pero, rector de la glefia de Sift z don Per ₁₀

de Banaſton, eſtant en Ayſſa, *z* |[9] don Tomas de Ualabryca, eſtant en Ualabrica. Feta fue eſta carta en las ydus |[10] de março, *z* quando era M. CCC. I. *E* jo Pero Pereç, notari publico de |[11] Boyl, eſta carta eſcriuie por mandamiento de don Ramon de Banaſton auandito |[12] *z* mi-(●)-facie.   15

A. P. de Alquézar, signatura cronológica.

5

Año **1263,** 15 de marzo. — Santa María de Buil, part. de Boltaña. — Notario : Pero Pérez.

Sobre el mismo asunto que el anterior.

Coneſcuda coſa ſia a los preſſentes *z* a los auenideros que yo don Ramon de Banaſton, procura|[2]dor, por do*n* Adam Oliua, juſticia de Ayſſa *z* juge dellegat del ſenor rey ſobre el |[3] pleyto que es entre los clerigos de Santa Maria de Alqueçar *z* Bernat dAlbas, *z* yo don Marco |[4] de Naſſarre, ſobrejuntero de la junta de Sarraullo, de partes del ſenor   5 rey *z* de partes |[5] de lauandito don Adam Oliua, vedamos a don*n*a Toda *z* ſo marido Bernat dAlbas *z* los |[6] ermanos de dona, fillos que fore*n* de do*n* P*er* Albas, de jus la pena que es poſada en el preuilege |[7] quel ſenor rey fiço al capitol de Santa Maria dAlqueçar, de la donacion de la uilla *z* del termino dAl|[8]bas, que no*n* entraſen en el termino   10 dAlbas ne y lauraſen ni ho*m*ne por ellos, deſtro que fos uiſto |[9] per dreyto ſil deuian poſedir; deſto ſon teſtimonias don P*er*, rector de la eleſia de Siſt, *z* don |[10] Per de Banaſton, eſtan en Ayſſa..... Feta fue eſta |[11] carta en los ydus de março, quando e*r*a M. CCC. I. Jo Pero Pereç, notari publico de Boyl, eſta |[12] carta eſcriuie.   15

A. P. de Alquézar, signatura cronológica. — Línea 1, *los;* en el original se lee *las* con *a* evidente; pero observo que en otras palabras del mismo documento se encuentra la *o* con figura semejante a una *a,* aun cuando en ningún caso tanto como aquí; corrientemente la *o* es clara y distinta.—7, después de *dona* debió olvidar el notario algún nombre. — 11, *deſtro (sic).* — 13, *elesia,* no puede leerse *clesia.*

6

Año **1264,** 26 de febrero. — HUESCA. — Not.: Pero Ramón Pimparel.

Sentencia arbitral dada en la demanda del prior de San Urbez contra Guillem de Loarre, carnicero de Huesca, por incumplimiento de un censo.

Manifesta cossa sia a todos omnes presentes e venidores que yo don Bertolomeu de Mimuaz, capellan mayor que so de la |² eglesia de San Pere Uieillo dOsca, e yo don Domingo Martin, capellan e racionero e procurador de la dita eglessia, me|³tudos arbitros e lodadores en el pleyto que era ni esperaua deseer entre don Bon Macip, prior de San   5 tUrbez, tenient |⁴ logar de sagristan en la glessia de San Pere dauan dita, duna part; e Guillem de Loarre, carniçero dOsca, daltra, |⁵ sobre demanda e demandas quel dauant dito don Bon Macip fazia al dito Guillem de Loarre, sobre feyto duna |⁶ lanpada quel dito Guillen de Loarre perpetualment deu tener provedida e illuminada delant laltar de la   10 glessia de |⁷ San Pere dauant dita, dia e nueit, porazon de vnas cassas que el dito Guillem de Loarre conpro de Martin don Ven|⁸tura, carniçero; las quales ditas cassas son en Osca, en barrio de la Cauallaria de la cassa del Tenple, e con est dauant dito |⁹ treudo las conpro; por que el dito Guillem de Loarre a çessado vn gran tienpo que la dita lanpada no a   15 prouedida ni alumi|¹⁰nada, por esto nos dauant ditos arbitros emos çessado vn gran tienpo que no emos podudo enançar ni determinar est feito, porque |¹¹ don Bon Macip no yera enla tierra; agora es venido don Ramon Garin, prior de la eglesia de San Pere Uieillo dOsca, en que sestiende |¹² est feyto e esta demanda que dita es de suso; e el dito do   20 Ramon Garin a pregado a nos que nos que demos esta sentencia en est fieto, que por qual|¹³que manera nos queramos dar esta dita sentencia el dize que la segira e la aura por firme e por pagar la pena como firmada es nel conpro|¹⁴misso, o por segir e auer por firme todo asi como sentenciado sera por nos... |¹⁵ e nos dauant ditos arbitros, odidas e   25 entendudas todas e quiscunas las demandas e las defensiones de quiscunas partes, audo con|¹⁶seillo e aquerdo de sauios, jutgando, ... dezimos..... |¹⁷ que el dito Guillem de Loarre que de e page a don Ramon Garin, prior de |¹⁸ la glesia dauant dita, en voz e en nomen *(sic)* don

Bon Macip .x. ſueldoſ de dineros jaqueſes, moneda buana e firme, ço es 30
aſaber, el primer dia |¹⁹ domingo del mes de março que ara viene, por
que a ſeudo rebel e contumaçi en eſt feito, por exo lo condamnamos
en eſtos .x. ſoldos; |²⁰ e encara dezimos e mandamos que el dito Gui-
llem de Loarre que tienga e provideſca illuminada la dita lanpada, dia
e nueit |²¹ perpetualment en la gleſſia ſobre dita; ſotz la pena auant 35
dita, aſi que dia e nueit no çeſſe decremar. E yo don Ramon |²² Garin,
prior qui ſo dauant dito, por mi e por el dauant dito don Bon Macip,
eſta loda buanament reçebo por ob|²³ſeruar perpetualment; e yo Gui-
llem de Loarre qui ſo dauant dito eſta dita loda buanament recebo e
atorgo por conplir e obſeruar |²⁴ perpetualment, ſotz la pena auant dita. 40
Son deſto teſtimonias don Gil Peretz, prior de la egleſſia de San Çalua-
dor |²⁵ dOſca, e don Migel dExeya, carnicero, uezinos dOſca. Dada ſo
eſta loda e eſta ſentencia el çager mierquoles del mes de |²⁶ freuero, en
la clauſtra de San Pere dauan dito, a uieſpras ditas. Era M.ª CCC.ª II.ª.
Pere Ramon Pinparel, publigo eſcri|²⁷uano dOſca, eſta carta eſcri- 45
uieu eſo ſig-(●)-nal y fizo.

A. M. de Huesca, perg. núm. 310.— El documento escribe siempre la con-
junción *e* sin abreviatura.— Línea 6, *tUrbez;* en el original, *ſan turbez.*— 43, el
último miércoles de febrero de 1264 fué el día 26.

7

Año **1266,** febrero.— Miranda, part. de Sos, Cinco Villas.— Not.: Pedro
Beyla (?).

*Autorización concedida por los vecinos de Miranda al monasterio de Santa
Cruz para que éste pueda nombrar abad en la iglesia de San Martín de dicho
pueblo.*

Manjfeſta coſa ſiega aloſ presenteſ ealoſ qui ſon por uenir, que
aqueſta eſ carta de atorgamjento que femoſ noſ, to|²doſ loſ uezinoſ
habitanteſ en Mjranda, zo eſ aſaber, clerigoſ z lecoſ, que damoſ z tor-
gamoſ todo nueſtro poder auoſ |³ (auoſ) dana Stebania, por la gracia de
Dioſ abadeſa de Sancta Cruc, eatodo el conuento de Sancta †, deſliir 5
ede meter abat enla |⁴ gleſia de Sant Martin de Miranda; non deſ afo-
rando noſ njntoliendo noſ nuaſtroſ de reytoſ; z aqueſto atorgamoſ de

buen cora|⁵zon ede buena uoluntat, amenoſ de retenemjento, clerigoſ ʒ lecoſ; los clerigoſ: Garcia, ʒ Johuan, ʒ Martin de Berne, ʒ Jurdan de Caſtie|⁶lo; eloſ uezinoſ: don Ruy, ʒ Sancho ſu ermano, ʒ Garçia de laſ ¹⁰ Eraſ, Sancho de Solano, Miguel de Arguylale, Fernando de Yuarduaſ, Garcia Callizo, |⁷ Jacme e ſuſuegra dana Maria, Ximen de Aruaſta, Pero Caluo, Domingo de Biſus, Sancho Bita, don Bertolomeo, Domingo de Callizo, Pero de Yuarduaſ, |⁸ Miguel de Solano, Pero Nauardun, Pero Lobera, don Fernando, Domingo de Cortina; de loſ infanzoneſ: Sancho ¹⁵ de lAbadia, dana Maria ſuma|⁹dre, † ſu fillo, don Gujlen, Pero del Palazo, Enego. Noſ, todoſ ſobre ſcriptoſ, atorgamoſ eſta coſa, anſi como de ſuſo eſ |¹⁰ eſcripta. Feyto fue eſte atorgamjento ʒ eſta carta nel meſ de freuero, era M.ª CCC.ª IIII.ª. Son deſto teſtimoniaſ: don |¹¹ Domjngo, abat de Caſtielo, ʒ don Pero Beyla, capellan de Mjranda. E yo ²⁰ don Pedro, por mandamjento de Saluador, publico |¹² notario de Pjntano, epor mandamjento de loſ ſobre ſcriptoſ eſta carta ſcriuie ʒ eſte ſig-(●)-nal yfiçe.

A. H., Benedictinas de Santa Cruz. Jaca, P-103.

«*Miranda y Sarrieta:* coto redondo o pardina de la provincia de Zaragoza, partido judicial de Sos, término jurisdiccional de *Bagues,* situado a la distancia de media hora del mismo, y comprende un caserío y un pequeño bosque de pino, en el que se crían lobos y zorros..... Perteneció a las monjas Benitas de Jaca.» (Madoz, *Diccionario Geográfico*). La mención de Navardún, Lobera, Pintano y otros lugares del partido de Sos asegura la localización que se ha dado al presente documento. — Línea 7, *nuaſtroſ* o *nuaſtreſ.*

8

Año **1266,** 20 de agosto.—Hecho, part. de Jaca.—Not.: Aznar Jiménez.

Inventario de los bienes que custodiaba en la iglesia de San Pedro de Siresa el sacristán don García de Carnes.

[N]ouerint vniuerſi como jo don Garcia de Carnes, racionero de la eſgleya de Sant Per de Sireſa, viengo de manifeſto ʒ atorgo |² con eſta carta publica como ſierua ʒ cate ʒ cuſtodeſca todo el treſoro ʒ todas las coſas de la ſacriſtania de la egleſia |³ de Sant Per de Sireſa, aſi como todo buen ſacriſtan acuſtumado de ſeruir ʒ de catar todas las coſas que ⁵ li ſon comendadas de |⁴ egleſia ni de ſacriſtania; en la qual sacriſtania

de la dicta egleſia cate ʒ cuſtodeſca todo el treſoro, como de joſo hye
ſcripto, |⁵ ço es a ſaber: syet cidaras, ʒ diez frontales, ʒ catorçe dalma-
ticas, ʒ cinquanta ʒ tres litteras, ʒ çinquo linçuelos, ʒ vint |⁶ ʒ nueue
capas de ſeda de coro, ʒ vient ſobrepelliços, ʒ siet veſtimientes, ʒ qua- 10
tro caſulas, ʒ quinze tapetes, |⁷ ʒ dotze cabeçals, ʒ quatro calices de
plata, ʒ un teſt, ʒ una cruz de plata, ʒ vn aſſenſerio de plata, ʒ una
cruç |⁸ de la obra de Lymoges, ʒ una cruz de cryſtayll, ʒ un aventayllo,
ʒ un cryſtayll, ʒ xixanta ʒ dos libros, ʒ otros priuilegios. |⁹ El qual
treſoro ʒ las quales dictas coſas me foron enſignadas ʒ metudas delant 15
por mano de don Domingo de don Gil, ʒ don Gil, alcal de Echo, |¹⁰ ʒ de
don Alaman, capellan de Echo, ʒ de don Fertuyno ʒ de don Pedro de
Laures, racioneros de la dita egleya; por el qual dito treſoro |¹¹ ʒ por
todas las ditas coſas ʒ por cada una de la dicta sacriſtania jo dicto don
Garcia de Sarnes me obligo al padre ʒ ſeynor don |¹² Domingo, por 20
la diuinal miſeracion viſpe de Oſca, ʒ a los ſobreditos clerigos ʒ racio-
neros del dito locar, que ſi por uentura neguna |¹³ de las ditas coſas del
treſoro de la ſacriſtania de la dita egleſia ſe perdia ni ſe mal metia por
culpa de mi en todo tyempo que yo sacri|¹⁴ſtan ſere de la dicta egleſia,
jo que lo emiende ʒ que lo reſaga a la dita eſgleya..... 25

Eſto ſeita en la eſgleya de Sant Per de Sireſa .xiii. kalendas septen-
bre, era M. CCC. quarta. Aznar Xemenez, | publicus notarius de Echo,
hiis inter fuit ʒ de mandato predictorum hanc cartam ſcripſit et hoc
ſig-(●)-num fecit.

A. C. de Huesca, *Libro de la Cadena,* pág. 414. — Línea 9, *litteras,* puede
leerse *literias.* — 25, siguen los nombres de los fiadores que el sacristán presenta; irresponsabilidad del mismo si el tesoro se perjudica, no siendo por su
culpa; todo sin particularidad en el lenguaje.—26, *eſto feita,* sin duda por error
de *esto fue feito.*

9

Año **1266**, agosto. — HUESCA. — Not.: Pero Ramón Pimparel.

Arrendamiento de una viña del abad de San Pedro el Viejo de Huesca a unos vecinos de la misma ciudad.

Manifeſta coſa ſia a todos omnes, preſentes z por venir, que yo do Ramon Garin, |² prior de la gleſſia de San Pere Uieillo dOſca, en preſencia de buenos omnes, do atre|³udo auos Domingo Oleuito, pellicero, z a uuastra muller Maria Palatz, vezinos |⁴ dOſca, vna vigna nuaſtra que la gleſia de San Pere a en Oſca, en termino de Poblet, |⁵ que afronta ₅ en via publica z en canpo don Guillem de Sarbiſſe, cauero, toda en |⁶ tegrament, con todos ſos dreitos z pertenencias, ço es aſaber, por .II. ſoldos |⁷ de treudo de dineros jaqueſes, moneda buana z firme, los quales nos deuetz |⁸ dar z pagar en la fieſta de Sancta Maria del mes dagoſto, quiſcun anno por |⁹ todos tienpos; z ental conuenio uos do a ₁₀ treudo la dita vigna, que uos que la ay|¹⁰atz plantada z replantada todos aquelos logares que ſon yermos en la dita |¹¹ vigna, los qui prender podran, z que la ayatz avignada tro deſt primer mes |¹² de janero que viene a .V. annoſ primeros que vienen; z ſi algun tienpo aquela |¹³ vender ni alienar queretz que primero que lo ſagatz aſaber a nos en la ₁₅ gleſia |¹⁴ de San Pere por .X. dias, z ſi nos los de la gleſia de San Pere la queremos re|¹⁵tener, que la podamos nos auer menos que otros .V. ſueldos. E uos eſto todo cunpliando |¹⁶ que ayatz la dita vigna auuaſtra propria heredat, por dar, vender, enpig|¹⁷nar z en qualque manera la querretz alienar, uos z fillos z fillas uuaſtras |¹⁸ a toda generacion z poſ- ₂₀ teridat uuaſtra, por totz tienpos; z ſi por auentura |¹⁹ en ren defaylli- riatz, que los ditos conuenios todos z quiſcunos no cumpliatz, que |²⁰ noſ z la dita gleſia de San Pere Vieillo dOſca, por nuaſtra propria acto- ridat, que nos |²¹ poſcamos enparar la dita vigna con todos los meillo- ramientos que feitos |²² y auretz. E yo Domingo Oleuito z yo Maria ₂₅ Palatz, muller ſuya, qui ſomos dauant |²³ ditos, reçebemos de uos dauan dito prior la dita vigna a treudo enlos ditos con|²⁴uenios, conueniendo z prometiendo a uos atender z conplir todos z quiſcunos con|²⁵uenios, ſegon que eſcriutos ſon deſuſo. Son deſto teſtimonias don Domingo

Mar|²⁶tin, cappellan, z don Pero Bernart, pelliçero, vezinos dOſca. Feita 30
ſo eſta carta en el mes dagoſto. Era M. CCC. IIII. Sig-(●)-nal de Pere
Ramon Pinpa|²⁷rel, publigo eſcriuano dOſca, qui eſta carta eſcriuieu z
por letras la partieu.

A. M. de Huesca, perg. núm. 247. — Líneas 4, 11 y 13, sobre la *gn* de *vigna*
y *avignada* lleva tilde el original.

10

Año **1266,** 27 de septiembre.—Huesca.—Not.: Miguel de Anzano.

Arrendamiento de un campo de San Pedro el Viejo de Huesca a Domingo
Andrés.

Notum ſit cunctis, quod nos don Ramon Garin, prior de la ecleſia
de Sant Pere el Vieillo de Oſca, con conſeyllo et uoluntat et atorga-
miento de don Gyllem Bernard, prior de Villiellas, et don |² Bernard
Ramon, prior de Sancta Cecilia, z don Ramon de Pauca Salada, prior
de Sant Pere de Çaragoça, de buen corage et de buena uoluntat, enten- 5
dientes abien z aproſeyto de la predicta nueſtra eccleſia |³ de Oſca,
ſienes ningun rancuramiento et ſienes mala uoçe de ninguna perſona
uiuent, damos z atorgamos z confirmamos et de preſent liuramos aplan-
tar vinea et atreuudo a uos Domingo |⁴ Andreo et auueſtra muyller To-
maſa, aquel nueſtro canpo de la predita nueſtra eccleſia de Sant Pere 10
de Oſca, el qual yes en termino de Oſca juſta del molino de doña Na-
uarra de Camin; predito canpo ad ⁵| afrontacions canpo de la caualle-
ria del Tenple et canpo de Pero de Tayllamont et canpo de don Pero
Lopeç de la Eſtela et viero publico; aſſi como ditas afrontacions circun-
dan al predito |⁶ canpo aſſi lo damos a uos z los uueſtros todo entegra- 15
mientre, con entradas et exidas et con aguas et con todos ſos dreytos
et pertenienças, que en ninguna manera le portaynen et portayner |⁷ le
deuen; de tierra entro al cielo; en tal conuenio que uos o los uueſtros
que lo poſſediredes deſt preſent dia adeuant entro ad .vii. annos, que lo
ayades plantado et replantado vinea, de buena mo|⁸neda, et que lo la- 20
uredes et lo criedes bien et lial mientre, aſſi como conuienet a mayllolo
fer et criar, et de todos los frueytos de çeuera et de vendema que deſt
preſent dia adeuant |⁹ uos o los uueſtros coylliredes en el predito logar

en quifcun anno, que nos endedes bie*n* *z* lial mientre la deçima *z* la
promiçia, et con u*ueft*ra pro*pr*ia meffion que la nos adugades a la n*uef*- 25
*t*ra cafa de la |¹⁰ pred*i*ta n*uef*ra eccl*ef*ia de Sant P*er*e de Ofca; *z* deft
*pr*efent dia adeuant por todos tienpos en quifcun anno uos *z* los
u*ueft*ros que poffediredes pred*i*to logar por la fiefta de Santa Maria de
|¹¹ mediant del mes de agofto a nos et an*ueft*ros fucceffores, que nos en
dedes *z* pagedes de treuudo .ii. fol*dos* de din*er*os de buena moneta 30
jach*e*fa, firme et currible en Aragon; et el pred*i*to |¹² tienpo de los *pr*e-
ditos .vii. annos adeuant, fienes liçencia *z* ma*n*damie*n*to de nos o de
fucceffores n*ueft*ros non lo podades retornar de vinea en ca*n*po; et uos
z los uueftros actendiendo et |¹³ co*n*plyendo a nos *z* a n*ueft*ros fucceffo-
res todas las cofas affi como fon fobred*i*tas daqui adeuant, pred*i*to logar 35
queremos et atorgamoslo a uos *z* los u*ueft*ros que lo ayades et que lo
poffidades |¹⁴ ..... franco et lib*er*o et quitio et fuelto, por efpletar et dar et
vender et enpeynar et camiar et ayllenar et fer en toda u*ueft*ra *pr*opria
uoluntat pora todos tienpos, affi |¹⁵ como de u*ueft*ra *pr*opria cofa, faluos
los pred*i*tos todos n*ueft*ros dreytos. Et nos pred*i*tos don Domingo An- 40
·dreo et don*n*a Tomafa recebemos de uos pred*i*to don Ramon Garin,
*pr*ior de la pred*i*ta |¹⁶ eccl*ef*ia de Sant P*er*e el Viello de Ofca, el *pr*e-
d*i*to canpo a plantar vinea et atreuudo con todos los fobred*i*tos co*n*ue-
nios, los quales por nos et por todos los n*ueft*ros co*n*uenimos et *pr*o-
metemos |¹⁷ auos et a todos uuestros fucceffores a buena fe a tener et 45
co*n*plir a u*ueft*ro plaçer. Hui*us* rey teftes fu*n*t don Domingo Martin,
miffa cantano et raçion*er*o de la pred*i*ta eccl*ef*ia de Sant P*er*e el Viello
de Ofca, |¹⁸ et do*n* P*er*e dona Binerna, ftantes en Ofca. Actu*m* eft
hoc .iiii. dies por exir el mes de sete*n*bre. *Er*a M.ª CCC.ª IIII.ª. Mich*e*l
de Ançano, public*us* Ofcæ notari*us*, h*oc* fcripfit et h*oc* sig-(●)-nu*m* fecit. 50

A. M. de Huesca, perg. núm. 73.

II

Año **1268,** 28 de enero.—Huesca.—Not.: Miguel de Anzano.

Condiciones a que había de ajustarse don Martín Gil, clérigo de Huesca, para hacer un cobertizo en una casa de dicha ciudad.

Notum fit cunctis, quod nos don Ramon Garin, prior de la ecclefia de Sant Pere el viello de Ofca, en prefencia de buenos omnes venimos de mani|²fefto z atorgamos que uos don Martin Gil, clerigo de Ofca, que con uoluntat z licencia de nos que auedes feyta aquella cobriçon de tie- llos en aquel co|³briço deuant uueftras cafas que auedes en Ofca, en la ⁵ carrera que es deuant la dita eclefia, z defta cobriçon adeuant que uos ni los uueftros que nunca mas |⁴ la hy podades fer de tiello, facado de canyas o de ramas de arboles, fegunt que fe contenexet en la carta que por razon de la dita ecclefia nos |⁵ fiçiemos a uos et ad toda la veçindat de la dita carrera, que podeffen fer cobriçon fobre la dita carrera, la ¹⁰ qual dita carta fo feyta por mano |⁶ de Belenger Almerich, publico no- tario de Ofca. E yo predicto don Martin Gil, en prefencia de buenos omnes, conuiengo z prometo a uos don Ramon Ga|⁷rin, prior de la dita ecclefia z a uueftros fucceffores, que deft prefent dia adeuant yo nin los mios, fi nunca aueremos mefter ad arrenouar predita |⁸ cobriçon ¹⁵ deuant las preditas mias cafas, que non lo podamos fer de tiellos fi non tan folament de cannas o de ramas, fegunt que fe contenexet en la dita |⁹ carta feyta por mano de predito Belenger Almerich, publico notario de Ofca. Huius rey teftes funt don Domengo, rector de la ecclefia |¹⁰ de Sant Vicient de Ofca, z mageftre Ferrer de Lauata, cle- ²⁰ rigos eftantes en Ofca. Actum eft hoc .iiii. dias por exir el mes de janero. Era M.ª CCC.ª |¹¹ VI. Michel de Ançano, publicus ofcensis nota- rius, hoc fcripfit z hoc fig-(●)-num fecit.

A. M. de Huesca, perg. núm. 15.

12

Año **1268,** 9 de marzo.—Huesca.—Not.: Pero Ramón Pimparel.

Donación de don Pedro de Sora, vecino de Huesca, a sus hijas doña Inés y doña Guillerma, de varias heredades, con obligación de sustentar una capellanía en la iglesia de San Pedro el Viejo.

Manifeſta coſſa ſia a todos omnes preſentes z por venir, que yo don Pero Sora que eſto en Oſca, en mi buen ſen z en mi buana memoria ſediendo, no forçado ni enganado ni por |² nuilla manera falagado ni deſtreito, mas de buen coraçon z dagradable volontat z en preſencia de buenos omnes, con atorgamiento z volontat de Johan de Sora z de 5 dona Johana, |³ fillos mios, do z lexo auos dona Acnes z a uos dona Guillema, amadas fillas mias, todas z quiſcunas las heredades, las quales ſon z ſeer deuen de la capellania nuaſtra de la gle|⁴ſia de San Pere Vieillo dUaſca, con todos z quiſcunos dreitos z pertenencias, aſi como ſon afrontadas z determinadas z aſignadas pora la dita capellania, ſegon 10 que ſe con|⁵teneig en el teſtament nueſtro, feito por mano de Ramon de Benaſch, publigo eſcriuano dUaſca; z en tal conuenio do z lixo a uos amas todas las ditas heredades de la |⁶ dita capella nia, que uos o los uuaſtros que las tiengatz en pie z bien lauradas, aſi que no las poſcatz vender, dar ni enpignar ni alienar nuill tienpo, mas los fruitos, 15 rendidas, |⁷ eſpleitos z exidas que poſcatz auer z reçeber z eſpleitar a uuaſtra propria volontat, por todos tienpos; en tal conuenio: vos faziendo fer vna capiella ſuficient en la pro|⁸çeſſion de la gleſſia de San Pere a los piedes de nuaſtras ſepulturas luago que latorgamiento auretz audo del abat z del convent de San Pontz de Tomeras, z en eſt con 20 |⁹uenio z todo que y tiengatz z y ſoldadetz z y prouidatz perpetualment por todos tienpos vn capellan qui todos dias faga z diga ſo devinal oficio dia z nueit en la dita |¹⁰ gleſia de San Pere, quiſcun anno, por todos tienpos, z eſto no ceſſe nuill tienpo, que faga todo ſo oficio die cotidie por nuaſtras almas z de nuaſtros anteceſſores, por ui|¹¹uos z por muar- 25 tos, aſſi como vſſado eſ ni vſſar ſe deue de capellania eſtablida z beneficada; pero en eſta manera quiero z mando encara que qualque ſobre viura luna a |¹² lotra deuos amas, que ſia dona z poderoſa de tener la dita capellania, ella z fillos z fillas z generacion z poſteridat ſuya por

todos tienpos *z* aqui ella lixar la querra, afi que la primera |[13] defunta 30
que fera de uos amas, ni fillos ni fillas ni generacion daquella que no y
puedan ren demandar ni contrariar en la dita capellania nuill tienpo fi
no lo facian donca que |[14] por falta que no fincas generacion de la que
fobre viura, que por aquella razon la auefe a auer *z* acubrar; *z* fi por
aventura conteigneria amas morir fenes fillos de lial con|[15]juge, que 35
torne la dita capellania *z* tiengala cual quiere omne o muller qui mas
proprios parientes fon nuaftros, *z* afi vaya de generacion a generacion
nuaftra por |[16] todos tienpos manteniando el dito capellan en aquello-
gar *z* fofteniando la dita capialla de veftimienta, miffal *z* de lumera
quando mefter fera, por todos tienpos dia *z* nueit; *z* fi por aven|[17]tura 40
avenria que nuill tienpo çeffafe que eft dito capellan no fofe metudo *z*
eftablido quifcun anyo por todos tienpos en la dita glefia de San Pere,
fegon que nos lo emos eftablido que y fia, yo por mi |[18] *z* polos mios
prefentes *z* por venir *z* polos que pafados fon deft fieglo al otro qui
lixaron *z* benificaron efta dita capellania, damos plen poder *z* entegro 45
a qualquiere prior o feignor qui |[19] por tienpo fera en la dita glefia de
San Per Vieillo dUafca, que el *z* qui fo logar tenra que los puefca cof-
treigner a qui quiere que efta capellania tenra ni efpleitara, por que fia
conplido todos dias el de|[20]uinal oficio en aquel logar por el dito cape-
llan nueftro; *z* fi por aventura encara por nenguna deftreita no querrian 50
fer ni conplir efto, quanto que a la dita capellania portagne ni |[21] por-
tagner deue, que el dito prior o feignor de la dita glefia de San P*er*e
que ayan poder de prender *z* denparar *z* de tener todas *z* quifcunas
las heredades que fon *z* seer deuen de la dita cape|[22]lania nuaftra, tanto
z tanto tienpo todauia entro que firmado ayan bien a ellos aquel o 55
aquellos de los nuaftros qui auran o deuran auer *z* tener la dita cape-
llania nuaftra que en te|[23]grament que y fagan *z* y cunplan el que afer
z aconplir y auran todos tienpos, por que la dita capellania nofia
afconduda ni deffeita nuill tienpo; *z* encara do *z* lexo a la dicta |[24] cape-
llania nuaftra aquel vaffo dargent nueftro, el mayor, de que fagan vn 60
caliz que fia por totz tienpos de la dita capellania, *z* que fia a feruiçio
de Dieuf *z* de la dita glefia de San P*er*e |[25] Uieillo dOfca por totz
tienpos, *z* qui la dita capellania tenra que tienga el dito caliz fienpre
de manifiefto, que fen puedan valer *z* ayudar a las miffas, afi como dona
Milia mi |[26] fuagra lo y lixo, afi que no fos vendudo ni enpignado ni 65
alienado nuill tienpo. *E* yo dona Acnes *z* yo dona Guillema, qui fomos

dauant ditas, por nos *z* por focçeffores nuaftros de buen |[27] coraçon *z* de buana volontat, reçebemos de uos, noble *z* onrado padre nueftro don Pero Sora, la dita capellania con todas *z* quifcunas heredades que uuey a *z* daqui adelant aura *z* Dieus |[28] i dara en los ditos convenios, *z* 70 convenimos *z* prometemos a Dieus *z* auos, que nos que cunplamos *z* atendamos todo el que efcriuto es de fufo fobre pena de nuaftras almas. *E* yo Johan de Sora |[29] *z* yo dona Johana, qui fomos dauant ditos, lodamos *z* atorgamos efta dita lexa defta dita capellania, fegon que efcriuto ef de fufo, por totz tienpos. Son defto teftimonias |[30] don 75 Guillem Carbonel, canonge dUafca, *z* don Bertolomeu de Munoz *z* don Domingo Martin, capellans *z* racioneros de la glefia de San Pere Vieillo dUafca. Feita fo |[31] efta carta .VIIII. dias entrados nel mes de março, fub *era* M.ª CCC.ª fexta. Pere Ramon Pinparel, publigo efcriuano dUafca, efta carta efcriuieu *z* po letras la |[32] partieu *z* so fig-(●)-nal y fizo. 80

A. M. de Huesca, perg. núm. 278. — Hay tilde encima de *gn* en el original en *asignadas, enpignar, conteigneria* y *seignor,* líneas 10, 15, 35 y 52.

13

Año **1268,** 8 de septiembre. — HUESCA. — Not.: Miguel de Anzano.

Exposición de los hechos por que pleiteaban el abad de San Pedro el Viejo y Ferrán Garcez.

Notu*m* fit cunctis, como fobre quereyllas *z* rancu*r*as que don Ramon Garin, prior de la eccle*f*ia de fant Pere el Viello de Ofca, auya de Ferran Garçeç, fillo que fo de don |[2] Alaman dArrueda *z* de fu muyller don*n*a Sora, fobre feyto de heredades *z* de poffeffiones *z* de otros bienes mouientes que la dita eccle*f*ia ad *z* deue auer en villa |[3] de Ayera *z* en 5 todos fos terminos, las quales ditas heredades *z* poffeffiones *z* mouie*n*tes tienet *z* poffedexet dito Ferra*n* Garçeç; las quales quereyllas *z* rancuras |[4] el dito prior auya moftrado a don Gonçalbo Lopeç de Pomar, fobrejuntero por el feynor rey de la junta de Jiuera, *z* el dito fobrejuntero odidas las ditas |[5] quereyllas *z* rancuras, fiço proteftar *z* pendrar 10 todo el pan que en eft an*n*o de prefent fo coyllido en las ditas heredes dAyera; el qual pan coylliet Alama*n*, fillo que fo |[6] de dito don

Alaman *z* de dita dona Sora, diciendo que lo coylliet por ſo ermano
dito Ferran Garçeç; ſobre el qual pan proteſtado *z* pendrado dito Ala-
man moſtro |⁷ carta ſegillada del ſeynor rey a Xemen Pereç, tenient 15
logar de ſobrejuntero por el dito don Goncalbo Lopeç de Pomar, que
dito Alaman que dieſſe fidança abaſ |⁸ tant de *con*plir dreyto al dito
prior, *z* dito Alaman diet fidanças por conplir dreyto de todos clamos
z ranc*ur*as *z* quereyllas que el dito prior podriat diçir ni moſtrar |⁹ que
auyat del *z* de ſo ermano dito Ferran Garçeç a don Nadal del Burro *z* 20
a don*n*a Maria del Burro, ſtantes en Ayera, *z* a don Pedro de Saſa, ſtant
en Caſtiello, *z* |¹⁰ don Pero Marti*n* Sanç *z* don Martin del Serrado, ſtan-
tes en Santa Olalia la mayor, *z* el con ellos enſemble a voltas, quiſcun
por el tot, *z* ditas fidanças atorgoron de buen |¹¹ corage la dita fidan-
çaria. Et el dito ſobrejuntero Exemen Pereç rendiet el dito pan que 25
teniat pendrado *z* proteſtado a dito Alaman, *z* aſſignoles dia que amas
|¹² las ditas partidas fueſſen en Caſuas deuant la juſticia de aquel logar,
z que moſtraſſe el dito prior todas las preditas quereyllas *z* clamos *z*
rancuras, *z* el dito Ala|¹³man que len conpliſſe dreyto, ſegunt que la dita
juſtiçia judgaria por el fuero de Aragon, sabuda mie*n*tre: el s*ecun*do dia 30
miercoles que ſerat deſt mes de s*e*tembr*e*, |¹⁴ en el qual ſomos de pre-
ſent; *z* amas las ditas partes recebieron el dito dia ad ellos aſſignado
por el dito ſobrejuntero, ſegunt que es ſobredito. Huius rey testes ſunt
|¹⁵ don Ramon de Caxal, ſtant en Ayera, *z* Pero Salas, ſtant en Santa
Olalia mayor. Actum eſt hoc .VIII. dies intratis menſis septembr*is*. Era 35
M.ª CCC.ª .VI.ª. Mich*e*l de |¹⁶ Ançano, publicus oscen*ſis* notarius, hoc
ſcripſit *z* hoc sig-(●)-num fecit.

A. M. de Huesca, perg. núm. 277.

14

Año **1269,** 23 de septiembre.—Huesca.—Not.: Miguel de Anzano.

Don Pedro Bonanat da pública posesión de un parral al abad de San Pedro el Viejo de Huesca.

Era M.ª CCC.ª septima, .VIII. dies remanſſis in exitu |² menſſe setenbre: vino don Per Bonanat el jouen ad aquel parral que es en termino de Oſca, que diçen la Cloſa de la font de Cuadryllos, el qual dito parral |³ dito don Per Bonanat tenia de la eccleſia de Sant Per el Viello de Oſca, z en preſencia de buenos omnes dito don Per Bonanat priſo 5 porla mano a don |⁴ Ramon Garin, prior de la dita eccleſia diciendo: Prior, de buen corage z de buena uoluntat riendo a uos z meto de preſent en teniença z en uueſtra corporal poſſeſſion |⁵ del dito parral que yo tenia de la predita eccleſia, el qual a uos todo entegramientre riendo z ſienes ningun retenemiento lial mientre a uos lo aſſigno, aſſi como 10 |⁶ ua de largo del rencon de la figuera que es de part de occident en el dito parral, z va de dreyto a la cruç que es ſeyta en la paret del parral, que es apart |⁷ de orient; z dito parral ad por todo de amplo .XI. paſſadas; predito parral que a uos riendo ad afrontaciones de part de orient via publica, z de occident |⁸ en cequia publica z de meydia otro parral 15 que yo tyengo a tyerço z a deçima z promiçia de la predita eccleſia, z de aquilon canpo del eſpital de Sant Johan; del qual |⁹ dito parral que uos riendo por raçon de la predita eccleſia, que deſta preſent hora adeuant uos z todos uueſtros ſucceſſores de la predita eccleſia, todo entegramientre, con |¹⁰ todos ſos dreytos z pertenienças que en nengu- 20 nas maneras le portaynen z portayner le deuen, de tierra entro al cielo, que en fagades todas uueſtras proprias uoluntades |¹¹ por a todos tiempos, aſſi como de uueſtra propria coſa, z yo nin los mios nunca os hi podamos ren demandar nin rancurar nin contraria ſer ni mouer por ningun|¹²as raçones nin por ningunas maneras. Huius rey teſtes ſunt don 25 Huc Ermengau, cauero, ſtant en Villiellas, z don Bertolomeo Peytauin, pellicero, z don |¹³ Domingo Lauata, coriero, z don Colom de Moriello, pellicero, ſtantes en Oſca. Mandado z uoluntate omnium predicto-

rum ego Michel de Ançano, public*us* |[14] o*s*cen*s*is notari*us*, hoc *s*crip*s*i
z hoc *s*ig-(●)-num feci.   30

A. M. de Huesca, perg. núm. 246.

15

Año **1270**, 1.º de febrero.—Montearagón, ayunt. de Quicena, part. de
Huesca.—Not.: Pedro Egidio.

*Arrendamiento hecho por el monasterio de Montearagón a Pedro Jiménez,
de la iglesia de Ibero con todas sus rentas y propiedades.*

Sepan todos aq*ue*llo*s* q*u*i e*s*ta carta vdran e uera*n*, q*ue* nos do*n* Juan
Garciç, polla g*ra*cia d*e* Dios abbat d*e* Mo*n*tarago*n*, arre*n*damo*s* e atreuu-
da|[2]mo*s* por e*s*to*s* .vii. an*n*os auenid*er*os auos P*er*o Xeminiç, ratio*n*e*r*o d*e*
Juero, la n*ue s t*ra egl*es*ia d*e* Juero co*n* todo*s* lo*s* dreytos q*ue* ha en Juero
ni d*e* |[3] fuera*s* en lo*s* otro*s* logare*s*, *s*co e*s* a*ss*ab*er*: en Vanj, Eriet, Bater- 5
neyn, en Ororuua, en Araçur, en O*s*caç, en Ochouj, en Sallina*s*, por
|[4] .c. *z* .x. ka*fi*ces d*e* t*r*igo cadayno, d*e*la me*s*u*r*a d*e* Pamplona *z* d*e*la
collida d*e* Juero, lo*s* q*u*ale*s* pague*d*e*s* a no*s* o aq*u*i no*s* ma*n*daremo*s*
cadayno |[5] en la fie*s*ta d*e*Sant Miguel d*e* septemb*r*e mientre aturare*n*
e*s*tos .vii. an*n*o*s* aua*n*dito*s*, ecadayno q*ue* no*s* dede*s* o .xx. *s*ueldo*s* o n*ue s*- 10
t*r*a p*r*ocu*r*a|[6]t*i*on, qual no*s* ma*s* q*ue s*ieremo*s*; eq*ue* no*s* tengade*s* la*s* ca*s*a*s*
d*e*labadia enle*s*tado q*ue* agora e*s*tan, *s*i en cob*er*tura, *s*i en parede*s*, *s*i
en |[7] toda*s* la*s* otra*s* co*s*a*s*; p*er*o *s*i el palo*m*bar caye*ss*e q*ue* no*n* seade*s*
tenido d*e* ferlo en u*ue s t*ra*s* me*ss*ione*s* *s*i no*s* nouo*s* ma*n*dauamo*s* q*ue* lo
fi|[8]zie*ss*ede*s* d*e*l n*ue s t*ro; eotro*ss*i las vin*n*a*s*, q*ue* la*s* fagade*s* podar, cauar e 15
edrar bien cadayno en*s*us tie*m*po*s*; e q*ue* enlafin de*s*to*s* .vii. |[9] an*n*os q*ue*
no*s* re*n*dade*s* la egl*es*ia, la*s* ca*s*a*s*, enel tiempo e enel dia q*ue* d*e* no*s* lo
recebide*s*, *s*ço e*s*: el p*r*im*er* dia d*e* freu*er*o el eredamie*n*|[10]to todo q*ue* p*er*-
teneçe ala egl*es*ia d*e* Juero, *s*in debda, *s*in dayno, *s*in appeyoramie*n*to
ninguno; e*ss*i por uent*ur*a appeyoramie*n*to ni*n*guno |[11] y auia o dayno, 20
q*ue* lo eme*n*dede*s* a ui*s*ta d*e* do*s* homne*s* pue*s*tos por no*s* epor uo*s*,
eq*ue* re*s*po*n*dade*s* delo*s* q*u*arto*s* ala egl*es*ia d*e* Pamplona, |[12] e p*r*oueade*s*
a .vi. ratio*n*e*r*os en todo el tie*m*po d*e* u*ue s t*ro rendamie*n*to. E q*ue*remo*s*
q*ue* *s*i dayno ueni*ss*e por piedra o por ve*s*t, q*ue*no*s* |[13] poniendo vn
homne euo*s* otro *s*eade*s* catado d*e* dayno a iudi*ç*io d*e*llo*s*; eotro*ss*i *s*i 25

ſubſidio o redieçmo ueniſſe delacort de |[14] Roma, que noſ ſeamoſ tenidoſ
de reſponder ſegunt la quantidat que noſ recebimoſ; e del ſalario del
vicario que reſpondadeſ ael, aſſi |[15] que uoſ auengadeſ con el cadayno; e
noſ façiendo uoſ iuſtiçia de egleſia, interdicendo la egleſia o excomun-
gando aquelloſ qui los dreytoſ de |[16] la egleſia uos reteŗran, lo que noſ 30
fariamos por noſ, que uoſ dedeſ a noſ nueſtro treuudo ſieneruargo nin-
guno. E del ſeyto del moli |[17] no que lonoſ rendades ueyendo lo epre-
ciando lo eparando mienteſ al dia que uoſ lo damoſ, noſ poniendo vn
homne euoſ otro, en |[18] aqueleſtado, enaquella ualia, ſi en muelaſ, ſi en
fierroſ, ſi en todaſ laſ otraſ coſas, al tiempo delos .vii. annos quando lo 35
ouierteſ arrender. |[19] E yo Pero Xemeniç deuandito recibo de uoſ ſeynor
don Juan Garciç, polla gracia de Dioſ abbat de Montaragon, la egleſia
de Juero con |[20] todoſ ſus dreytoſ que ha en Juero ni de fueraſ enloſ
otroſ logareſ, eprometo uoſ de dar .c. z .x. kafices de trigo de treuudo
dela me|[21]ſura de Pamplona al plaço auandito, ecomplir todas laſ coſas e 40
las conditioneſ ſegunt que dela part de ſuſo ſe contenece. Epor|[22]mayor
ſegurança deſto do auoſ fiadoreſ e pagadoreſ, todoſ enſemble e cada
vno por todo, qui uoſ ſagan pagar euos |[23] paguen loſ auanditoſ .c. z .x.
kafices al plaço auandito ea tener todaſ laſ coſaſ auanditaſ, don Martin
Juero z do Sanjo del Pa|[24]latio z Pero Bon z Miguel Xemeniç z Miguel 45
Sanç, viçinoſ de Juero. E noſ do Martin Juero z do Sanio del Palatio
z Pero Bon |[25] z Miguel Xemeniç z Miguel Sanç auanditoſ atorgamoſ
noſ por fiadoreſ epagadoreſ, todoſ enſemble ecadauno por todo, |[26] en
todaſ laſ coſaſ, ſegunt que dela part deſuſo eſ dito edeſer aguardar o
catar todaſ laſ conditioneſ elaſ otraſ coſaſ deſuſo |[27] ditaſ. Teſteſ huius 50
rej fuerunt don Miguel de Leoç z don XemenGarciç dOriç z do Açnar
Xemeniç de Capparroſo, caualleroſ, z |[28] don Domingo, vicario de Juero,
z do Martin de Morondoa, cappellan de Juero, z don Pero Ochoa de
Juero, z don Sancho, |[29] abbat de Vidaureta. Quod eſt actum kalendaſ
febroarij, anno Dominj M.° CC.° ſeptuageſimo. |[30] Ego Petrus Egidij, de 55
mandato omnium predictorum hanc cartam ſcripſi et per alfabetum diuiſi
z in teſtimonium premiſorum, de man|[31]dato dominj J. abbatiſ predicti,
utrique carte ſigillum ſuum appoſuj.

A. H., Montearagón, *P-270.* — Carta partida por *a.b.c.;* conserva el cordón de
un sello pendiente desaparecido. — Línea 37, en el original *Montarogon.*

16

Año **1270,** 19 de agosto. — URRIES, part. de Sos, Cinco-Villas. — Not.: Pero Martínez.

Deslindamiento de los bienes que el señor obispo de Huesca tenía en Larués.

Sepan todos los homens qui eſta carta veran Ꝣ hodran que jo do Marti Auarca fue en Larues el martes primero uenient |² en pues la fieſta de Santa Maria mey Agoſto Ꝣ metie el eredamiento de Larues del viſpe dUoſca en carta. Primerament, el |³ palacio: e afrontacion 'de part dorient la carrera publica, Ꝣ de part doccident afrontacion la carrera 5 publica, Ꝣ de part de |⁴ mey dia affrontacion el rigo, Ꝣ de part daquilon afrontacion el palacio de do Alfons; et una uina en Corona: Ꝣ afron- tacion de la |⁵ una part la vinna de Viuançal, Ꝣ de la otra part la spuenna de Corona, Ꝣ eſta vyna hye .ɪɪɪ. peonadas; et otra vina en Co- rona : |⁶ Ꝣ afrontacion de la una part la vina de Garcia Gil, Ꝣ de la 10 otra part la spuenna de Corona, Ꝣ yes una peonada; otra vina |⁷ en Miron : Ꝣ afrontacion de la una part la tierra de Sant Esteuan, Ꝣ de la otra part la vyna de los fyllos de Nicholau, Ꝣ es la vina |⁸ .ɪɪ. peonadas..... et eſte |²² palacio de ſuſo dito con las ditas vynas Ꝣ con los ditos can- pos que ſon de la ſeynoria del viſpe de Uoſca. *E* metemos los omens 15 de ſeruicio, |²³ ço ſon aſaber: primerament Pere Artaſſo, Ꝣ tiene un juuo de bueyes; Ꝣ Marti Paco, .ɪ. juuo de bueyes; e Micholau, un juuo; Ꝣ |²⁴ Exemeno ſo nieto, un buey; Ꝣ Pedro Solaniela, un aſno; Ꝣ don Johan dEliſabe, un aſno; Ꝣ don Lop de Noguera, un aſno; Ꝣ Garcia del |²⁵ Jugo, axadero; Ꝣ don Garcia Faynanas, axadero; ..... e los fyllos de Domingo 20 |²⁵ de Luna, que no han beſtia neguna, mas dan de treudo .ɪɪ. ar., meyo trigo mey auena; Ꝣ los nietos de Pedro de Biel, Ꝣ dona Jur|²⁷dana Sola- niella..... |³² Eſta carta et eſtas coſaſ de ſuſo ditas fueron feitas Ꝣ ditas en el mes de agoſto, el dia martes primero uenient en pues la fieſta |³³ de Santa Maria mey agoſto, era M.ª CCC.ª VIII.ª. *E* jo Pero Martinez, 25 eſcriuano, jurado del conceyllo de Orries, por mandamiento de |³⁴ do Marti Auarca, en preſencia deſtos homnes ſobreditos, eſta carta eſcri- uie Ꝣ est ſig-(●)-no fiz.

A. C. de Huesca, *Libro de la Cadena*, pág. 417. — Línea 13, puntos suspensivos: sigue confrontando viñas y campos. — 15, *Uoſca*, en el original con *u* minúscula. — 24, el primer martes después de la Virgen de agosto de 1270 fué el día 19.

17

Año **1270**, 1.º de octubre. — BIESCAS, part. de Jaca, ¿hecho en Botaya, del mismo partido?—Not.: Pedro de Arompesacos.

Escritura de fianza otorgada por Domingo Pérez, vecino de Botaya, a fray Lope, monje de San Juan de la Peña, respecto al pago de un censo.

Conefcuda cofa fia atodof lof *omnef* q*ue* fon pr*e*fentef *z* por benir, q*ue* jo Domj*n*co |² Pereç quifto i*n* Botaya, obljgo me co*n*todof lof mif bienef fedje*n*tef q*ue* joe i*n* |³ Botaya *z* i*n* fos t*e*rmj*n*of, abof don Lope, monge d*e* San Joha*n* d*e*laPen*n*a, *z* i*n* fer|⁴marero d*e*la d*ic*t*a* cafa : cafaf, ca*n*pof, bi*n*af, arboref, h*e*rmos, pobladof, poraçon d*e* |⁵ patrimo*n*io *z* ⁵ abolorio *z* bif abolorio *z* herma*n*dat *z* d*e* co*n*praf *z* con todaf derec- turaf |⁶ laf qualef jo hye nj aber hy debo por njcu*n*a raçon i*n* t*r*o adaq*ue* efta pr*e*fent |⁷ ora; *z* eft ja d*ic*to obljgame*n*to q*ue* jo fago abof efafab*e*r, por q*ue* fo co*n* benjo |⁸ d*e* mj *z* de bof i*n* el dja qua[*n*]do bof co*n*proç i*n* Botaya laf cafaf *z* la h*e*rdat |⁹ d*e* Ferra*n*do *z* de Gaya, herma*n*of ¹⁰ miof, por q*ue* laf d*ic*taf ca*f*af *z* h*e*rdat d*e*la d*ic*ta co*n*pra de. |¹⁰ Botaya dieç bof amj at*r*ebudo por dof k*a*f*i*zes d*e* t*r*ico, m*e*fura d*e* Jacca, todof |¹¹ an*n*of, por t*e*rmj*n*o d*e* tref perfonaf; *z* fi porabentura eftaf ja d*ic*taf cafaf |¹² *z* h*e*rdat d*e*la d*ic*t*a* co*n*pra femalbaba*n* *z* q*ue* no*n* podiat exir e*f*t ja d*ic*to t*r*ebu|¹³do, jo q*ue* lo cu*n*pla olofaga co*n*pljr da q*ue* eftof ja ¹⁵ d*ic*tof mif bjenef fedje*n*t |¹⁴ ef q*ue* joe metuç i*n* e*f*t jad*ic*to obljgame*n*to; *z* jo daq*ue* efta pr*e*fent ora ade|¹⁵na*n*t q*ue* no*n* puefca ve*n*der laf d*ic*taf cafaf *z* h*e*rdat, nj dar nj én pignar |¹⁶ nj alenar fi no era co*n* amor del d*ic*to don Lope en fermarero d*e* San |¹⁷ Joha*n*; *z* por major bua*f*t*r*a fecu- ritat jo d*ic*to Domj*n*co Pereç do abof ja d*ic*to |¹⁸ don Lope, i*n* ferma- ²⁰ rero, fida*n*ça d*e* falbetat *z* d*e* fecuritat, afuero de |¹⁹ ti*e*rra, Marti*n* d*e* do*n* Ferrer, qu*i*fta i*n* Botaya *z* jo co*n* el i*n*femble, q*ue* tenga|²⁰mof nos *z* fagamof bjen atener *z* obferbar eft ja d*ic*to obljga |²¹ m*e*nto por firme por f*e*cu*l*a cu*n*cta. Efto hyef fecyto i*n* pr*e*fentia de |²² bua*n*of om*n*ef: d*e* do*n* Beljngher, mo*n*ge d*e* San Joha*n* d*e*la Pen*n*a, *z* prior |²³ clauft*r*ero, ²⁵ *z* de doSteban, abat d*e* Botaya, *z* d*e* muytof ot*r*of om*n*ef; *z* |²⁴ son tef- temu*n*jaf por mano fecytaf Domj*n*co dAruex *z* do*n* |²⁵ Gil de Gayeta qu*i*fta*n* i*n* Botaya. Aljala pacada : pan *z* bjno |²⁶ *z* carne adabu*n*do,

Fecyta carta i*n* elme∫ d*e* hoctobre, el |²⁷ p*r*imer dja; e*r*a M.ª CCC.ª VIII.ª. Petro dAronpe∫acos, |²⁸ publjco ∫c*r*ibano de Bje∫ca∫a, por ma*n*dame*n*to ³⁰ dama∫ par|²⁹te∫ aq*ue* e∫ta carta ∫c*r*ibje *z* aq*ue* e∫t ∫ig-(●)-nal |³⁰ q*ue* facie.

A. H., San Juan de la Peña, *P*-616.—Línea 18, *en pignar:* hay una tilde sobre *pig.*

18

Año **1271,** enero.—URRIES, part. jud. de Sos.—Not.: Pero Martínez.

Venta hecha por Domingo Ezquerra a Juan de Ivardues, de la parte que de una casa le correspondía.

Sepan todo∫ los om*n*e∫ quj e∫ta carta veran *z* hodra*n* como nos do*n*Domj*n*go E*ç*querra *z* jodo*n*a Marta, amo∫ *z* do∫ en∫enble, |² marit *z* m*u*lier, vendemo∫ auo∫ do*n* Joa*n* dIuardue∫ *z* au*ue*∫tra m*u*lier do*n*a Jurdana, qual part no∫ auemo∫ ena queylla∫ ca∫a∫ de Pe|³nnaço, toda at entegra∫, *z* a*n*ffrontacion de p*ar*t dorie*n*t ela gle∫ia de San Joa*n* *z* eluerto ⁵ de do Mateu *z* de do*n*a Ma*r*ia Gurdue∫ ∫o |⁴ m*u*lier, *z* de p*ar*t doccide*n*t affrontacion la∫ ca∫a∫ delos d*i*to∫ comprado∫, *z* de p*ar*t de meydia a*n*ffrontacion eluerto de do*n*a Sancha |⁵ Jurda*n* de do Enego Arcayç, *z* de p*ar*t daqujlon anffrontacio*n* elera de SanJoa*n*; *z* sego*n*t que la∫ d*i*ta∫ affrontacio*n*e∫ encluden |⁶ *z* de parte*n* *z* sego*n*t que meyllor ∫e puede decir ¹⁰ *z* entender a∫alua, entegra *z* dreyta vendeda, a∫∫i vendemo∫ no∫ do*n*Do-mj*n*go |⁷ E*ç*querra *z* jo do*n*a Marta, amo∫ *z* do∫ en∫enble, marit *z* m*u*lier auo∫ Joa*n* dIuardue∫ *z* au*ue*∫tra m*u*lier do*n*a Jurdana la∫ d*i*ta∫ ca∫a∫ ente-gra|⁸me*n*t, del ciello da quja la tie*r*ra co*n* ∫o∫ entrada∫ *z* co*n* ∫os exida∫ *z* co*n* todo∫ ∫os dreyto∫ *z* p*er*tinencia∫ q*ue* an *z* auer deue*n* |⁹ la∫ d*i*ta∫ ¹⁵ ca∫a∫, a∫∫i como la∫ an *z* ∫ienpre la∫ co∫tumpnoro*n* da uer, libra∫ *z* fran-cas *z* qujtia∫, ∫acado todo enganno *z* |¹⁰ toda mala pleyte∫ia, por p*r*etio *z* aliala que e∫ entre no∫ *z* uo∫ e∫tablido, ço e∫ a∫abe*r:* LX ∫ueldo∫ de di-ne*r*o∫ jace∫e∫ de buena |¹¹ moneda ferme corrible e[*n*]Aragon, por los quale∫ dine*r*o∫ recibiemo∫ *z* fuemo∫ bie*n* pagado∫, ante bueno∫ om*n*e∫, ²⁰ de p*r*e|¹²tio *z* de aliala, jo do*n*Domj*n*go E*ç*querra *z* mj m*u*lie*r* do*n*a Marta, de uo∫ Joa*n* dIuardue∫ *z* de u*ue*∫tra m*u*lie*r* do*n*a Jurdana enel dia |¹³ que e∫ta carta fue feyta; *z* por amor que e∫ta uendeda ∫ia ferme *z* ∫ienpre ualedera damo∫ uo∫ en ferme dela∫ |¹⁴ d*i*ta∫ ca∫a∫ ∫aluar sego*n*t

fuero dAragon, do Fferando de Gurdueſ, uecjno *z* eſtagero de Lobera. ₂₅
E jo do Fferando ante|¹⁵d*i*to atorgo me auoſ do*n* Joa*n* dIuardueſ *z*
au*iueſt*ra m*u*li*e*r do*n*a Jurdana por ſeer uoſ bueno *z* fiel ferme de ſaluedat
de las |¹⁶ ſobre d*i*taſ caſaſ, ſineſ n*u*ll entre d*i*to *z* ſineſ n*u*ll alçamje*n*to,
abuena ffe; *z* deſto ſon teſtimonjaſ por mano pr*e*ſaſ, |¹⁷ que eſto hodiero*n* *z* uediero*n* *z* ſe pr*o*metiero*n* teſtimonjar, do Ffertuyno do*n* Calbet ₃₀
z Domj*n*go Marti*n*. Eſta carta *z* |¹⁸ eſta co*m*pra fuero*n* ſeytaſ enel meſ
de jan*e*ro *e*ra M.ª CCC.ª nona; *z* jo P*e*ro Martineç, eſc*r*iuano jurado
del |¹⁹ co*n* ceyllo de Orrieſ, por mandamje*n*to de todoſ loſ de ſuſo d*i*toſ
eſta carta eſc*r*iuie *z* eſt sig-(●)-no fiç.

A. H., Montearagón, *P*-276, carta 2.ª—Línea 31, entre *Martin* y *Eſta* hay
tachado *z de*.

19

Año **1271**, 2 de abril.—S<small>ANTA</small> C<small>RUZ</small>, part. de Jaca.—Not.: García Chophino.

*Arrendamiento de un campo del monasterio de Santa Cruz a un vecino de
este mismo lugar.*

Coneſcuda coſa ſia aloſpr*e*ſenteſ *z* aloſ q*u*i ſon por uenjr, como
noſ, dopna Vrracha Xemeneç, por la grac*i*a de Dioſ abbadeſſa de
S*an*cta Cruç, co*n* conſeyllo *z* uoluntat de dopna Thareſa de Leſun, prio-
reſſa, *z* de tot el co*n*ue*n*to daq*u*el logar, damoſ |² *z* atorgamoſ atre-
uudo auoſ don P*e*ro S*an*cta Cruç, *z* auaſtra m*u*l*e*r dopna Mar*i*a, *z* a .i. ₅
fyllo ofylla, o aotra p*e*rſona aq*u*i uoſ la q*u*err*e*deſ, en poſ uuaſtroſ diaſ,
lexar o aſignar, vn ca*n*po apla*n*tar en Oſcha, en el t*e*rmj*n*o que eſ cla-
mado Guata*n*te deſus; el qual |³ ca*n*po ayaç pla*n*tado entro en .i. an*n*o.
E afrua*n*ta: en la prim*e*ra part, en vigna de do Ramo*n* del Morro; *z* en
ſecu*n*da part, en çeq*u*ia ueçinal;· aſi como eſtaſ aua*n*td*i*tas afro*n*tacion*e*ſ ₁₀
en cluden *z* deuedexen adarredor el d*i*to ca*n*po, aſi lo damoſ auoſ todo
entegra|⁴me*n*t, co*n* todoſ aquelloſ dereytos q*u*e noſ allj emoſ *z* auer
deuemos, en tal man*e*ra: uoſ q*u*e dedeſ cada .i. an*n*o anoſ oanuaſtroſ
ſucçeſſoreſ, en la prim*e*ra ſenmana de quarayeſma .iii.ᵉˢ puatoſ de oljo,
e q*u*e ti*n*gadeſ la vigna bie*n* poblada *z* laurada deſos lauoreſ enco*n*- ₁₅
ue|⁵nibleſ tie*n*poſ; maſ, enp*e*ro, no*n* damoſ auoſ poder de ue*n*der nj

den pignar njdalienar en nenguna manera, maſ de ſienpre que finque entegra ment, de todoſ loſ diaſ delaſ ditaſ .iii.ᵉˢ perſonaſ; et encara queremoſ que en loſ primeroſ .vi. annoſ non pachedeſ el treuudo, et eloſ .vi. |⁶ annoſ conplidoſ que pachedeſ el treuudo en el termjno auantdito. Enoſ ₂₀ don Pedro z dopna Maria auantditoſ, façiendo gracias auoſ dopna Vrracha Xemeneç, por la gracia de Dioſ, abbadeſſa, z al dito conuento, el dito canpo aplantar z apoblar, con laſ ditaſ conuenjençaſ, reçe|⁷bemoſ; eſi por uentura el dito treuudo non pagauamoſ en el dito termjno, uoſ que podeſedeſ en parar la dita ujgna contodoſ meylloramjentoſ que ₂₅ allj ſeran ſeytoſ; et en poſ loſ diaſ de laſ ditaſ .iii.ᵉˢ perſonaſ que finque la ujgna ſalua z quitia al dito monaſterio, ſieneſ nen|⁸guna carga de deuta z ſieneſ enbargo de null omne. Teſtimonjaſ ſon daqueſto: don Sanyo, reytor de la gleſia diſus, z don Domingo dAnçano, ſtant en Plaçiença. Feyto ſo aqueſto en pleno capitulo en el monaſterio de Sancta Cruç, el ₃₀ ſecundo dia entrada dabril, era M.ª |⁹ CCC.ª nona. Eyo dona Vrracha Xemeneç, auantdita abbadeſſa del monaſterio de Sancta Cruç, aqueſta carta laudo z confirmo, z aqueſt sig-✠-nal y fago. Eyo Thareſa de Leſun, prioreſſa, por mj z por tot el conuento aqueſta carta laudo z confirmo, z aqueſt |¹⁰ sig-T-nal y fago. Eyo Johana de Larbaſa, hal- ₃₅ moſnera, aqueſta carta laudo z confirmo, z aqueſt sig-J-nal y fago. Eyo Vrracha dAragon, ſagriſtana, aqueſta carta laudo z confirmo, z aqueſt sig-V-nal y fago. Eyo S. Layn, |¹¹ enfermarera, aqueſta carta laudo z confirmo, z aqueſt sig-S-nal y fago. Eyo Garcia Chophinno, publico notario de Sancta Cruç, por mandamjento de laſ auantditaſ abba ₄₀ deſſa z prioreſſa z el conuento da quel logar, aqueſta carta ſcriuje, z aqueſt |¹² sig-(●)-nal y façie, z por abece la partie.

A. H., Benedictinas de Santa Cruz, Jaca, P-109.—Hay una tilde sobre las tres primeras letras de *vigna*, líneas 9, 15, 25 y 27, y sobre la *a* de *anoſ*, línea 13; *carga*, línea 27, parece que se escribió primeramente *garga.—a.b.c.* partido al margen inferior.

20

Año **1271,** 12 de noviembre.— HUESCA.— Not.: García Benayas.

Venta de unos campos, hecha por Pedro de Ola a Pedro de Santa Cruz.

Manifiefta cofa fia [a todos] como yo Pedro dOla z Domenga muller
mja, qui habitamof en Molins, plaçiendo anof, debuen coraçon z de
buana uoluntat, z enprefentia de buanof omnes, |² con efta prefent carta
[a todof tien]pof ualedera, vendemof auos don Pedro Santa Cruç z adana
Maria muller uueftra, ueçinof dUafca, tref canpof que emof enlauilla de-   5
Molins, z |³ en termjnos fuyos. El [un canpo] yes aPenna lata, z affronta
enla primera part encamjno deSaragnena, z en canpo de Gil de Ual,
z con canpo de dana Andreua; el fecundo canpo |⁴ yef dito deMelera
[z affro]nta en canpo de Corbinf, z envia que ua aCorbinf, z con
canpo dela dicta dompna Andreua; eltercer canpo que yef dito del   10
Puçuel, z affronta en |⁵ via que va aCorbinf, [z con] via que ua adAl-
ber diofo, z con canpo de Johan, fillo don Pedro dAuelca. Affi como
eftas auantdictas affrontacionef los ditof canpof circundan nj |⁶ enfarran
detodaf par[tef, afi] vendemof auof aquellof todof, abentegrament,
fienef ningun retenemjento nueftro, confof entradaf z luref exidas, z   15
contodos luref dreytof z lures |⁷ pertinenciaf, z fegunt que nof z ante-
ceffores nueftros nunca millor tenjentes enfuemos entro adeft prefent
dia, yes affaber, por cient foldos de dineros jaquefes, moneda buana,
los quales |⁸ deprefent aujemof z recebiemof deuof el dia que efta
prefent carta fue feyta, delos quals nof atorgamof deuos bien feder   20
pagados atoda nueftra uoluntat. Ental raçon vende |⁹ mof auof lof
auantdictof canpof, que uof oqui aquellos daqui adenant teniran nj
poffediran, detç detreuudo por aquellof, atodof tiempof z encadaun
anno, al monafterio de |¹⁰ Sancta Cruç, .XIIII. quartals depan, mjtat
de trigo z mitat ordio, enla fiefta de Sancta Maria de mediant agofto.   25
Vos, est façiendo z cunpliendo, ayatç, tingatç poffjdatç, |¹¹ los dictos
canpof, affi como deuuaftraf propriaf heredatç, quitiaf z fualtaf, adar,
vender, enpeynnar, camiar, alienar, z affer daquellof affi como deuuef-
traf propriaf heredatç, |¹² por atodof tiempof; et amayor uueftra fegu-
ridat, damof auof fiança defaluedat delos dictof canpof que auof vende-   30
mof, denof z de todof lof omnes z laf femnaf |¹³ detot elfieglo, que

au*er* tener *z* poſſedir auoſ *z* aloſ u*ue*ſ*t*ros, los dictoſ canpoſ, entegrame*n*t *z* enpaç, por fuero dAragon, Joh*a*n daRramo*n*, eſtant en Molinſ, *z* noſ, amoſ, |[14] con ell enſenble, *z* cada [vno] por eltot. Eſi por auent*u*ra daqui adena*n*t, auoſ nj aloſ u*ue*ſ*t*ros, deloſ dictoſ canpoſ oſ querria gitar   35 nj n*u*lla arren mi*n*guar, noſ *z* la |[15] dicta fiança, ſaluoſ aq*u*elloſ auoſ ſaga- moſ, odemoſ *z* metamoſ *z* tengamoſ auoſ *z* aloſ u*ue*ſ*t*roſ enotroſ tan buenoſ ca*n*poſ, enla dicta villa d*e* Molinſ, *z* ent*er*minoſ ſuyos, *z* entan |[16] co*n*uenje*n*teſ logaſ. La qual fiançaria yo Joh*a*n daRramo*n* predicto, uolu*n*taroſa me*n*t ſago *z* atorgo entodaſ coſaſ, ſegu*n*t q*ue* eſc*r*ipto yeſ   40 deſuſo. Teſtimonias ſon |[17] deſto: Domi*n*go Tarllata, eſta*n*t en Molins, *z* Ramo*n* deLerda, ſartre, h*a*bitant enOſca. Eſto fue ſeyto enel meſ denouia*n*bre .xii. diaſ entradoſ. E*r*a M.ª CCC.ª |[18] .VIIII.ª. Aliala pagada, pan *z* vino *z* carne, habu*n*da*n*t me*n*t. Eyo Garcia do*m*pna Benayas, publigo not*ari*o dUaſca, eſta carta eſc*r*iuje, *z* mj sig-(●)-nal y fiç.   45

A. H., Benedictinas de Santa Cruz, Jaca, *P*-110. — Línea 7, *Saragnena,* tilde sobre las sílabas segunda y tercera. — 42, *ſartre* no es lectura definitiva; puede también leerse *ſarcte.* Lo supuesto entre [ ] fué borrado por una mancha.

21

Año **1271,** 23 de diciembre.—HUESCA.—Not.: Tomás de Labata.

Arrendamiento hecho por el monasterio de Montearagón a Guillem de La-
bata, de una tienda en la ciudad de Huesca.

Manifieſta coſa ſia adtodos, preſe*n*tes *z* por venir, çomo nos do*n* Joha*n* Garçeç d*e* Oriç, porla graci*a* de Dios abba*t* de Mo*n*tarago*n*, *z* do*n* Joha*n* de Mo*n*taragon, tine*n*t logar del p*r*ior de |[2] clauſt*r*a *z* de do Adam, preoſtre, *z* to*t* elco*n*uent, todos enſemble co*n* cordaulle*m*e*n*t, in preſença de buenoſ om*n*es, ſin*e*s ni*n*gu*n* retinimie*n*to n*u*eſ*t*ro, damos   5 co*n* eſta preſe*n*t carta auos do*n* Guyllem de |[3] Lauata, coriero, eu*ue*ſ*t*ra muyll*e*r dona Sa*n*cha, veçinos dUeſca, vna tienda n*ue*ſ*t*ra q*ue* emoſ enOſca ad *t*riudo, laqual yes enel barrio d*e*la Puerta d*e* Alq*u*iulla, q*ue* affro*n*ta*t* in p*r*ima' p*ar*t en tie*n*da de |[4] la enffermaria dUeſca, *z* in ii.ª p*ar*t en tie*n*da dEyça Çardo*n*, moro dUeſca, *z* in iii.ª p*ar*t in   10 via publiga; aſſi como aq*ue*ſtaſ affro*n*taçionſ çirçunda*n*t dela aua*n* d*i*ta tienda, ſi damoſ auoſ aquella ad triudo |⁵ por xvııj.º ſoldoſ de jacqueſes dineros, moneda buena z firme; los quales todos auan ditos dineros detç z pagetç enlla fieſta de Omnium Sanctorum que viene, ala caſſa dela preoſtria de Montaragon, z dalia de|⁶nant cada vn anno enaquella fieſta por todoſ tiempos, ental manera : que vos elos vueſtros qui la dita tienda tera non pagaretç los ditos .xviii. ſoldos ad vn mes paſſada la fieſta de Omnium Sanctorum ad |⁷ enant, nos por nueſtra propria hacto- ridat aquella tienda podamos en parar contodo ſo mylloramiento que ali ſera ſeyto, ſineſ toda pleyteſſia z toda ayuda de toda peſſona; et encara vos auan dito |⁸ G. z vueſtra muyller dona Sancha que ayatç metudo .c. ſoldoſ de jacqueſeſ enadop enlla auan dita tienda, deſta fieſta de Nadal ſeguient en vn anno primero que viene; los quales ditos .c. ſoldos que enlla |⁹ tienda metretç de miſſion ſian aconexemiento del preoſtre z dotra peſona qui el dicto preoſtre quera. Et eſto façiendo z compliendo vos don G. z vueſtra muyller dona Sancha auan|¹⁰ditos ayatç la dita tienda ffranca z quitia z ſuelta, conentradaſ z exidas z contodos ſos dreytos z pertinençias que ali por tagnen epor tagner deue ala dita tienda, aſi que aya|¹¹tç aquella por dar, vender, in pignar z camiar z alienar z afer aſicomo de vueſtra propria eredat, voſ z fiyllos z fiyllas z toda vueſtra generaçion por todos |¹² tiempos; eſi por auentura con- ueria auos olos vueſtros ladicta tienda vender, primerament ſagatç áſſaber anos .x. dias, z ſiaquella queremos retener ayamos aquella menos |¹³ .x. ſoldos, z ſino vendet aqui vos queretç, ſacado caueros z in fan- çons z perſonas religioſſas z miſiellos, mas aunueſtros coſemblantes qui lauan dito treudo page aſi comoes dito de ſuſſo. E yo don |¹⁴ Guyllem de Lauata corriero z muyller mia dona Sancha auan ditos, la dita tienda de vos auan ditos reçebemos plenerament contodos los conue- nios aſi comoes dito de ſuſſo. |¹⁵ Teſtimonias ſon deſto dou Eſteuan, cappellan de ſant Criſtuaual z don Bonet de Montaragon z don Martin de Galur eſtant enLoporçano. Eſto fue ſeyto vi|¹⁶gilia de nadal, .ix. dias remanientes del mes de deçiembre, era Mª. CCCª. nona..... |²⁰ Thomas de Lauata, publigo notario dUeſca, qui demandamiento delos auan ditos eſta carta eſcriuje z eſt ſig-(●)-nal fiçie.

A. H., Montearagón, *P-275.*—Línea 33, tilde sobre *anos.* — 42, puntos sus- pensivos : siguen los signos autógrafos del abad, el viceprior y otros confir- mantes.

22

Año **1272,** 21 de abril. — Huesca. — Not.: Bartolomé de Olvito.

Sentencia arbitral dada sobre el pleito de un tributo que don Juan de don Julián había de pagar a la iglesia de San Vicente de Huesca.

Conefcuda cofa fia qe como con tençion fueffe entre don Domenge, abbat de la gleffia de Sant Viçient dUefca, de la vna part, z don Juhan |² don Julian, de laltra, fobre treudof z de redadef z otraf cofaf, fobre laf qualef fue con promef por el dicto abbat z por el dicto don Juhan |³ don Julian en don Ramon Gaujn, prior de Sant Pere Villo dUeffca, z don Pero Naya, cauero, z don Furtaner de Suf, diof pena de .L. morauedif; lof |⁴ qualef arbitrof, con firadaf laf cartaf del guadanyerio de la eredat de Preuedro, z con firado el poder del donador, z con firadaf laf |⁵ literaf qe fueron feitaf de nant maeftre Aldebet, z defparadaf probaçionef fi algunaf en qerian aduçir laf partef fobre pagaf feitaf |⁶ z fobre otraf cofaf, audo en cara fobre todo aquefto conffello de faujof, qual nof trobamof qe la part don Juhan don Julian dieu la |⁷ jura en judicio ala bbat auan dicto, qe juro qe .v. anof auja çeffado qe non auja pagado el treudo, z por qe trobamof en la |⁸ carta del guadanyerio que fi çefaf por vn ano qe deuja perder el dicto don Juhan don Julian la dicta eredat atreudada: hon nof |⁹ harbitref auan dictof, vedientef qe fegunt dreito z laf conujnyençaf viftaf de laf cartaf, z fegunt dreito z fegunt fuero, qe |¹⁰ el dicto don Juhan don Julian z Juhan Perç de Sin, procurador fujo, deujan perder leredamjento z pagar el treudo de .v. anof, nof, pero, |¹¹ qeryendo e[n] la maf benjgna part deglinar, cofirando la benjgneça de dona Çipreffa, muller del dicto don Juhan don Julian, z cofirando |¹² la fo neçeffitat, catando en cara como ela benjgna ment fe fotç miffo ala nueftra fentençia, en femble con el dicto |¹³ procurador de fu marido, por qe nof arbitref auan dictof, aujendo Dieuf denant lof vuellof z qeriendo fequir ygualdat maf |¹⁴ qe forteça de dreito, jutgamof diof la pena enel compromjf puefta, qe el dicto don Domenge, abbat de Sant Biçient, cobre z |¹⁵ dentre por fu propria acturidat la eredat de Preuedro, qe ye dicta de Sant Viçient, apofedir la por nonne e voç de la |¹⁶ dicta egleffia de Sant Viçient por todof tiempof, de laçiuera qe yef en poder de lexarich, qe el dicto exarich q*en* re*f*po*n*da |[17] ala d*ic*ta dona Çipre*ff*a *z* q*e* lelde *f*aluo, *f*ialgu*n* dreito ya lexarich q*e* lo p*re*terga, ponje*n*do en *f*ilençio al d*ic*to abbat q*e* no*n* pueda |[18] dema*n*dar nj*n*gu*n* treudo del tjempo tre*f*pa*ff*ado *f*obre la pena d*e* lo*f* .L. moraued*f*; la qual *f*enteçia la*f* parte*f* areçebiero*n*. |[19] Te*f*timonia*f* *f*on daq*e*fto do*n* Co*f*tantj*n*, abbat d*e* *f*ant E*f*teua*n* del Ca*f*- 35 caro, *z* P*e*ro Garçeç, e*f*cude*r*o d*e* don P*e*ro Naya. E*f*ta carta |[20] fue *f*eita dia joujf, .xx. *z* vn dia entrado*f* enel me*f* dabril, e*r*a M.ª CCC.ª deçima. Sig-(●)-nu*m* d*e* B*e*rtolom*e*u dOleuito, publigo notario dUe*ff*ca, q*ui* e*f*ta carta *f*c*r*iuie.

A. H., Iglesia de San Vicente, Huesca, *P*-3. — Llevan tilde sobre sus grupos de consonantes las siguientes palabras : línea 7, *guadanyerio;* 20 y 22, *benjgna;* 25, *vuellos,* y 29, *nonne;* en *Villo,* línea 5, hay tilde sobre la *i,* pero no puede leerse *Viello,* porque la misma tilde repitiéndose sobre la *i* de *Dieus,* línea 24, indica que no debe tomarse por *e;* líneas 26 y 31, *qe* y *qen* escritas sin *u* han servido para interpretar del mismo modo las formas análogas escritas con abreviatura.

23

Año **1272,** 30 de septiembre. — PANZANO, part. de Huesca.

Donación de unos campos a censo perpetuo, de don Bernat Ramón, prior de Santa Cecilia, a Juan Gascón, vecino del mismo lugar.

Cono*f*can todos q*ui* e*f*ta p*re*fent carta hudiran q*ue* nos don Bernart Ramo*n*, p*r*ior de Santa Cecilia, placie |[2] anos d*e* gra*n* uolo*n*tat: damos *z* atorgamos a tu Johan Ga*f*co*n*, fillo de Petro Ga*f*con de Santa Cecilia, tres ca*n*pos |[3] nue*f*tros *z* con huna holiuera, *z* la terçera part in hotra, las quales *f*on ala Fue*n*t de Celeluela; que tu |[4] ayas las ditas holiueras 5 *z* los ditos canpos que ditos *f*on a*ff*i que*m*mo fuero*n* de Johan Pelegrin, por heredat, |[5] por *f*eruicio que anos as feito *z* *f*aces. El p*r*imero ca*n*po hie de part Llananera, *z* afrue*n*ta i*n* el barrancho *z* |[6] i*n* *f*arrado; *z* hotro ca*n*po ad fuent de Co*f*colluela, *z* afruentat in uia puplica *z* i*n* ca*n*po de los de Co*f*collola; |[7] *z* hotro canpo i*n* *f*arrato de Lananera, q*ue* afruenta 10 in *f*arrato de Llananera *z* in ca*n*po de Petro Ga*f*con *z* de Maria Colum |[8]ma. A*ff*i que*m*mo e*f*tas ditas afrontaciones i*n*clude*n* ni*n* en*ff*en*n*an los ditos logares *z* con las ditas oliue|[9]ras, a*ff*i llos damos auos in tal manera que uos ho qui por uos e*f*tos llogares tenera *z* con la part de

|¹⁰ las oliueras, que det anos z anueſtros ſucceſſores por todos tienpos ₁₅ todos annos de trehudo in die |¹¹ de Sant Nicholau·hun dinero de inçenſſo; et eſto conpliendo uos ayaç los ditos llogares por heredat |¹² z toda vueſtra generaçion, por ferne toda vueſtra uolontat conplidament, aſſi quemmo de vueſtra here|¹³dat propria, z aſſi quemmo homne millor diçir nin entender llo puede apro de uos nin de los vueſtros por todos ₂₀ |¹⁴ tienpos, mas toda hocaſion remohuda. Et amaor confirmacion de eſtas ditas paraulas nos auant dito |¹⁵ don Bernart Ramon nueſtro ſinnal hi metemos ✠. Teſtimonias ſon deſto Johan de Pançano, |¹⁶ fillo de don Bernart de Pançano, z Bertolomeu de Glorieta, ueçino de Santa Ceci-lia. Eſto fue feito en el |¹⁷ mes de ſetienbre en el poſtrero dia. Era ²⁵ M.ª CCC.ª X.ª. Domingo Ferrer, publigo notari de Pançano, |¹⁸ eſta carta eſcriue z eſt ſinnal hi-(●)-facie.

A. M. de Huesca, *P*-113.—Línea 21, *remohuha*, la *h* es segura, pero presenta señales de haberla querido enmendar. Las eses iniciales de *ſarrado*, *ſon*, etc., tienen un trazo que las hace parecer dobles. Hay tildes superfluas sobre *anos*, líneas 2, 7 y 15, *Johan*, línea 6, y sobre la segunda sílaba de *Llananera*, línea 11.

24

Año **1272**, 27 de diciembre. — ANGÜÉS y VELILLAS, part. de Huesca.

Acuerdos del monasterio de San Ponz de Tomeras sobre la tributación de sus vasallos los vecinos de Velillas.

En el nomne de Jheſu Chriſt z de la ſo gracia. Sepan lo todos cuemo nos don Guillem Bernard, prior caſtri de Villellas z monje de |² San Ponz de Tomeras, por mandamiento de don Pontz, por la gracia de Dios abbath de San Ponz de Tomeras, z con carta ſuya bullada, afrancimos |³ a uos homnes nueſtros de Villellas aquel termino todo ₅ que es clamado Saſſo de Villellas, por tal que uos lo plantedes todo vineas z que |⁴ lo ayades plantado daquende a çinch annos ogalment complidos, et dalli adelant non ſeades tenudos de dar a nos ni a nueſ-tros ſobre|⁵uenidores nouena de las vineas, mas dedes a nos z a nueſ-tros ſobreuenidores diezma z primicia z vna libra de pebre por treuudo ₁₀ cadanno |⁶ por la fieſta de San Michel. Retenemos uos tanto que de las vineas que aguora ſon plantadas, que daqui als ditos .v. annos dedes

a nos la |[7] nouena z diezma z primicia, z dalli adelant de las qui fon plantadas z uos plantaredes non feades tenudos de dar nuncha jamas fi no aquello |[8] que dito es de fuso; retenemos nos encara tanto que del [15] pan que en el dito termino faredes todauia, dedes a nos nouena, diezma z primicia. |[9] Encara nos retenemos de todo el termino la quinta de las vendas, fegunt que darlas foledes; et fi por uentura uos no auriades plan|[10]tado el dito termino daqui a los ditos .v. annos, que jo que uos aya poder de deftrinner a cada uno que plantedes uueftra parth o [20] que la lauredes. |[11] Es afaber que atermenea el dito termino de la uia de Liefa en entro que uad al termino de Villellas z ad Foçes, et afrontat en termino de Foçes |[12] z de Liefa. Efto fo feito en teftimonio de don Bernard de Auaniach, prior de Arguedas z procurador de todas aquellas cofas que a San Ponz |[13] en Aragon, z de don Huc Armengau, [25] cauero, z de don Domingo Perez, capellan de San Per el Uiello de Ofca, en el mes de dece*nb*re..... |[14] dia de San Johan Euangelifta, qu*ando* era la era de mil z CCC z diez. |[15] Sig-(●)-nal de don Michel Perez, notario publico de Angof z de Villellas, qui aquefto fcriuie z por letras la partie.
[30]

A. M. de Huesca, perg. núm. 282.

25

Año **1273,** 6 de enero. — Huesca. — Not.: Tomás de Labata.

Arrendamiento hecho por el monasterio de Montearagón a un moro llamado Audella, de una tienda situada en la ciudad de Huesca.

Manifiefta cofa fia como nos do*n* Joha*n* Garçeç de Oriç, pola gr*aci*a de Djos abbat de Mo*n*tarago*n*, con adtorgamie*n*|[2]to z volu*n*(ta)tat de do*n* Joha*n* don Bru*n*, en ffermarero z tenie*n*t logar de p*r*ior de clauftra, et de do*n* |[3] Domi*n*go dUefca, p*r*eboft de Mo*n*tarago*n*, z tot el co*n*ue*n*t del d*i*cto mo*n*a*f*terio, damof z d*e* p*r*efent liuramos |[4] co*n* efta prefe*n*t carta firm*e* z valed*e*ra, adtu Audella, fillyo do*n* Juçef de Lo*n*çino, moro dUefca, de toda to vida |[5] z ap*re*s dias tuyos dot*r*a perfona q*ue* fillyo tuyo fia ofillya, p*ri*m*e*ro q*ue* vera de muyll*er* fegu*n*t de tol*e*y, vna |[6] tie*n*da n*ue*ftra ad treudo que nof emof en Vuefca enel bario delof
[5]

Albard*e*f, q*ue* affro*n*tat co*n* cafaf Domi*n*go |[7] dA*n*guaf *z* co*n* cafaf do*n* 10
Pafcual Valef*t*ero *z* co*n* tienda d*e* Mo*n*tarago*n* *z* co*n* cambra d*e* Mo*n*-
tarago*n* q*ue* tien*e* |[8] Joha*n* dOla, *z* en carera publica; afi como eftaf
affro*n*tacionf dela d*ic*t*a* tie*n*da çircu*n*da*n*t, afi da|[9]mof adtu et el p*r*im*er*
fillyo ofillya q*ue* vera, laua*n* d*ic*t*a* tie*n*da ad t*r*eudo por quator foldof de
jacq*ue*fef, |[10] mon*e*da buena *z* firm*e*, lof qual*e*s d*ic*tos din*e*ros dedes *z* 15
paguedef ad nos *z* alacafa dela p*r*eoftria d*e* Mo*n*tarago*n* |[11] cadan*n*o enel
mef de jan*e*ro. Et efto façie*n*do *z* complie*n*do ayatç laua*n* d*ic*t*a* tienda
cone*n* tradas *z* exi|[12]das *z* dreytos et co*n* todaf fos p*er*tinençias q*ue*
alaua*n* d*ic*t*a* tienda por tagn*en* opor tagn*er* deue, |[13] q*u*itia *z* fuelta, vos
efillyo efillya q*ue* ap*r*es dias vue*ſt*ros vera*n*. Eyo aua*n* d*ic*to Audella p*ro*- 20
meto et |[14] co*n*uie*n*go auos aua*n* d*ic*tos auer feyto de mellyoria enlla
d*ic*t*a* tie*n*da d*e* q*u*inq*u*agenta foldof deft |[15] vn an*n*o p*r*imero q*ue* vien*e*,
aconoxemje*n*to d*e* vos (de vos) aua*n* d*ic*to p*r*eboft. En cara p*r*ome|[16]to
et co*n*uie*n*go yo Audella p*or* mj *z* por fillyo ofillya q*ue* amj Dios dara,
rend*er* laua*n* d*ic*t*a* tie*n*da |[17] ad Mo*n*tarago*n* ap*r*es dias nue*ſt*ros, q*u*itia 25
z fuelta, fin*e*s toda plecteffia *z* en barguo ni*n*guno. Et nos |[18] aua*n* d*ic*-
to don J. Garçeç, porlla g*r*ac*ia* de Dios abbat, et do*n* D. dUefca, p*r*eboft,
z do*n* |[19] J. do*n* Bru*n*, en ffermarero *z* tinje*n*t logar d*e* p*r*ior de clauf*tr*a
de Mo*n*tarago*n*, en teftimo*n*ia*n*ça |[20] dela q*u*al cofa nue*ſt*ros fignos
co*n*ftumnados y ponemos. Teftimo*n*ias fon *z* fueron clamados ad efto 30
|[21] don Efteua*n*, cappella*n* de Sa*n*t Criftuaual, efta*n*t en Mo*n*tarago*n*, *z*
do*n* Joha*n* Joffre; çappat*e*ro, *z* |[22] Mahomat de Carnaro*n* *z* Abrayem
dArey, morof veçinos dUefca. Efto fue feyto |[23] .vi. diaf en tradof del
mef de jan*e*ro e*r*a M.ª CCC.ª vnd*e*çima.....

|[30] Thomas d*e* Lauata, publigo not*ario* dUefca, d*e* n*r*andamie*n*to de 35
do*n* Joha*n* Garceç |[31] de Oriç, abbat d*e* Mo*n*taragon, *z* de tot el conue*n*t
fobre d*i*to, eft fig-(●)-nal façie.

A. H., Montearagón, *P-280.* — Línea 34, siguen los signos del abad, el enfermero, limosnero y otros confirmantes.

26

Año **1273**, 3 de abril. — Huesca. — Not.: Tomás de Labata.

Venta hecha por Arnal Cebader al monasterio de Montearagón, de una casa en Huesca.

Manifiefta cofa fia atodos como nos do Arnalt Çiuader, pelliçero, z fo *muller* dona Peytauina, veçinos de Ofcha, fien*es* ni*ngun* rretinim|[2]ie*n*to denos z delos n*ue*f*t*ros, p*r*efen*tes z* por uenir, vend*e*mos z de p*re*fent liuramos el dia q*ue*efta carta fue feyta auos do*n* Johan Garçeç d*e* |[3] Oriç, porla gra*çi*a d*e* Dios abbat d*e* Mo*n*taragon z ado*n* Johan do*n* Bru*n*, en 5
ffermarero z tenie*n*t logar d*e* p*r*ior d*e* clauftra, z atot el co*n*ue*n*t d*e* |[4] Mo*n*taragon z auos do Martin, almofnero d*e* Mo*n*taraon, vnas cafas q*ue*fon en Ofcha enel barrio del Temple, q*ue* affro*n*tan co*n* cafas don P*e*ro Latorre z |[5] co*n* cafas del Temple z co*n* cafas q*u*ifueron de do Ramo*n* de Argauieffo z en carrera publica; aficomo eftas affro*n*taçio*n*s delas di*ct*as 10
cafas |[6] adarredor en farran, fi vend*e*mos auos aq*ue*llas yermas opobladas, apro z bie*n* del di*ct*o p*r*iorado delalmofna d*e* Mo*n*taragon, por p*re*çio q*ue* anos |[7] z uos bie*n* plaçie, yes afaber por .cccc. z .xxx. foll*do*s de jaq*ue*fes, los q*u*ales nos de uos arreçebiemos todos demano amano el dia q*ue*efta |[8] carta fue feyta, ho*n*fuemos z fomos d*e* uos bie*n* paga- 15
dof an*ue*f*t*ra volu*n*tat; epor efto vend*e*mof auos las di*ct*as cafaf, ffra*n*cas, q*u*itias |[9] z fueltas, cone*n*t*r*adas, exidas z aguas z dreytos z p*er*tinen-çias q*ue* alas di*ct*as cafas portayne*n* opor tayner deue*n* por qual q*ue* q*u*iere man*e*ra orra|[10]ço, de çielo atierra, adar, vend*e*r, en piynar, camiar, alienar z af*e*r daq*ue*llas z enaq*ue*llas au*ue*f*t*ra uolu*n*tat, afi como 20
d*e* u*ue*f*t*ra p*r*opria h*e*redat, |[11] agora z todos tie*m*pos; eamayor u*ue*f*t*ra feguridat damos auos ffia*n*ça de faluedat delas di*ct*as cafas q*ue*nos auos vend*e*mos, enllas quales |[12] auos fagamos au*e*r, ten*er*, poffedir z efpleytar en paç, fien*es* mala uoç z pleytefia z en bargo ni*n*guno, por ffuero d*e* Aragon, do |[13] Ramo*n* Violeta, veçino d*e* Ofcha, z nos conel en 25
femble; afi q*ue*fi ni*ngun* hom*n*e ofe*m*pna auos daq*u*ia d*e*na*n*t delas di*ct*as cafas q*ue*rrian gitar nj |[14] rren dali mi*n*guar, nos conlla aua*n*di*ct*a ffia*n*ça auos aq*ue*llas faluemos ofaluar fagamos odemos ometamos auos entam buenas cafas ena|[15]quel barrio mifmo z enta*n* co*n*uine*n*t z profitaule logar, z en cara auos aq*ue*llas faluemos por fuero d*e* Arago*n*. La 30

qual ffiançaria |¹⁶ yo dic*t*o do Ramo*n* Violeta fago *z* otorgo, fegu*n*t q*ue* dic*t*o es d*e* fus. Teftimo*n*ias fon defto *z* fuero*n* pre*f*e*n*tes enellogar Mar- ti*n* |¹⁷ Pereç d*e* Olit, efcudero, nieto del p*r*ior de Saraynena, *z* don Do- mi*n*go d*e* Vuarga, laurador, veçinos d*e* Ofcha. Efto fue |¹⁸ feyto .III. dias entrados del mes d*e* abril, e*r*a M.ª CCC.ª vndeçima. |¹⁹ Aliara dada *z*   35 pagada, cofto .IIII. folld*of* de jaq*ue*fes. |²⁰ Thomas d*e* Lauata, publico not*ario* d*e* Ofcha, por mandamie*n*to de do*n* P*er*o Martineç, juftiçia d*e* Vuefcha, efta carta rrepare |²¹ *z* mj sig-(●)-nal feçie acoftupnado.

A. H., Montearagón, *P*-279.

27

Año **1274,** 10 de enero. — HUESCA. — Not.: Domingo de Arguis

Arrendamiento hecho por el monasterio de Montearagón a don París Per- punter, de un huerto en Sariñena.

Manifiefta cofa fia atodos como nos don Johan Garceç, por la g*r*a- c*i*a de Dios abbat de Montarago*n*, co*n* uoluntat et otorgamie*n*to de do*n* Garcia Martineç, p*r*ior d*e* Saranyena, *z* de |² don Johan de Montara- go*n*, prior de clauftra, *z* de todo elco*n*uento daq*ue*l mifmo logar, damos *z* otorgamos *z* dep*r*e*f*e*n*t deliuramos atitol de p*er*fecta donacio*n* atreuu-   5 do, auos do*n* Paris |³ P*er*punt*er* et au*ue*ft*r*a muller dona Maria, ftantes en Saranyena, vn vuerto, el qual yes en regano de Saranyena, el qual affronta en orto de do*n* Ramo*n* de Balmanya |⁴ et encequia por la qual fe riega el vuerto dela abbadia, et en huerto de uos mifmos; affi como las auandic*t*as affrontacion*es* el dic*t*o huerto circumdan et encloden,   10 |⁵ affi damos auos aq*ue*ll todo abjntegro atreuudo, con entradas *z* con exidas fuyas, aguas, dreytos *z* p*er*tinen*t*ias q*ue* al dic*t*o huerto p*er*te- nexe*n* odeue*n* p*er*tenir por ni*n*guna raçon. |⁶ Ental condition damos auof el dic*t*o huerto atreuudo, q*ue* uos oqui aq*ue*l daqui adelant poffe- dira ded*es* *z* pagued*es* todo[s] annos por treuudo en la fiefta d*e* Sant   15 Migu*e*l |⁷ d*e*l mes de setiembre al p*r*ior de Saranyena q*ue* agora yes *z* por tiempo fera, vn morabetin alffonfi de bue*n* oro *z* de dreyto pefo; et fi por uent*u*ra uos el dic*t*o huer|⁸to querredes uend*er* p*r*im*er*ament lo fagades affab*er* por .x. dias ante alp*r*ior de Saranyena q*ue* por tiempo fera, *z* fi el comprar *z* retener lo q*ue*rra q*ue* lo aya |⁹ menos .v. foldos   20 de tanto quanto otra perſona allj dara, z ſi por uentura comprar z retener non lo querra ad obos del priorado de Saranyena, dallj adelant uendades |¹⁰ el dicto huerto aqui uoſ querredes, saluo acaueros z jnfan-çones z ordenes z homnes religioſos z lebroſos, mas uendades aquell auueſtros conſemblantes, en los |¹¹ quales el prior de Saranyena pueda ₂₅ auer z collir el dicto treuudo ſaluo z ſeguro. Eſto façiendo et obſer-uando, ſegunt que dito yes deſuſo, queremos firmament |¹² z otorga-mos que daqui adelant ayades z poſſidades el dicto huerto por propria heredat z por ſer daquel et en aquell todas uueſtras proprias uoluntaç, aſſi como de coſa uueſtra propria, |¹³ uos z toda uueſtra generacion por ₃₀ atodos tiempos, aſſi como mas ſanament z mellor ſe puede deçir o en-tender coſa de pura donacion; pero yes aſſaber, que retenemos |¹⁴ tanto, que ſi por uentura uos daqui adelant oqui el dicto huerto poſſedira non pagaredes por dos annos el dicto treuudo, al termino aſſignado, al prior de Saranyena, ſe|¹⁵gunt que dito yes deſuſo, que luego encontinent, ₃₅ qual que hora el prior de Saranyena que agora yes z por tiempo ſera querra, que enpare z pueda emparar el dicto |¹⁶ huerto por ſu plana auctoridat z ſienes tot judiçio z fuero, con todo melloramiento allj feyto; et emparado el dicto huerto que pueda auos o alos herederos que |¹⁷ el dicto huerto poſſediran penyorar z deſtrenyer por cort de ₄₀ eccleſia ode ſeglar arecobrar z recebir el treuudo del tiempo paſſado que pagado non ſera. Et nos |¹⁸ auandictos don Paris z muller mia dona Maria, con muytas gracias façiendo, recebemos depreſent de uos ſenyor abbat z del prior de Saranyena z del prior de |¹⁹ clauſtra auandictos z de todo el conuento de Montaragon el dicto huerto atreuudo con todas ₄₅ las conditiones z quiſcunas deſuſo ditas, z prometemos de ob|²⁰ſeruar entodas coſas z por todas, ſegunt que dito yes deſuſo. Teſtimonios ſon deſto Johan de Ayerbe z Pero Lauata ſtantes en Montaragon; feyto fue eſto .x. dias |²¹ entrados del mes de janero, era M.ª CCC.ª duodecima.

|²² Sig-(●)-no de Domingo dArguis, notario publico dOſca, qui ₅₀ demandamiento delos auandictos eſta carta fiço z por abece lo partio.

A. H., Montearagón, *P-281.* — Líneas 1 y 3, tilde sobre *Johan.* — 43, tilde sobre *muytas* y sobre *ſenyor.*

28

Año **1274,** 21 de febrero. — Huesca. — Not.: Pere Ramón Pimparel.

Venta hecha de varios bienes por don García Jiménez, canónigo de Tarazona, a don Gastón y don Pedro Santa Cruz, hermanos, vecinos de Huesca.

[Enel] nomne de Jhefu Chrift edela fuya gracia. Sia conefcuda cofa atodof omnef, prefentef epor venjr, que efta ef carta de atorgamiento ede vendeçion, que fago yo don Garcia Ximenetz, calonge |² [al]mofnero dela eglefia de Santa Maria de Taraçona: plaze amj de buen coraçon ede buena volontat, e en prefencia de buenof omnef, fenef nuill rancurant,   5 vendo auof don Gafton de |³ Santa Crutz, cappellan, ea uueftro ermano don Pero Santa Crutz, vezinof dUefca, toda aquela heredat mia que yo e eauer deuo en villa eenterminof de Monflorit, çerca dela çiudat |⁴ dUafca; la qual toda dita heredat tienen Eyça Alamin eMaomat de Torual, morof de Monflorit. Efon dof heredadef, fabudament: la pri- 10 mera heredat ef la que tiene dito Eyça Alamin, en |⁵ que a dof caffaf, e .xxx.viii. canpof, e vna vigna, evna era con fof ortalef; la primera cafa affronta con el palaço de do Ffertun de Bergoa, e en caffaf de do Atznar dOffera; e la fegunda caffa affronta |⁶ edof partef en caffaf do Atznar dOffera eenuja publica; el primer canpo dizen la Faxa de Çequia 15 dAlborge, que affronta con canpo delefpital een canpo do Atznar dOffera; e el fegundo canpo |⁷ dizen de lof Penalef, que affronta en dof partef con canpof de do Atznar dOffera; el tercer canpo ef ali, alof Penalef e todo, que affronta en canpof de do Atznar dOffera e en canpof de Montaraon; eel |⁸ quarto canpo dizen el canpo del Lapaçar queaffronta 20 con canpof do Atznar dOffera een canpos de Alfonfo dePiluat; e el quinto canpo dizen de Canalef, que affronta con canpof delabadefa de Sancta Crutz |⁹ e encanpof de do Atznar dOffera; e el fefen canpo dizen el Quatron de Canalef, queaffronta en dof partef con canpof delabadefa de Sancta Crutz; e el feten canpo ef ali, en Canalef etodo, que affronta |¹⁰ en 25 canpof delabadefa de Sancta Crutz een canpof dedo Atznar dOffera; e el uueiten canpo ef ali, en Canalef etodo, que affronta dedof partef en canpof de do Atznar dOffera; e el nouen canpo dizen del |¹¹ Puyalon, que affronta con canpof de do Ffertun de Bergoa een canpof de do Atznar dOffera; e el detzen canpo dizen lo Ortal, queaffronta con uuerto do Atz- 30

nar dOſſera econ caⁿpo dedo Ffertun de Bergoa; |¹² e el onzen caⁿpo
dizen del Royal, q*ue* affronta con caⁿpo de do Ffertun de Bergoa e en
caⁿpo dedo Atznar dOſſera; eel dotzen caⁿpo dizen de Puyal de muartoſ,
q*ue* affronta en doſ parteſ co*n* canpoſ |¹³ dedo Ffertun de Bergoa; e *e*l
tretzen caⁿpo dizen dela Xarea, q*ue* affronta de doſ parteſ con canpoſ 35
dedo Atznar dOſſe*r*a, e el catorzen caⁿpo dizen el uuerto del Alma-
toa, q*ue* affronta co*n* uuertoſ |¹⁴ dedo Ffertun de Bergoa e en uuerto
delabadeſa: eſtoſ .xiiii. canpoſ ſon enaçaq*u*i; e el q*u*inçen caⁿpo dizen
del Puyalon, q*ue* affronta con canpoſ deleſpital e en nel Puyalon; e el
ſetzen caⁿpo eſ ali, en |¹⁵ el Puyalon etodo, q*ue* affronta con canpoſ 40
dedo Ffertun de Bergoa eencanpoſ deleſpital; e el diatzeſeten canpo
dizen del Çeclino, q*ue* affronta con canpoſ delabadeſa de *Sancta* Crutz
e encanpoſ dedo Atznar |¹⁶ dOſſera; e el diatz euueiten canpo eſ
enaq*u*el logar miſmo del Çeclino, q*ue* affronta en caⁿpoſ deleſpital e
ent*er*mino de Beleſtar; e el diatz enouen caⁿpo dizen el caⁿpo de To- 45
mera q*ue* affronta co*n* caⁿpo |¹⁷ dedo Ffertun de Bergoa e en caⁿpo
delabadeſa; e el vinten canpo dizen del Vedado, q*ue* affronta con canpoſ
de do Ffertun de Bergoa e en caⁿpo dedon P*er*o deAçebo; e el vintevn
caⁿpo eſ ali, enel |¹⁸ Uedado etodo, q*ue* affronta en caⁿpoſ dedo Atz-
nar dOſſe*r*a eenel camino de Lerida; e el vint e doblen caⁿpo eſ ali; en 50
el Vedado e todo, q*ue* affronta en caⁿpoſ dedo Atznar dOſſera eenel
camino de Lerida; |¹⁹ e el .xx. etreſal caⁿpo eſ ali, en el Vedado etodo,
q*ue* affronta enel Vedado e ent*er*mino de Beleſtar; e el .xx. equarto
caⁿpo eſ alauja del eſpital dAlmanara, q*ue* affronta en caⁿpo de do
Ffertun de Bergoa |²⁰ een caⁿpo dedo Atznar dOſſera; eel .xx. e çin- 55
qu*en* caⁿpo dizen de Caſtillon peſenco, queaffronta en caⁿpoſ de Montaraon eencanpoſ do Atznar dOſſera; e el .xx. eſeſen caⁿpo dizen de
Caⁿp Mayor, q*ue* af|²¹fronta en doſ parteſ en caⁿpoſ dedo Atznar dOſ-
ſera; e el .xx. eſeten dizen delAlgarillo, q*ue* affronta con caⁿpoſ do
Atznar dOſſera e en caⁿpoſ de Montaraon; eel .xx. euueiten caⁿpo 60
|²² eſ alAlgarillo ſuſano, q*ue* affronta con caⁿpoſ deleſpital e en caⁿpoſ de
Montaraon; e el .xx. enouen caⁿpo eſ dito dela Ynjeſta, q*ue* affronta
de .ii. parteſ en caⁿpoſ dedo Atznar dOſſera; |²³ e el trenten caⁿpo eſ
alauja dAlb*er*o, q*ue* affronta en doſ parteſ en caⁿpoſ dedo Atznar dOſſera; e el .xxx.i. canpo dizen lAde*m*pna de la Salada, q*ue* affronta en 65
doſ parteſ con caⁿpoſ de |²⁴ do Atznar dOſſera; e el .xxx. e doblen
caⁿpo dizen otra Adempna de la Salada, q*ue* affronta en caⁿpoſ de do

Atznar dOſſera e en caɴpoſ delabadeſa de *Sancta* Crutz; e el .xxx.
etreſal caɴpo dizen |²⁵ dela Laguna ſelbial q*ue* affronta con caɴpo dela
badeſſa een caɴpoſ deleſpital; e el .xxx. e quarto caɴpo eſ alauja del ⁷⁰
Vedado, q*ue* affronta con caɴpoſ dedo Ffertun de Bergoa een canpoſ
|²⁶ dedo Atznar dOſſera; e el .xxx. e çinq*ue*n canpo dizen lAdeɱpna
delauja del Vedado, q*ue* affronta con caɴpoſ dedo Atznar dOſſera eenla-
lauja del Vedado; e el .xxx. eſeſen caɴpo dizen lAdeɱpna de ſan
|²⁷ Jayme, q*ue* affronta con la era del palaço een caſſaſ dedo Ffertun de ⁷⁵
Bergoa; e el .xxx. eſeten caɴpo dizen delaſ Salçeraſ, q*ue* affronta con
caɴpoſ delabadeſa eencaɴpoſ dedoAtznar dOſſera; e el .xxx. |²⁸ e uuei-
ten caɴpo eſ lalcaçaral q*ue* affronta con alcaçaraleſ dedo atznar dOſſera e enuja publica; e la vigna dizen de Poblet, q*ue* affronta dedoſ par-
teſ con vignaſ dedo Ffertun de Bergoa, de Pueyo, |²⁹ e elera eſ q*ue*ſe- ⁸⁰
tiene conla adeɱpna de ſan Jayme q*ue*affronta con eraſ dedo Atznar
dOſſera. E ellotra h*e*redat q*ue*tiene Maomat de Torual eſ vna caſſa, e
.xxvii. caɴpoſ, e vna vigna, |³⁰ e vn uuerto, e vna hera; la caſſa affronta
en doſ parteſ con caſſaſ de do Atznar dOſſera een via publica; el
p*r*imer canpo dizen deloſ Penaleſ, q*ue*affronta con campo de Alfonſo ⁸⁵
de Piluat e en caɴpo |³¹ de do Atznar dOſſera; e el ſegundo canpo
dizen dela Nogera, q*ue* affronta en doſ parteſ con caɴpoſ dedo Atznar
dOſſera; e el t*er*çer caɴpo dizen delaſ Penialaſ, q*ue* affronta con caɴpoſ
de do Ffertun de Bergoa e |³² en caɴpoſ dedo Atznar dOſſera; e el
quarto canpo dizen dela Vigna, q*ue* affronta con caɴpoſ de do Ffertun ⁹⁰
de Bergoa e en caɴpoſ dedo Atznar dOſſera; eel q*u*into canpo dizen
de loſ Cananilloſ, q*ue* affronta con |³³ caɴpoſ dedo Ffertun de Bergoa
e en caɴpoſ de do Atznar dOſſera; e el ſeſen caɴpo dizen de Puyal de
muartoſ q*ue* affronta en doſ parteſ con canpoſ de do Atznar dOſſera;
e el ſeten caɴpo dizen la faxa de |³⁴ Caɴp de Poço, q*ue* affronta en ⁹⁵
doſ parteſ con caɴpoſ dedo Atznar dOſſera; e el uueiten caɴpo dizen
deloſ Olmoſ, q*ue* affronta con caɴpoſ de do Ffertun de Bergoa een
caɴpoſ dedo Atznar dOſſera; e el nouen |³⁵ canpo dizen de Caɴp de
Poço, q*ue* affronta en caɴpo deleſpital een caɴpo de Atznar dOſſera;
e el detzen caɴpo eſ ali, a Caɴp de Poço etodo, q*ue* affronta con ¹ºº
caɴpoſ dedo Ffertun de Bergoa e encaɴpoſ delabadeſa; e el |³⁶ onzen
caɴpo eſ d*i*to lOrtal, q*ue* affronta con caɴpoſ dedo Ffertun de Bergoa
een caɴpoſ dedo Atznar dOſſera : eſtoſ onze caɴpoſ ſon enaçaqui; e
el dotzen caɴpo dizen lAdeɱpniala, q*ue* affronta con era de do Ffer-

tun |³⁷ deBergoa e con era dedo Atznar dOſſera; e el tretzen caɴpo 105
eſ alauja dAlbero, que affronta con caɴpo dedo Atznar dOſſera een
caɴpo deleſpital; e el catorzen caɴpo dizen el canpo de la Foradada,
que affronta en |³⁸ doſ parteſ en caɴpoſ dedo Atznar dOſſera; e el
quinçen caɴpo dizen de loſ Ayllagareſ, que affronta con caɴpo de do
Atznar dOſſera eencaɴpo delabadeſa; e el ſetzen caɴpo dizen el caɴpo 110
del Regero, que affronta |³⁹ dedoſ parteſ con caɴpoſ dedo Atznar
dOſſera; e el diatz e ſeten caɴpo dizen el caɴpo dela Selbiala, que
affronta en caɴpo de Alfonſo de Piluat een caɴpo dedo Atznar dOſſera;
eel diatz e uueiten caɴpo dizen la |⁴⁰ faxa dArtomal, que affronta con
caɴpoſ dedo Ffertun de Bergoa een caɴpoſ dedo Atznar dOſſera; e el 115
diatz e nouen caɴpo eſ ali, en Artomal etodo, que affronta en canpo
delabadeſa een caɴpo dedo Atznar dOſſera; e el |⁴¹ vinten caɴpo dizen
el caɴpo de Çale, que affronta en caɴpo de Alfonſo de Pilot e en caɴpo
dedo Atznar dOſſera; e el .xx.ı. caɴpo dizen otro caɴpo de Çale etodo,
que affronta con caɴpo deleſpital e en caɴpo de |⁴² do Atznar dOſſera; 120
e el .xx. edoblen caɴpo dizen de Caſtillon peſenco, que affronta en
caɴpo dedo Atznar dOſſera eencaɴpo deleſpital; e el .xx. etreſal caɴpo
dizen dAvinperrial, que affronta con caɴpo dedo Atznar |⁴³ dOſſera een
caɴpo delababadeſſa; e el .xx. equarto caɴpo dizen de Caſtillon mayor,
dedoſ parteſ con caɴpoſ dedo Ffertun de Bergoa, e el .xx. eçinquen 125
caɴpo eſ ali etodo, al Caſtillon mayor, que affronta con caɴpo de |⁴⁴ do
Ffertun de Bergoa e en caɴpo dedo Atznar dOſſera; eel .xx. eſeſen
caɴpo dizen del Vedado, que affronta en caɴpo dedo Ffertun de Bergoa
een caɴpo de do Atznar dOſſera; e el .xx. eſeten caɴpo dizen del Çe-
clino, |⁴⁵ que affronta en caɴpo de do Ffertun de Bergoa de Pueyo een 130
caɴpo dedo Atznar dOſſera; e la vigna eſ en Poblet, que affronta dedoſ
parteſ con vignaſ de do Ffertun de Bergoa; ela era affronta con caſaſ
|⁴⁶ dedo Ffertun de Bergoa econ era dedo Atznar dOſſera; e el uuerto
affronta con uuertoſ dedo Ffertun de Bergoa. Segon que eſtaſ todaſ ditaſ
affrontacioneſ laſ ditaſ çaſaſ editaſ vignaſ editoſ caɴpoſ editoſ ortoſ 135
|⁴⁷ e ditaſ eraſ dequiſcuna part çercan e enſarran aſi vendo auoſ todaſ
equiſcunaſ eſtaſ ditaſ heredadeſ, ço eſ aſaber : caſſaſ e caſſaleſ, uuertoſ
e ortaleſ, caɴpoſ e vignaſ, adempnaſ e eraſ e alyaziraſ e palomareſ;
|⁴⁸ eſto todo con paſtoſ, e pradoſ, e monteſ, e ſeluaſ, eleignaſ, eaguaſ,
pauleſ, çequiaſ, evedadoſ, ebaſaſ, lagunaſ, eboaraleſ; e todo eſto conpei- 140
taſ eçenaſ, pedidoſ, caloniaſ e omeçidioſ, pregeraſ, alguaquelaſ ea|⁴⁹çen-

blaſ e açofraſ e monedageſ; e todo eſto con todoſ eq*ui*ſcunoſ ôtroſ
dreitoſ e ſeruiçioſ q*ue* yo e eauer e reçeber deuo por ne*n*guna manera
enlaſ d*i*taſ heredadeſ epolaſ d*i*taſ heredadeſ, en moroſ e en moraſ
daua*nt*|⁵⁰d*i*toſ, en padreſ eenfilloſ preſenteſ e por venir, q*ui* agora tie- ₁₄₅
nen nj por tie*n*po tenran laſ d*i*taſ heredadeſ; e de mi ſeignoriuo e de
mj poder, q*ue* yo ni loſ mioſ emoſ e auer deuemoſ ſobre laſ d*i*taſ here-
dadeſ, noſ deſeximoſ |⁵¹ e noſ deſpuillamoſ por todoſ tienpoſ, e enpoder
eenteneçon een ſeignoriuo deuoſ d*i*toſ don Gaſton e don Pero Santa
Crutz, edeloſ uueſtroſ preſenteſ e por uenir, laſ metemoſ, eenveſtimoſ ₁₅₀
auoſ por todoſ tienpoſ. |⁵² E vendo uoſ laſtodaſ aq*ui*ſcunaſ heredadeſ
como affrontadaſ edete*r*minadaſ ſon en eſta carta, con todoſ eq*ui*ſcunoſ dreitoſ q*ue* yo y e eauer y deuo, por ſſeiſ çientoſ morauediſ alfon-
ſiſ de buen oro e de dreito peſſo; |⁵³ loſ qualeſ todoſ d*i*toſ morauediſ
yo contando auje e reçebie de uoſ el dia q*ue* eſta carta ſo eſc*r*iuta; onyo ₁₅₅
bien pagado ſo eſue amj volontat, renunciando a aq*ue*ſto toda ecçep-
çion e acçion de no audoſ e nore |⁵⁴ çebudoſ loſ d*i*toſ morauediſ,
etodoſ frauſ eenganoſ; aſſi q*ue*yo nj otro por mj, nj enuotz nj en no*m*-
ne mio, q*ue* no uoſ podamoſ lad*i*ta heredat meter encontraria nj en
mala votz, nj enren dezir nj re|⁵⁵uocar por nuilla razon, anteſ eſta d*i*ta ₁₆₀
venda q*ue* yo uoſ ſago dela d*i*ta heredat mia de Monflorit, ſia firme e
valede*r*a por todoſ tienpoſ; on q*ui*ero e mando firme ment e atorgo con
eſta |⁵⁶ preſent carta firme e por todoſ tie*n*poſ valede*r*a, q*ue* deſt dia
adelant q*ue* eſta carta ſo eſc*r*iuta, q*ue* ayatz e tiengatz epoſiatz e eſplei-
tetz, todaſ eq*ui*ſcunaſ delaſ d*i*taſ heredadeſ, auuaſtra pro*p*ria heredat ₁₆₅
|⁵⁷ e heredadeſ; ço eſ aſaber: por dar, vender, enpignar, camiar e en
qualq*ue*manera laſ q*ue*retz, todaſ o q*ui*ſcunaſ, alienar (alienar), ſegon
eaſi como de uuaſtraſ pro*p*riaſ he*r*edatz, uoſ e filloſ e fillaſ uueſ|⁵⁸troſ
e toda gene*r*acion epoſte*r*idat uuaſtra, por todoſ tie*n*poſ, ſſegon q*ue*
meillor, nj maſ firme ment, nj maſ ſalua, nj maſ ſegura ſe puade dezir ₁₇₀
ni entender eſta d*i*ta ve*n*decion, |⁵⁹ aproſeito e aſaluacion deuoſ edeloſ
uueſtroſ. E ſobre todo eſto do uoſ en fiançaſ deſaluedat e de ſeguridat
delaſ d*i*taſ heredadeſ q*ue* yo auoſ vendo, q*ui* uoſ laſ ſaga auer, tener,
poſedir |⁶⁰ e eſpleitar, ſeneſ todo enbargo, nj contraria nj mala votz de
mj nj de nuill om*n*e nj mulle*r* viujenteſ en eſt ſieglo, por dreito e por ₁₇₅
fuero dAragon, adon Ffertun de Bergoa, de Pueyo, q*ui* eſ de preſent, e
a |⁶¹ don Pero Ferrandetz, de Bergoa, fillo ſuyo, q*ui* no eſ depreſent, e
yo miſmo con elloſ enſenble abualtaſ, e q*ui*ſ cada vno de noſ por el

todo. E encara fi alguno o alguna, omne o muller, viujentef en eft fie-glo, |[62] yo nj otros, uof en queriamof gitar, o alguna coffa aminguar, 180 oren quantra dezir, o en mala votz meter, o alguna contraria dezir o me-ter enlaf ditaf heredadef que yo auof vendo, yo elaf ditaf fiançaf demof, |[63] metamof, tiengamof auof ealof uueftrof enlaf ditaf hereda-def que yo uof vendo, o en otraf tan buanaf, e tan conujnentef, e tan faluaf, e tan francaf, e tan jnfançonaf como aquellaf fon, en villa e enter- 185 minof de |[64] Monflorit; e faluemof uof laf por dreito deglefia, e por coftumne e fuero dAragon, al meillor entendemiento defaujof legiftref e foriftaf, que dezir nj entender fe puade, a profeito e afaluaçion de uof |[65] ditof conpradoref e delof uueftrof, por todof tienpof. E yo dito do Ffertun de Bergoa, de Pueyo, quifo de prefent, e yo dito Pero Ferran- 190 detz, de Bergoa, a pregariaf de mi padre dauant dito amof enfenble, padre |[66] e fillo quifomof dauant ditof, no forçadof, ni enganadof, ni por nuilla manera falagadof, nj logadof, nj deftreitof, maf de buen coraçon e dagradable volontat, efta fiançeria buenament femof e ator |[67]gamof, lodamof e firmamof entodaf e enquifcunaf coffaf que efcriuto 195 ef defufo, e fegon que meillor dezir nj entender fe puade, a profeito e afaluaçion delof ditof conpradoref e delof luref prefentef e por uenir. |[68] E por efta dita fiançeria que nof femof e atorgamof e firmamof, fegon e afi como efcriuto ef defufo, afaluar eafer falua la dita heredat e here-dadef eafer tener e efpleitar aquela por todof tienpof, obligamof 200 |[69] endauof don Gafton de Sancta Crutz, e auof don Pero Sancta Crutz, conpradoref dauant ditof, e alof uueftrof, todof equifcunof bienef nuef-trof, moblef efeyentef, audof eporauer, en todof logaref, a qui uof enpoda |[70]def tornar por efta razon, fimefter fera; e nof que no podamof negar nj defdezir nj reuocar efta dita fiançeria, por nuilla razon nuill tienpo, 205 daquia delant, fobre fe nuaftra. Son defto teftimoniaf don |[71] Martin Peitaujn e Remiro de Gratal, vezinof e eftagerof dUefca; e Martin Ximenetz, de Taraçona, efcudero. Ffeita fo efta carta .VII. diaf romafof del mef de ffreuero. Era M.ª CCC.ª duodeçima. Aliala dada |[72] e pagada cofto en dinerof e en comer .c. foldof. De mandamiento e volontat delof 210 omnef fobre ditof, Pere Ramon Pinparel, publigo efcriuano dOfca, efta carta efcriuieu efofig-(●)-nal y fizo.

A. H., Benedictinas de Santa Cruz, Jaca, *P*-113.— Las palabras *vigna, leignas* y *enpignar* llevan tilde constantemente sobre *gn.*—Línea 14, *edos* (sic).

29

Año **1274,** agosto. — Panzano, part. de Huesca. — Not. : Andreu.

Donación a censo perpetuo de unas tierras del prior de San Urbez a unos vecinos de Bentue.

Conofcan todos qi efta prefent carta hudiran q*e* nos don Bertra-Ramo*n*, p*r*ior de Sant Urbiç *z* de Santa Çeçilia, placie a nos de grant uoluntat *z* i*n* |² p*r*efençia de buenos om*n*es dam*o*s *z* atorgam*o*s *z* de prefent liuramos a uos Domingo Çermona *z* avuaftra mullier Dome*n*ia, ftan*n*tes in villa de Ve*n*tue |³ hun cabomafo q*e* nos auemos i*n* villa *z* i*n* 5
te*r*minos de Ve*n*tue a treudo. Et afruantan las ditas cafas del cabomafo i*n* cafas de Domingo |⁴ dAfpes *z* i*n* cafas del merino *z* por dos partes i*n* vias puplicas; *z* la mitat de huna era q*e* afruanta i*n* vias puplicas p*o*r dos partes *z* i*n* era |⁵ de Pedro Clauero; *z* hun ortal dios el era q*e* afruanta i*n* ortal de Pedro de Vara *z* i*n* via puplica; *z* hun linar i*n* los 10
linas de veçinal, q*e* afru|⁶anta i*n* linar de Johan del Burro *z* i*n* linar de Maria del Merino; *z* hun canpo al cuello, q*e* afrua*n*ta i*n* canpo de Do-mi*n*go dAfpes *z* i*n* canpo de |⁷ Pedro de Vara; affi quemo eftas ditas afrontaçiones includen ni*n* demueftran todos los ditos logares fi damos a uos a treudo con todos los |⁸ hotros logares entegrament q*e* al dito 15
cabomafo p*o*rtan*n*en nin deuen p*o*rtan*n*er i*n* villa *z* i*n* te*r*minos de Ve*n*tue. En tal conueniença damos |⁹ a uos el dito cabomafo ente-grament, q*e* uos ho qi defaqi enant lo terra q*e* deç d*e* treudo por el dito cabomafo por todos tienp*o*s |¹⁰ huna veç en el an*n*o ho por cada hunos an*n*os ala cafa de Sant Urbiç dent*r*o en villa d*e* Ven- 20
tue en la fiefta de fant Migħel d*e*l mes d*e* se|¹¹tienbre .iii. q*u*arta*l*es de trigo *z* .iii. q*u*arta*l*es d*e* hordio d*e* mefura d*e* Huafca, bella çiuera *z* linpia *z* dos *z* mealla en dineros *z* aqella part |¹² q*e* uos tocara en el carnero de Sant Urbiç, *z* las ditas cafas q*e* tie*n*gades en pie *z* la dita heredat pobllada; et fi ditas cafas ho|¹³la dita heredat qeriades 25
ve*n*der p*r*imera ment q*e* lo fagades affaber qi*n*ce dias ante aqualqiere p*r*ior q*e* fe*r*a de Sant Urbiç, *z* fi la |¹⁴ cheria retener q*e* la aya menos .xii. dineros de tanto quanto hotro hy daria auendeçio*n*, *z* fi no*n* la qeria retener q*e* ayaç poder de |¹⁵ vender a om*n*e q*e* fia de feruiçio *z* q*e* efte enlla fen*n*oria de Sant Urbiç, *z* con aqellos conuenios q*e* de 30

ſobre ſe contienen. Et nos ſo|[16]bre ditos Domingo Cermen*na* z mi
mullier Dome*ni*a, el dito cabomaſo ho eredamiento a treudo reçebe-
mos, con ſobre ditos |[17] conuenios, de vos don Bertra-Ramon, prior
de Sant Urbiç z de Santa Çeçilia, z co*n*uenimos a uos entegrament de
atener z conplir todos |[18] los conuenios q*e* ſobre ditos ſon. Et a mayor 35
ſeguridat nos don Bertra-Ramon p*r*ior ſobredito en la preſent carta
sinna-(●)-l |[19] nueſtro femos. Teſtimonias ſon deſto Portoles de Garaſſa,
veçino de Garaſſa, z Mighel del Uaso, ſtant i*n* Pançano. Eſto fue ſeyto
en |[20] el mes de agoſto, qua*n*do era M.ª CCC.ª XIII.ª. Andreu, publigo
notario de Pançano, eſta carta eſcriuie z eſt |[21] sin*n*al hy-(●)-façie. 40

A. M. de Huesca, perg. núm. 176.

30

Año **1274,** 6 de septiembre. — PANZANO, part. de Huesca. — Not. : Andreu.

*Donación a censo perpetuo de una viña del prior de San Urbez a Sancho
Castillo.*

Conoſcan todos qi eſta p*r*eſe*n*t carta hudiran quod nos don Bertra-
Ramon, p*r*ior de Sant Vrbiç z de Santa Çeçilia, dam*os* |[2] z atorgam*os* a
uos do*n* Sanyio d*e* Caſtiello z vuaſtra mullier Dome*ni*a, ſta*n*tes i*n* Arto-
ſiella z ad toda vuaſtra g*e*n*er*acio*n* |[3] huna vin*n*a i*n* Artoſiella, i*n* la
plana de Canallella, z afruanta i*n* vin*n*a de P*er*o Eſpi*n* z i*n* vin*n*a de 5
Aſpes z i*n* el |[4] barra*n*cho de Canalella z i*n* el ſolano de Artoſiella; aſſi
qu*e*mo eſtas ditas afrontaçiones include*n* ni*n* demueſtran |[5] la dita
vin*n*a, ſi damos auos en tal manera la dita vin*n*a q*e* la exabrades z la
podedes z la cauedes |[6] z la mayghedes ent*re* dos an*n*os huna veç,
z q*e* dedes dieçma bien z lial ment z p*r*omſçia ala caſa de Sant |[7] Vrbiç 10
z los vuaſtros por todos tie*n*p*os*, z fagades de treudo vos z los vuaſtros
por cadahunos an*n*os en la fieſta |[8] de Sa*n*cta Maria del mes de ſetie*n*-
bre hun kafiç de trigo de meſura de Huaſca, bella çiuera z li*n*pia,
z |[9] hu*n*a libra de çera a la caſa de Sant Vrbiç, por todos tienpos. Eſto
façie*nd*o ayaç z poſſidaç la dita vinna |[10] vos z aqellos q*e* verra*n* ap*re*s 15
vos, men*os* de ningunos hotros ſeruiçios q*e* non ſiades tenudos de ſer
por la |[11] d*i*ta vin*n*a; z ſi poraue*n*tura vos ho los vuaſtros auiades vo-
luntat de vender la dita vin*n*a p*r*im*er*a me*n*t q*e* |[12] lo fagades aſaber

ad prior de Sant Vrbiç de qinçe dias ante, z ſi la qeria retener el dito
prior qe |[13] la aya çinqo ſualdos menos de quanto hotro omne hy [20]
daria, z ſi no la qeria retener el dito prior qe |[14] vendades a omne de
ſeruiçio z con voluntat de prior de Sant Vrbiç; en tal condiçion damos
auos la dita vinna, qe |[15] vos qe la lixedes a vno de vuaſtros fillos z qe
non layan poder de partir z vaya de huno en huno por |[16] todos tien-
pos aſſi quemo de ſobre ſe contiene. Et nos don Sayo z dana Domenia [25]
ſobre ditos reçebemos |[17] de vos don Bertra-Ramon, prior ſobre dito,
la dita vinna aſſi quemo dito es, con muytas graçias, z conue|[18]nimos
a uos a ſe ſienes enganno de tener z conplir, aſſi quemo de ſobre ſe
contiene; z ſi non ateniamos |[19] lo qe dito es qe la aya la dita vinna
poder de enparar prior de Sant Vrbiç. Teſtimonias ſon deſto Mighel [30]
|[20] del Uaſo, ſtant in Pançano, z Domingo don Petro, ſtant in Ventue,
z Exemeno de Vara, ſtant in Sant Steuan del Pico; et |[21] nos don Bertra-
Ramon prior ſobre dito en la preſent carta ſin + nal nuaſtro femos.
Eſto fue feyto en el pri|[22]mero dia joues de ſetienbre, quando era
M.ª CCC.ª XII.ª. Andreu, publigo no|[23]tario de Pançano, eſta carta [35]
eſcriuie z eſt ſinnal hy-(●)-façie.

A. M. de Huesca, perg. núm. 68.

31

Año **1274,** 21 de septiembre. — HUESCA. — Nots.: Pere Tallol y Miguel de
Barrio Nuevo.

*Arrendamiento hecho por Guillerma de Avizanda a Gil de Garasa y a
Juan del Morro, vecinos de Huesca, de un huerto situado en esta misma
ciudad.*

Eſt yes tranſlat bien z fieſment feyto z ſacado de vna carta orige-
nal, la tenor dela qual yes atal : Sia coneſcu|[2]da coſa atodos omnes
como yo Gujllerma dAujçanda que eſto en Oſca, por mj z por todos
los mjos, do z depreſent ljuro atre|[3]udo auos don Johan Gil de Garaſſa
z a Johan del Morro, gerno uueſtro, vezinos de Oſca, .i. huerto el qual [5]
yo e en Oſca enel |[4] barrio que eſ dito Raualgedit, el qual afronta en
calljço publigo z en huerto del Sepulcre z en huerto de don |[5] Pero
Martinez, juſtiçia de Oſca, z en uja publiga; aſſi como eſtas afronta-

 cio*n*es d*e*l dito huerto de cadauna p*a*rt cir|⁶cu*n*dan *z* en*f*arra*n*, a*ff*i
aq*ue*l auos do a*t*reudo todo entegrament, yermo *z* poblado, co*n* en-　ⁱ⁰
tradas *z* exidas *z* co*n* to|⁷das aguas, dreytos *z* p*e*rtene*n*cias, amenos
de nj*n*gun retenemje*n*to; en tal *con*dicio*n*, q*ue* *f*agad*e*s allj ca*f*as *z* q*ue*
lo |⁸ pobled*e*s *z* q*ue* lo meyllored*e*s *z* q*ue*ntded*e*s amj o alos mjos,
aq*ue*llos aq*u*i yo ma*n*dare de treudo en q*u*i*f*cadaun an*n*o, |⁹ en*e*l mes
de janero, q*u*atuor morauedis al*f*on*f*is buenos, doro *z* dreytos de pe*f*o.　¹⁵
E*f*to faziendo *z* |¹⁰ cu*m*pliendo ayad*e*s, tengad*e*s, po*ff*ide*f*cad*e*s *z* e*f*-
pleyted*e*s el d*ic*to huerto *f*aluo *z* *f*eg*u*ro au*ue*/tra p*ro*pria h*e*redat, es
|¹¹ a*ff*ab*e*r: por dar, p*or* uend*e*r, por enpeyn*n*ar, por camjar o por qual
q*ue* man*e*ra auos plaz*e*ra nj q*ue*rred*e*s aljenar, |¹² uos *z* fillos u*ue*/t*r*os
z toda g*e*neracion *z* u*ue*/t*r*a po*f*teridat por todos tie*m*pos; *z* *f*i por　²⁰
uent*u*ra auos co*n*uenra auend*e*r |¹³ el d*ic*to huerto, *f*eyt lo amj o alos
mjos p*ri*m*e*ram*e*nt a*ff*ab*e*r por .x. dias, *z* *f*i aq*ue*l q*ue*rremos co*m*prar
q*ue*lo ayamos |¹⁴ menos q*ue* otro .xii. *f*old*o*s, *z* *f*i aq*ue*l no*n* q*ue*-
rremos, q*ue*nt *f*agad*e*s todas co*f*as q*ue* uos *f*er ent q*ue*rred*e*s, ata*n*
bie*n* co|¹⁵mo d*e* u*ue*/t*r*a p*ro*pria h*e*redat, *f*acados jn*f*an*ç*on*e*s, caue*r*os,　²⁵
lebro*f*os *z* religio*f*os, *z* *f*aluo *e*l dito treudo; *z* por q*ue* mjl|¹⁶lor ent
*f*iad*e*s *f*eguros do auos fian*ç*a de *f*aluedat d*e*l dito huerto, el q*u*al auos
do atreudo, *z* d*e* todos *f*os |¹⁷ dreytos d*e* mj *z* d*e* todos om*n*es *z* fem-
nas, p*or* fu*e*ro de O*f*ca, do*n* Pelegrin don Huc, q*u*i e*f*ta en O*f*ca, e*f*tan-
do en p*re*fent *z* a|¹⁸torgando *z* yo mi*f*ma co*n* el en*f*enbl*e*. De*f*to *f*on　³⁰
te*f*ti*m*onjas Alfos de Tremp, *ç*apat*e*ro, *z* do*n* P*e*ro dona Burze*f*a,
|¹⁹ pellj*ç*ero, *z* Saluador de Giro*n*diella, q*u*i e*f*tan en O*f*ca. E*f*to fue
feyto .xi. k*a*lend*a*s octubr*e*, era M.ª CCC.ª XII.ª

　|²⁰ Sey + nal d*e* Pere Tayllol d*e* O*f*ca, publigo not*ario* q*u*i e*f*ta
*c*arta e*f*criuje, *z* por letras la p*a*rtie.　　　　　　　　　　　　　　³⁵

　|²¹ Sey-(●)-nal de Migu*e*l de Barrio Nueuo, not*ario* publigo d*e*
O*f*ca *z* d*e*la cort q*u*i dema*n*damje*n*to de |²² don Gil de Jacca, ju*f*ti*c*ia
de O*f*ca, e*f*t tra*f*lat e*f*criuje.

A. H., Carmelitas de Huesca, *P*-ⁱ.—Traslado coetáneo de su original.

32

Año **1275**, 1.º de enero. — Huesca. — Not.: Pere Ferrer.

Inserta una escritura de 10 de mayo de 1274 (?), hecha por Domingo Pérez de Marcén, notario de Fañanas, con unas disposiciones testamentarias de doña Altabella de Lizana.

Anno Dominj mille*fimo* ducentefimo feptuagefimo qvinto, dia faba-do, primero del mef de janero, delant don P*ero* Martin*eç* jufticia dOfca *z* don Arnalt de |² Marçan *z* don Matheu dAuuoro, jurados daquella mifma ciudat, apparexieu ffrare P*ere* Beltran, prior de la cafa de los predicadores dOfca, *z* frayre Martin dAyera |³ daquella mifma ord*e*n, 5 *z* moftraron vna carta publiga efcripta por mano de Domi*n*go P*e*reç de Marçen, publigo notario de Faynnanas de la qual la tenor ef atal : Conofcuda |⁴ cofa fia a todos qve yo dona Altabella de Liçana eftan-do en mj fefo *z* en mj plena memoria, qujero *z* mando *z* ordeno q*ue* fi yo por auent*ur*a morieffe ante que yo non |⁵ ouiaffe affer otro deftin, 10 aquella nota o aquel efcripto oyef efcripta mj ordinacio*n* on yo ordeno mis bienes *z* mis lexas, la qual nota o el qual efcripto yes fiellado con mj |⁶ fiello, el qual efcripto tienen l*c*s frayres predigadores dUefca en comienda por mj, qviero que fea ualedero *z* paffe por deftin affi como fi fueffe feyto por ef|⁷criuano jurado; et quiero que todo efcri- 15 uano jurado que lo pueda fer *z* meter en forma de deftin en nomne mio affi como fi yo fueffe biua *z* lo mandaffe fer; |⁸ et quiero que aquellos que yo eflio por efpondaleros, que qua*n*to faran todo lo fagan fegunt del confello *z* fegunt q*ue* ordenaran el prior delos fray-res prediga|⁹dores dUefca oaquel que fo logar terra, *z* ffray Per Be- 20 tran *z* fray Martin de Ayera, predigadores, fi fueren en la tierra, *z* lo q*ue* ellos confillara*n* *z* ordenara*n* aquello |¹⁰ paffe. Teftimonias fon defto don Micholau de Alqueçar, capellan q*ue* cantaua en Abrifen, et don Guyllem de dona Efpayna, abitant en Abrifen. Efto fue feyto .x. diaf en|¹¹tradof del mef de mayo, e*r*a M.ª CCC.ª XIII.ª. Sig-(●)-nal 25 de Domi*n*go P*e*reç de Marçen, publigo not*ario* de Faynanas qui efta carta efcriuje. |¹² La qual carta leyda pregaron los anted*ict*os frayres alos auantd*ict*os officiales que aquell efcripto q*ue* ellos moftraua*n* ad ellos fiellado con el fiello pend*e*nt de dona Altabella |¹³ de Liçana *z* farrado

co*n* corda uermella, la qual era enclofa en el d*ic*to fiello, q*ue* feeffen 30
meter en forma publiga por efcriuano publigo *z* jurado de la ciudat,
por tal q*ue* la uolu*n*|[14] tat de la d*ic*ta deffu*n*cta podieffe auer fin
deuuda; e los d*ic*tos official*es* dixo*n* q*ue* aurian lur acuerdo fobre las
auant*dic*tas cofas, et el d*ic*to ju*f*tici*a* auido confeyllo de fauios fo|[15] bre
las cofa*f* defufo ditas, jutgando, dixo q*ue*l d*ic*to efcripto farrado co*n* 35
el fiello aua*n*td*ic*to fueffe abierto *z* leydo dela*n*t ellos *z* en co*n*tine*n*t
fue abierto por mano del d*ic*to ju*f*ticia, *z* pues |[16] fue leydo; el qual
leydo el d*ic*to ju*f*ticia auudo confeyllo de fauios fobre la*f* cofas q*ue* en
aquel fe co*n*tenexe*n*, jutgando, mando adon Migu*e*l de Barrio Nueuo,
publigo not*ario* dOfca, |[17] q*ue* todas aquellas cofas q*ue* fe co*n*tenian 40
en el d*ic*to efcripto fiellado co*n* el fiello de dona Altabella de Liçana
metes en forma publiga, fegu*n*t q*ue* te*f*tame*n*t fe debe fer, *z* aues
ua|[18] lor de te*f*tame*n*t, faluo el dreyto atodos aquellos q*ui* dreyto an
en los bien*es* de la d*ic*ta dona Altabella. Efte fue feyto en el dia *z* en
lan*n*o de fufo efcripto. Prefent*es* te*f*timo*n*ios |[19] *z* ad efto clamados 45
don Garçia de Jacca, jurado, don P*er*o don Brun, Palaçin de los Cueyn-
des, do*n* Marti*n* de Boleya, do*n* Apparicio de Çaragoça, not*ario*, vezi-
nos .dOfca. |[20] (E por mayor te*f*timo*ni*o de todas las auant*dic*tas cofa*f*
yo auant*dic*to don P*er*o Martin*eç*, ju*f*tici*a* dOfca, mj fiello prop*r*io col-
gado y meto.) Eyo P*er*e Fferrer publigo not*ario* |[21] de la cort dOfca 50
atodo efto p*re*fent fue *z* de mandamie*n*to del d*ic*to ju*f*ticia todo efto
efc*r*iuie *z* mi fig-(●)-nal y pofe co*f*tu*m*pnado.

A. H., Predicadores de Huesca, *P*-11.—Líneas 48-50, lo encerrado entre pa-
réntesis está tachado en el original.

33

Año **1275,** 22 de enero.—B*e*spén, part. de Huesca.—Not.: García de Ondodo.

Declaración de don Marco Ferriz sobre la venta del señorío de Sipán al
monasterio de Montearagón.

Conofcida cofa fia atodo*f* lo*f* om*n*e*f* q*ui*efta carta uera*n* q*ue* yo Marcho Feriç, fillo de don Sancho Jorda*n* *z* de dona Granada fomuller,
fedie*n*do cjerto de mj derecto, fi al.[2] guno en de auja enel ca*f*tiello *z* en
la uilla d*e* Sipan *z* enfo*f* t*er*mjnof *z* en fo*f* p*er*tine*n*cia*f*, no en ganado en
rren nj forçado njco*f*trecto, ma*f* d*e*buen coraço*n* *z* d*e*buana |[3] uolu*n*tat, 5

auudo plenero co*n* feyllo por m:tcto tje*m*po *z* auuda plenera delibera-
çio*n* fobrefto, ftando oltra de edat de .xxx. an*n*of *complidos*, atorgo
ereconofco *z* en |⁴ uerdat co*n*fefo, uenje*n*do en de manjfiefto, q*ue*lof
dictof don Sancho Jorda*n z* dona Granada fomull*er*, alof qualef perte-
necia*n* el caftiello ela ujlla deSipa*n*, *z* fof |⁵ te*r*mjnof *z* fof derectof, ¹⁰
vendiero*n* uerdadera me*n*t por huebof q*ue* aujan, fienef todo retenemje*n*to *z* fienef todo engano, lauilla *z* el caftiello de Sipa*n*, con todof
fof |⁶ te*r*mjnof *z* todof derectof *z* fof p*er*tine*n*cîaf e*n*tegrame*n*t, alabat
z al co*n*ue*n*to *z* al monefterio d*e*Mo*n*taragon, fegu*n*t q*ue* enla carta
d*e*la dicta ue*n*dicio*n* efplenerame*n*t |⁷ co*n*tenjdo; la qual ue*n*dicio*n* ¹⁵
por mj lodo, *z* fienef negu*n* retenemje*n*to atorgo *z* co*n*firmo, *z* q*u*iero
q*ue* atodof tje*m*pof fia firme *z* ualedera, *z* nu*n*ca uenjr y puefcha |⁸ yo
nj neguno por mj nj por raço*n* demj, antef co*n* aq*ue*fta carta firme-
*men*t ualedera *z* atodof tje*m*pof por mj *z* lof mîf fuceforef *z* a todof lof
mjof duradera, |⁹ fuelto *z* q*u*itio *z* de fenefco auof don Johan Garçeç ²⁰
dOriç, porla g*raci*a de Dîof abat deMo*n*taragon *z* atodo el co*n*ue*n*t *z*
almonefterio daq*ue*l lugar *z* atodof bueftrof |¹⁰ fuceforef *z* a todaf buaf-
traf cofaf ebienef bueftrof daq*ue*l lugar, auudof *z* auederof, toda dema*n*-
da, toda ra*n*cura, toda q*ue*rella *z* todo derecto q*ue* yo faria |¹¹ ofer
podria, auja o auer deuja por qual q*ue*manera enel caftiello *z* enla ujlla ²⁵
z fof te*r*mjnof *z* enfof derectof *z* enfof p*er*tine*n*cîaf deSipa*n*, fiq*u*iere
|¹² por teftame*n*t o fienef teftame*n*t o por dono o por camjo o por co*m*-
pra o **por** qual q*u*iere otra manera, co*n* carta o fienef de carta, renu*n*-
cia*n*|¹³do efpr*e*fame*n*t *z* excerta ciencia atodo derecto eclefiaftico *z* cjuil
z atoda accjo*n* crimjnal *z* ciujl *z* a toda excepcion *z* defenfion *z* atodo ³⁰
inftrume*n*t |¹⁴ *z* atoda carta *z* letraf de apoftolic *z* de p*r*incep *z* defof
fillof *z* de todo baylle dellof q*ue*amj *z* alof mîf p*r*ofectafe enre*n*, nj
aqual q*u*iere abat *z* co*n*uent deMo*n*taragon |¹⁵ nj aluref fuceforef nj
aluref bienef nocer podiefe nj ami ayudar e*n*nulla manera, qua*n*to ad
aq*ue*ft atorgamje*n*to *z* definjcio*n* q*ue* yo fago delof aua*n*di|¹⁶tof uilla *z* ³⁵
caftiello deSipa*n* *z* de fuf te*r*mjnof *z* fuf derectof, metie*n*do amj *z* amj
fuceforef p*er*petuo filencio fobre ellof; en tal manera q*ue* yo nj om*n*e
por mj |¹⁷ nj fuceforef miof nj por raço*n* demj nj dellof, nu*n*ca puafca*n*
fer da q*ue*l lugar nulla dema*n*da nj nulla q*ue*rella nj ra*n*cura en cort nj
fueraf de cort, nj |¹⁸ deua*n*t juge feglar o eclefiaftico por ne*n*guna raço*n* ⁴⁰
nj por neguna manera, nj deneguno no enfia efcuytado, antef enfia labat
z el co*n*ue*n*to *z* el |¹⁹ monafterio de Montaragon *z* todof luref fuceforef

4

z lueref bienef en tegrament fueltof z quitiof z defjnjdof, afi cuemo mellor z maf fanament emaf |[20] entegradament emaf complidament puada feder dito efcrito z en tendudo, aluer pro fieto z alur falua- 45 mjento z alur feguridat. Et aquefto pro meto en |[21] fe deDiof z lialdat mja de complir z de obferuar· z de catar lialment z fienef en gano z denuncha contra uenjri. Et fi por auentura, lo que Dief no quiera, yo o alguno |[22] por raçon de mi, uenjefe contra·aquefta carta yo queen fia tenudo z obligado de cataren alabat z al conuent auanditof z el monaf- 50 terio z todaf lueref cofaf, de |[23] todo dampnage z todo trabayllo, z de ayudar lef en z dedefender lof quanto mi poder fera z de feer lef en fiel elial, z complidaf guarenciaf, z por redrar |[24] lef en z fatif fer lef hen de todo dampnage z todo trabayllo. Et amayor fecuridat dellof do auof abat auandito z al conuent de Montaragon z alof |[25] fuceffóref 55 bualtrof fiançaf de faluamjento z de riedra qui faluen z faluar fagan el caftiello z lauilla auanditof confof termjnof z fof derectof z |[26] pertinen- ciaf aldido abat z aldito conuento deMontaragon, que catar eferuar ecomplir fagan amj todaf laf auanditaf cofaf z quifcadaunaf, don Fferan Sancheç, fillo |[27] del noble feynor don Jacme rey dAragon et Jordan 60 dePenna, ermanof mjof, eyo con ellof enfemple z quifcadauno por fi, qui prefentef eftan|[28]tef, por fiançaf ffe atorgaron fegunt que defufo ef dito, obligantef affi z atodaf fof cofaf mueblef z fedientef, auudaf z por auer, atener |[29] z obferuar z catar, z fer obferuar z catar, z complir z fer complir todaf enfenble z quif cada unaf delaf auant ditaf cofaf. Son 65 teftimo|[30]njaf da quefta cofa, queefto odieron z uidieron z ennel logar foron, don Beltran de Eril z don Nauarro de Martef, cauerof.

|[31] Ffeyto ffo aquefto en el mef de janero dia de SantViecient quando yera laera de mil z CCC z XIII.

|[32] Yo Garcia dOndodo, publico fcriuano deBefpen, apregariaf z 70 amandamjento de todof lof auantditof aquefta carta fcriuje emj fig-(●)-nal |[33] ffacie coftumpnado, z en .XIIII. recla fobre fcriuje: mif.

A. H., Montearagón, P-291. — Línea 32, mif entre líneas. — 36, amj fucefo- ref (sic).—58, aldido (sic).

34

Año **1275**, 10 de julio. — HUESCA. — Not.: Domingo de Arguís.

Donación de un campo del monasterio de Montearagón, a don Martin de Igriés y a don Juan de Tubo, vecinos de Huesca.

Manifiefta cofa fia atodos como nos don Johan Garceç, por la gra-*ci*a d*e* Dios abbat de Montaragon, con uolu*n*tat *z* otorgamie*n*to de do*n* Johan don Bru*n*, p*ri*or d*e* clauftra *z* tenie*n*t |² logar de enfermero, *z* de todo el conuento del monafterio de Mo*n*tarago*n*, damos *z* otorga-mos *z* dep*re*fent deliuramos, aplantar vinya amitat, vn campo n*ue*ftro,   5 el qual la |³ enfermaria de Mo*n*tarago*n* ha *z* auer deue ent*er*mi*n*o de Quicena, logar q*ue* yes dito Malpartit, auos don Martin de Yg*ri*es *z* amuller u*ue*ftra dona Pelegrina, *z* auos do*n* Joha*n* |⁴ de Tuuo *z* amuller u*ue*ftra Domenja, uiçinos dOfca, el qual campo affronta co*n* vinya d*e* do*n* Saluador d*e* Martorel *z* co*n* campo de do*n* B*ar*tolome*o* de Quicena,   10 *z* co*n* |⁵ puyal d*e*la Liura; affi como las d*ic*t*a*s affrontacion*es* el d*ic*to campo encloden *z* c*i*rcumdan de todas partes, affi damos auos aq*ue*ll todo abjntegro, aplantar vinya ami|⁶tat, con entradas *z* con exidas fuyas, aguas, dreytos *z* pertinencias q*ue* al d*ic*to campo p*er*tenexe*n* odeue*n* p*er*tenir por qual quiere raço*n*. Ental condicio*n* damos auos   15 |⁷ el d*ic*to campo aplantar amitat, q*ue* uos q*ue* ayades el d*ic*to campo plantado *z* replantado de buena planta *z* de arbores fructal*es*, bien *z* lealme*n*t, au*ue*ftro poder, de |⁸ la p*ri*m*er*a fiefta d*e* Nadiuidat de Jhe*f*u Cri*f*to q*ue* uiene entro ad vn anno continuo *z* complido, *z* laured*es* aq*ue*ll mallolo todos annos d*e* todas lauores, affi como co*n*uiene |⁹ ama-   20 llolo entiempos co*n*uine*n*tes, entro acomplimie*n*to de cinquo annos continuadame*n*t *z* complidos; p*er*o yes affaber q*ue* yes co*n*uenio entre nos *z* uos q*ue* dela pri|¹⁰mera fiefta d*e* *Omn*ium *Sanc*torum q*ue* uiene entro acinquo annos continuos *z* co*m*plidos el d*ic*to campo plantado *z* replantado feyto vinya, partades aq*ue*lla dos |¹¹ partes, et partida aq*ue*- 25 lla efculgamos *z* recibamos nos aq*ue*lla part la qual nos efleyr *z* recebir q*ue*rremos por anos, ad huebos d*e* la enfermaria de |¹² Montarago*n*, et uos ayades *z* recibades la otra mitat por u*ue*ftra lauor ap*ro*pria h*e*re-dat, por dar, uender, enpenyar, camiar *z* por qual q*ui*ere otra man*er*a alienar, |¹³ *z* por fer daq*ue*lla et enaq*ue*lla todas u*ue*ftras p*ro*p*ri*as uolu*n*- 30

taç, uos z toda uueſtra generacion por atodos tiempos; z uos z ſucceſſo-
res uueſtros dedes todos annos por ato|[14]dos tiempos, dentro enla
dicta vinya ad huebos dela enfermaria auandicta, decima z primicia; et
ſi por uentura uos oſucceſſores uueſtros, qui por tiempo |[15] la dicta
vinya uueſtra tenrran z poſſidiran, querredes aquella uender, primera-   35
ment lo ſagades aſſaber al enfermero qui por tiempo en Montaragon
ſera, por .xv. dias |[16] ante, et ſi aquella querra comprar z retener ad
huebos denos z dela dicta enfermaria, que la ayamos menor .x. ſoldos
de tanto quanto otra perſona allj dara..... |[18] Eſto façiendo et obſer-
|[19]uando aſſi como deſuſo contenexe, queremos firmament por nos z   40
por todos nueſtros ſucceſſores que ayades, tingades z poſſidades ladicta
part uueſtra dela dicta vinya, |[20] por ſer todas uueſtras proprias uolun-
taç, aſſi como de ſuſo ſe contenexe; et nos dictos don Martin de Ygries
z muller mia dona Pelegrina z don Johan de Thuuo |[21] z muller mia
Sancha, con muytas gracias façiendo, reçebemos de uos ſenyor abbat z   45
de uos don Johan don Brun, prior, auandictos, z de todo el conuento
|[22] de Montaragon el dicto campo aplantar vinya amitat, con todas z
cadaunas condiciones deſuſo ditas. Teſtimonios ſon deſto qui fueron
preſentes z |[23] rogados don Steuan dArniellas z don Paſcual dUncaſtie-
llo, capellanes z beneficiados de Montaragon, et don Pero Sora de For-   50
niellos z Domingo, fillo |[24] de don Johan dela Herola, ſtantes en Qui-
cena. Et por mayor firmeza z teſtimoniança delas ſobredictas coſas nos
dictos don Johan Garceç, abbat, |[25] z don Johan don Brun, prior, poſa-
mos aqui z femos poſar nueſtros signos acoſtumnados. Feyto fue eſto
.x. dias entrados del mes de julio, era M.ª CCC.ª XIII.ª.....   55

|[29] Sig-(●)-no de Domingo dArguis, notario publico dOſca, qui de
mandamiento del dicto ſenyor abbat z de todo el conuento de Monta-
ragon, z de mandamiento de don |[31] Simon de Bolea, capiſcol z eſcri-
uano del dicto conuent, eſta carta eſcriuie.

A. H., Montearagón, P-295. — Línea 55, siguen los signos del abad, del prior
y de otros confirmantes.

35

Año **1275,** 14 de julio.—SANTA CILIA, ayunt. de Panzano, part. de Huesca.—
Not.: Domingo Ferrer.

*Venta de un huerto, hecha por los albaceas de doñi María Columa a Bene-
deta, nieta de la testadora.*

Conofcan todos q*ui* efta p*re*fent carta hudiran que yo don Garcia
de Aguas, vichario de Santa Cecilia, *z* yo Garcia Colu*m*ma |² de Santa
Cecilia, efpondaleros de dan*n*a Maria Columma, reçebudo de ella pleno
poder por uender de fos bienes *z* fer por fo |³ alma, *z* por efto nos
auant ditos efpondaleros uendemos hun fo huerto i*n* la ual de Santa
Cecilia a tu Benedeta, nieta de dan*n*a |⁴ Maria *z* filla de Cecilia fo filla,
por precio que entre' nos *z* tu co*m*poniemos, por tres fueldos *z* medio
de dineros de moneta jachefa, |⁵ don nos fomos bièn pagados a nueftra
uolontat; el dito huerto ad afrontaciones i*n* huerto de Domingo Binueft,
z i*n* huerto de P*er*o |⁶ Gafcon; *z* affi quemo eftas ditas afrontaciones
enclude*n* ni*n* demueftran el dito huerto, affi lo uendemos a tu entegra-
ment co*n* en|⁷tradas *z* con exidas *z* con todas fos millurias que del dito
huerto fon nin deuen feder, he queremos que tu lo ayas por heredat *z*
tota to genera|⁸çion *z* to pofteritat *z* que ayas plèno poder por uender
z in pin*n*ar *z* dar *z* camiar *z* allenar he por fer toda to uolontat con-
plidament *z* |⁹ entegra, affi que*m*mo de to heredat p*ro*pria, *z* affi
que*m*mo ho*m*ne millor dicir ni*n* entender lo puede a pro de tu nin de
los tos, por todos tie*n*pos jamas, |¹⁰ toda hocafion remohuda; et amaor
confirmacion de eftas ditas paraulas *z* del dito huerto a tu faluar damos
a tu fiança de faluē|¹¹tat affegunt del buen fuero de Aragon qui a tu *z*
a los tos ho a los que tu querras el dito huerto faga heredar, por todos
tienpos jamas, |¹² Domingo Brunell, ueçino de la uilla de Santa Cecília,
he nos con el enffemble, en tal manera que fi ningun ho*m*ne nin fe*m*na
del dito |¹³ huerto q*ue*ria a tu gitar ni*n* en res mi*n*guar efta dita fiança
he nos con el enffemble, metamos a tu en tan conuinent huerto que
|¹⁴ menos non ualga dinero, en el termino de Santa Cecilia, he fagamos
llo a tu heredar por todos tie*n*pos mas. Et yo auant dito fian|¹⁵ça efta
fiançaria affi que*m*mo de fobre fe contiene uolentes fago *z* atorgo. Tef-
timonias fon defto Domingo de Hufe *z* Petro, |¹⁶ fillo de Carcia Burro,

ueçinos de Santa Cecilia. Efto fue feito en el mes de julio *in* el segundo ³⁰
dominigo. Era M.ª CCC.ª XIII.ª. |¹⁷ Aliala pagada. Domingo Ferrer,
publigo notari de Santa Cecilia, efta carta efcriuie *z* eft fin*n*al hi-(●)-
façie.

A. M. de Huesca, perg. núm. 114.

36

Año **1275,** 21 de noviembre. — Huesca. — Not.: Benedicto de Castejón.

Venta hecha por Domingo de Guarga a Jaime de Ayerbe, vecinos de
Huesca, de una tierra que pagaba un censo al monasterio de Montearagón.

In *Crifti* nomj*n*e et ei*uf* gr*ati*a. Conofcuda cofa fia atodof prefentef
epor venir como nos do*n* Domi*n*go de Guarga *z* dona Maria, mull*er*
fuya, ciutadanof d*e* Ofca, |² amof enfemble ecada vno de nos por el
todo, otorgamof e co*n*firmamos de fcierta fcie*n*cia et de agradable
uolo*n*tat, no*n* decebudof nj engan*n*adof, maf por n*ue*ftra |³ prop*r*ia ⁵
uolo*n*tat eco*n* aq*ue*fta prefen*t* carta firma por todos tiempos ualedera,
por nos epor los n*ue*ftros venjdof epor uenjr, vendemos et deprefent
deliuramof |⁴ auof do*n* Jayme d*e* Ayer*r*be, fufter*o*, ea dona Gilia, mull*er*
u*n*eftra, ciutadanof d*e* Ofca, todo aq*ue*ll q*ui*nion et aq*ue*lla part, tal qual
anos portanje ni*n* portanier deue en |⁵ aq*ue*ll ca*m*po q*ue* nos eotros ¹⁰
vezinof n*ue*ftros recebiemos atreudo de Pedro do*n* Gujllamo*n* *z* de Do-
mi*n*go de Maça *z* d*e* Domi*n*go de Anguaf; el qual ca*m*po ellos |⁶ rece-
biero*n* de Mo*n*taragon at*r*eudo; el qual d*i*cto campo yef enter*m*i*n*o dOfca,
q*ue* yef d*i*cto Alq*ui*bla; el qual d*i*cto quinion epart afro*n*ta en q*ui*nion de
Domi*n*go Capiella et |⁷ en ceq*u*ia vezi[n]al, et en q*ui*njo*n* de do*n* Math*e*u ¹⁵
d*e* Bara et enq*ui*nio*n* de Domi*n*go Maça; affi como eftaf afro*n*tacio*n*ef
deuedexe*n* el d*i*cto q*ui*nio*n*, affi uendemof nos auos |⁸ aq*ue*ll todo ente-
grame*n*t co*n* entradaf eco*n* exidaf fuyaf eco*n* aguaf edreytof epertine*n*-
ciaf q*ue* al d*i*cto q*ui*nion pertenexe*n* epertenexer deue*n* por ni*n*guna ma-
nera, por p*r*ecio q*ue* |⁹ entr*e* nof euof amjgable ment nos habinjemof, et ²⁰
ef faber por .LXX. foll*dos* din*e*ros jaq*ue*fes, *z* aliala pan eujno; los qualef
d*i*cto*s* din*e*ros nos deuos aujemos erecebiemof en |¹⁰ n*ue*ftras manos
co*n*tantef el dia q*ue* aq*ue*fta carta fue feyta, eno*n* romanje ref apagar

delos dictos dineros, de que nos uendedores fuemos esomos bien pagados
agora et todos |[11] tiempos si del precio si dela aliala. Et en tal conuenjo   25
vendemos nos auos el dicto quinjon que uos oqui aquell possedjra dedes
epaguedes treudo por aquell alaprebostria de Montaragon |[12] al prebos-
tre qui por tiempo sera en cadanno continuada ment enla fiesta de
Sancta Maria de mey agosto, por todos tiempos, .xvi. soldos .viii. dine-
ros jaqueses; et ental conuenjo vende|[13]mos nos auos el dicto quinjon,   30
que si enel dicto termino non pagaredes el dicto treudo, segunt que
desuso secontenexe, que el prebostre de Montaragon qui por tiempo
sera, por su propria actorj|[14]dat, senes todo judicio e calonja, se pueda
emparar del dicto quinjon contodos los mellioramientos alli seytos. E
contodos aquellos conuenjos vendemos nos auos el dicto quinion,   35
[15] segunt que nos los recebiemos delos sobre dictos atreudo; euos esto
fendo ecumpliendo ayades el dicto quinyon saluo eseguro eliure z quito,
adar, uender, empegnyar, |[16] camjar, mudar, alienar et afer daquell
todas uuestras proprias uolontades, uos esillios esilliaz uuestros etoda
uuestra generacion por todos tiempos, assi commo de uendeda mas   40
|[17] firme esanament sepuede dezir, entender epensar, apro eabien z
asaluamiento uuestro; z damos uos fiança de saluedat z de seguridat del
dicto quinyon qui con nos esenes |[18] nos auos et alos uuestros aquell
salue esaluar faga por buen fuero de Aragon, et encara aquell auer
etener et expleytar epossedir empaç esenes mala uoç, uos cumplien|[19]do   45
las cosas desuso dictas, Pedro don Gujlliamon, ciutadano de Osca, el qual
de present se atorgo por fiança, enos con ell ensemble abueltas. Testi-
monias son desto |[20] don Johan dOliuan z Domingo Allion, ciutadanos
de Osca. Esto fue seyto .x. dias en exida del mes de noujembre, era
M.ª CCC.ª XIII.ª. Sig-(●)-no |[21] de Benedet de Castellon, publico notario   50
dOsca, qui esto escriuje.

A. H., Montearagón, P-293. — Línea 1, repetido atodos. — 49, repetido fue.

37

Año **1275,** 30 de noviembre. — Huesca. — Not. : García Benayas.

Venta hecha por Martín de Bespen a Pedro de Viesa, ambos vecinos de Quicena, de una casa en esta misma villa, que pagaba censo al monasterio de Montearagón.

Manifiefta cofa fia atodof como yo don Martin de Befpen z dan Andreua, muller mja, eftantef en Quiçena, enprefentia de buanof omnes, vendemof |² auof Pedro de Biefa z a Benedeyta, muller uueftra, eftantef en Quiçena, vnaf cafas que emof enla villa de Quiçena, z affrontan en via publica z enel |³ palaçio del preboft de Montaragon   5 z en cafas don Garcia Arbillas; affi como eftas dictaf affrontaciones laf dictaf cafas enfarran de todaf partef, |⁴ affi vendemof auof aquellas con entradaf z exidaf z con todos fof dreytos, decielo entro atierra, yes affaber, por .xii. foldos jaquefes, delof quals nof ator |⁵gamof bien feder pagadof, z detç de treuudo atodof tiempof z en cadaun anno vna   10 gallina al preboft de Montaragon, enel tiempo que yef ufado de dar |⁶ uof oqui las dictaf cafas daqui adenant laf tenrra cadanno; z atodof tiempof vof eft façiendo z cumpliendo, tenet z poffedit las dictas cafas liuraf z quitias |⁷ adar, vender, enpeynnar z alienar z affer toda uueftra propria uoluntat, uof z fuccefforef uueftros por atodof tiempof; et   15 amayor uueftra feguridat da |⁸ mof auos fiança defaluedat delaf dictaf cafas, qui falue z faluar aquellas auos faga por fuero dAragon, don Juhan deLocalbo, eftant en Quiçena, |⁹ z nof con ell enfenble z cadaun por el tot, qui por fiança defaluedat encontinent fe atorgo. Aliala pagada, pan z vino z carne. Teftimo |¹⁰nias fon defto Bonanat, adobador,   20 veçino dOfca, z Garcia de Sant Jolian del Plano, eftant en Quiçena. Feyto fue en noujambre, el çaguer dia, era M.ª |¹¹ CCC.ª XIII.ª. E yo Garcia dona Benayas, publico notario dOfca, efta carta efcriuje z mi fig-(●)-nal y fiç.

A. H., Montearagón, *P*-284.   Línea 13, tilde sobre *tenet*.

38

Año 1276, 2 de marzo. — HUESCA. — Hecho en el castillo de SANGARRÉN, partido de Huesca.—Not.: Domingo Arguís.

Testamento de doña Cenda de Lizana.

Manifiesta cosa sia atodos como yo dona Zenda de Liçana, stando sana et entodo mj sefo et en toda mj plena memoria, fago est mj testament, en lo qual ordeno z parto todos mios bienes; et quiero et mando que todas mis debdas z todos mios |² tuertos que prouados seran con uerdat, aqui yo so tenuda segunt dios, que sian pagados de mis bienes 5 ante que ninguna lexa mia se pague; et eslio mj sepoltura en casa de los freyres predigadores dOsca, en aquell logar ont ellos tenrran |³ por bien; et mando que den alos dictos freyres .XL. morabetinos por ser logar z por al baso de mj sepoltura, et si por uentura de los dictos morabt. alguna cosa sobrara o el logar de la sepoltura ya sera seyto 10 quiero que los dictos .XL. morabt. |⁴ sian todos por allur sacristia por ad huebos del altar de sancto Domingo. Item lexo alos dictos freyres predigadores dOsca .XXV. morabt. por auestimentes por alo altar de sancto Domingo, z .XX. morabt. por comprar vn drapo pre|⁵cioso por affrontal por alo altar de sancto Domingo. Item lexo .X. morabt. por ala 15 tierra sancta dOltramar. Item lexo ad Vrracha Pereç, donzella mia, .C. morabt. z vn lecto bien complido. Item lexo a Sancha Xemeneç, don|⁶zella mia, .C. morabt. z dos lectos bien complidos z los mellores uestires que yo aure ala hora de mj muert. Item lexo aMaria Rodrigueç, ermana mia, .L. morabt., et dotra part. .XXV. morabt. por auestires, |⁷ et 20 dos lectos bien complidos. Item lexo alas donnas del monasterio de Sixena .L. morabt., et partan los entressi ygualment. Item lexo a Pedro Garceç .L. morabt. Item lexo afray Martin dAyera dela orden de los prediga|⁸dores .L. morabt. por aliuros. Item lexo adon Oria que esta en Quinto .XX. morabt. Item lexo al rector dela ecclesia de Sant Garren 25 .II. morabt. Item lexo ala ecclesia de sant Nicholau de Sant Garren .X. morabt. por ad vn ca|⁹liç dargent. Item lexo alabat dAlpitiel vn morabt. Item lexo aSancta Maria de Ronçals ualles .I. morabt. Item lexo .L. morabt. por apobres dar acomer z beuer z auestir, segunt que ordenaran frey Domingo dAl|¹⁰queçar z frey Pedro Beltran et frey Martin 30

dAyera o el prior de los predigados dOfca qui por tiempo fera, fi ellos
no yeran. Item lexo ala obra delos predigadores dOfca .cccc. et .l.
morabt., et lexo ad ellos mj lecto bien |[11] conplido. Item lexo ala obra
de los predigadores de Çaragoça .xxv. morabt. Item lexo ala obra delos
freyres predigadores de Calatahyu .xxv. morabt. Item lexo alos freyres   35
menores dOfca .x. morabt. |[12] Et quiero z mando que todas eftas mias
lexas de fufo fcriptas que yefcan et fe cumplan daquellos morabt. los
quales yo he fobre la villa et el caftiello de San Garren et fobre la villa
et el caftiello z laf exidas |[13] de Quinto don quiere que ante puedan exir.
Item lexo a Vrracha Ortiç, filla mia, mill morabt. daquellos morabt.   40
que yo he fobre los dictos logares; et fi por uentura yo aure mas fillos
quiero z mando que fian |[14] partidos los dictos mill morabt. ygualment
entrellos. Efto lexo por part de moble; et quiero que los dictos mill
morabt. que yo lexo amis fillos que fian pueftos en comanda encafa de
los freyres predigadores dOfca entro |[15] que fian mis fillos de edat legi-   45
tima; et fi de mif fillos morra alguno ante de edat, fo part delos dictos
morabt. fian daquellos que fobreuiuiran, et fi por uentura todos mis
fillos morieffen ante de edat legitima |[16] quiero z mando que los dictos
mill morabt. fe partan en tres partes en efta forma : que las dos partes
fian dadas por ala obra delos freyres predigadores dOfca, z la tercera   50
part fia partida entre el conuento delos |[17] freyres predigadores de
Çaragoça z de Calatahyu. Item lexo ad Vrracha Ortiç, filla mia, en
ante part, el caftiello ela villa dAbrifen, con todos fus dreytos efos
exidas entegrament, et la heredat dOla, fe |[18] gunt de como don Alta
bella amj lo lexo en fu çaguer teftament. Item lexo ala dicta Hurracha   55
Ortiç, filla mia, Açanetha et Chyodos con todos fus dreytos entegra-
ment; et fi por uentura yo ouieffe mas fillos |[19] lexo les por toda part
de fedient en Abrifen vn cafado delos mellores, et partan con la dicta
Vrracha Ortiç, filla mia, Açanetha et Chyodos. Enpero quiero que el
caftiello z la villa de Abrifen z la heredat dOla |[20] fia entegrament dela   60
dicta Hurracha Ortiç, filla mia, en ante part. Et fi por uentura morra
alguno de mis fillos ante de edat legitima o fienes de fillos legitimos,
aquell que fobreuiuira heredeye en todo lo que |[21] yo lexo a fus erma-
nos; et fi todos mis fillos morieffen ante de edat legitima, quiero z
mando que fia todo por mj anima dela obra de los freyres predigado-   65
res dOfca. Enpero de Abrifen z dela heredat dOla fia feyto |[22] fegunt
de como don Alta bella ordeno en fu teftament, ço ef affaber, que fia

todo de Guillem dAlcala, ermano mio, el primerament dando et pagando .d. morabt. ante que entre en poffeffion d.Abrifen, dentro en vn |23 anno, los quales fian dados por alma dela dicta don Altabella, 70 fegunt de como ella lo ordeno enfu teftament. Et quiero z mando que fi por uentura alguno de mis fillos uenieffe, ell o otri por ell, contra eft mj |24 teftament nj enbargaffe en ren mis efpondaleros nj en mj ordinacion, et efto fegunt judicio delos fobre nomnados freyres, que pierdan todos aquellos morabt. que yo les lexo en eft mj teftament. 75 Enpero por tal que non fe |25 tiengan por defheredados lexo ad aquell qui enbargo fara .c. morabt. por toda part de moble, et los otros morabetinos que fobraran dela part que yo le lexaua quiero que fia todo dado por mi anima ala obra de los pre|26 digadores dOfca. Item quiero z mando que aquell qui heredara de mis fillos el caftiello et la villa dAbri- 80 fen z la heredat dOla, que de a Vrracha Pereç, donçella mia, mientre aquella uiuia todos annos .IIII. kafices |27 de trigo enla fiefta de Sancta Maria del mes dAgofto. Et quiero que fi yo fiçieffe alguna ordinacion otra por cordicillos o en otra manera qual quiere que prouar fe podieffe, crexiendo, minguando omudando o en qual |28 quiere raçon, que 85 ualga tanto como fi fueffe fcripta en eft teftament. Et eflio z pongo fpondaleros mios don Fferriç de Liçana, mj thio, z Pedro Maça, cunyado mio, z don Ennego Lopeç de Iaffa, baylle z çalmedino |29 dOfca por el fenyor jnffant. Et quiero z mando que quanto que faran que lo fagan todo fegun que confellaran et ordenaran fray Domingo dAlqueçar 90 z frey Pedro Beltran z frey Martin dAyera z no otrament; et |30 fi los dictos freyres no y podian feder, fia todo feyto fegunt del confello z la ordinacion del prior qui por tiempo fera del conuento de los predigadores dOfca o daquell qui logar fuyo tenrra z del doctor. Item |31 quiero z mando que fi por uentura algunos de mis efpondaleros otodos mo- 95 rieffen antes que eft mj teftament del todo fueffe complido ono y quifieffen feder fpondaleros ofegunt judiçio de los fobredictos freyres no lo com|32 plieffen fegunt que deurian, quiero que los nomnados freyres puedan meter et eftablir vno omas fpondaleros en logar mio vna uegada omas, fegunt como adellos bien uifto fera, entro que mj teftament fia 100 |33 entregament complido, z toller eftos fpondaleros z meter otros en logar mio. Et fi por uentura algunas cofas odubdofas o efcuras fueffen en eft teftament, quiero z mando que fia todo declarado et depar|34 tido por los fobredictos freyres, et todo aquello que ellos en diran que fia

firme, et aq*ue*llo paſſe como ſi yo lo ouieſſe todo ordenado. Et pongo ¹⁰⁵
eſt. mj deſtin *z* toda eſta mj ordinatio*n* en comanda et enpara et de
|³⁵ ſendemie*n*to del muyt noble ſenyor jnffant don Pedro, et pido le
m*er*ce beſando ſos manos, aſſi como abue*n* ſenyor, q*ue* el q*ue* ſia aju-
dador et enparador *z* defendedor deſt mj deſtin *z* deſta mj ordinatio*n*,
|³⁶ et q*ue* lo ſaga complir entegrame*n*t aſſi como de ſuſo ſe contenexe. ¹¹⁰
Teſtimonios ſon deſto qui fuero*n* pr*e*ſentes et rogados don Jayme de
Benaſch, rector de la eccl*e*ſia d*e* Sant Garren, *z* do*n* Pedro |³⁷ de Caſtro,
cap*e*llan qui cantaua en Sant Garren. Feyto fue eſto en el caſtiello d*e*
Sant Garren, dos dias entrados del mes de março, e*r*a M.ª CCC.ª XIIII.ª

|³⁸ Sig-(●)-no d*e* Domi*n*go dArguis, not*ario* publico dOſca, qui ¹¹⁵
demandamie*n*to dela di*c*ta dona Ozenda de Liçana eſta carta ſc*r*iuio
z por abece la partio.

A. H., Dominicos de Nuestra Señora de los Angeles, en Huesca, *P-12.* —
a.b.c. partido al margen superior.

39

Año **1276,** 30 de septiembre. — Alcubierre, part. de Sariñena. — Not.: Arnal
de Tena.

*Contrato celebrado entre el concejo de Alcubierre y el clérigo don Sancho
ae Lusar, sobre el s?rvicio del culto en la iglesia de dicho concejo.*

Seya manifeſto como yo don Domj*n*go Pelegr*i*n *z* yo don Domj*u*-
go Securo*n*, jurados d*e* Alchouierre, por noſ eſpecialme*n*t *z* por tot
el |² conçeyllo d*e*la dita villa gen*e*ralme*n*t, damos *z* liuramos auoſ don
Sancho d*e* Luſar, cl*e*rigo, la n*ua*ſtra egl*e*ſia q*ue* eſ edeficada ad |³ honor
d*e* Dios *z* eſpecialme*n*t de ſeynor ſant Orabaſ en t*er*mino n*ua*ſtro, con-   5
todaſ las exidaſ *z* rendidaſ *z* lexas *z* treuudos dados ni*n* lixados al dito
|⁴ lugar, por mie*n*tre q*ue* uos viuo ſeredes no*n* uoſ enpodamoſ gitar,
placiendo al noble ſeynor do*n* Joha*n* Garçeç dUriç, por la |⁵ grac*i*a d*e*
Dios abat d*e* Mo*n*tarago*n*, *z* al monaſterio del dito lugar, co*n* ator-
gamie*n*to del conue*n*to; e uoſ q*ue* canted*e*ſ miſſa d*e* todos |⁶ u*ua*ſtros   10
diaſ e*n* la dita egl*e*ſia por laſ animaſ *z* loſ viuos d*e* todos los bien ſac-
tores al dito lugar; e nos damoſ auoſ por grac*i*a |⁷ luago d*e* pr*e*ſent,
.L. ſolç, *z* la prim*er*a fieſta d*e* ſan*c*ta Cruç del meſ d*e* mayo otros

.L. ſſ. edali adela*n*t q*ue* uoſ eſforçedes *z* biuadeſ daq*ue*lo |[8] q*ue* Dios *z* la buana gent uoſ y daran; et al tianpo q*ue* Ihe*ſu Criſt*o qu*e*rra en [15] viar por uoſ q*ue* u*u*a*ſt*ros diaſ ſera*n* conplidos q*ue* aq*ue*llos (bia) |[9] bianeſ q*ue* uos auredes ganadoſ *z* la buana gent y aura dado, todoſ ſe parta*n* por medio, la mitat q*ue* finq*ue* ſalua auoſ por ſer a |[10] u*u*a*ſt*ra p*r*op*r*ia volu*n*tat, la ot*r*a mitat finq*ue* en pod*e*r del conceyllo por ad obos d*e*la dita egl*e*ſia; e por noſ *z* por el conceyllo damos auoſ |[11] fidan- [20] ças d*e* te*n*er uoſ en la dita egl*e*ſia d*e* todos u*u*a*ſt*ros dias, *z* q*ue* anoſ ſaga*n* te*n*er *z* conplir laſ coſas ſobrediſaſ, do*n* B*e*rtolome*o* |[12] Guaq*u*il *z* don Nadal dArnaldon *z* do*n* Garcia dona Sancha *z* do*n* Fertuyno d*e*la Tayllata, veçinos n*u*a*ſt*ros, *z* noſ co*n* eloſ enſenble. E nos ditos |[13] do*n* B*e*rtolome*o* Guaq*u*il *z* do*n* Nadal dArnaldo*n* *z* don Garcia [25] dona Sancha *z* do*n* Ffertuyno d*e*la Tayllata fidança nos atorgamos como |[14] dito eſ. E yo dito do*n* Sancho d*e* Luſar reçebo d*e* uoſ ditos jurados *z* conceyllo, plaçiendo al ſeynor abat d*e* Mo*n*taragon *z* al conue*n*to del |[15] dito lugar, con todaſ laſ condicioneſ d*e*ſuſo ditaſ; edo auoſ fidança q*ue* amj ſaga te*n*er *z* conplir todaſ *z* q*u*iſcadaunaſ laſ [30] ſobre|[16]ditas coſas bie*n* *z* lialme*n*t aſano entendemie*n*to d*e* buanos om*n*es, Climie*n*t d*e* Luſar, veçino d*e* Alchouierre, *z* yo co*n* el enſenble, dios |[17] obligamie*n*to d*e* todos miſ bianeſ mobleſ *z* ſedie*n*teſ auidos *z* por au*e*r. *E* yo dito Climie*n*t d*e* Luſar fidança me atorgo como dito eſ. |[18] P*r*eſenteſ teſtimo*n*iaſ do*n* Domj*n*go Torralba, cl*e*rigo, *z* don Do- [35] mj*n*go dAlb*e*ro *z* do*n* P*e*ro Darripaſ *z* do*n* Martin d*e* Lorie*n*t, veçinoſ d*e* Alchouierre. Eſto |[19] fue ſeyto el çager dia de ſetianbre. E*r*a M.ª CCC.ª XIIII.ª. Arnalt de Tena, publico notario d*e* Alchouierre, con atorgamie*n*to d*e*los |[20] ſobreditos eſta carta eſcriuie *z* la t*e*rcia linea ſobreſcriuie hont dice : t*e*rmi*n*o n*u*a*ſt*ro, *z* por abeçe la partie, *z* eſt [40] ſig-(●)-nal ficie.

A. H., Montearagón, *P*-315.—Línea, 5, *Orabaſ* puede leerse *Crabaſ.*—13,*ſolſ,* hay una tilde que cruza el palo de la *l.*—*a.b.c.* partido al margen inferior.

40

Año **1277**, 10 de junio. — Huesca. — Not.: Ramón Tallol.

Venta hecha por don Domingo Quicena al monasterio de Montearagón, de un huerto y un soto por precio de 90 sueldos jaqueses.

In Dej nomine z eiuſ graçia. Manifiaſta coſa ſia atodos homneſ como eſta yeſ carta de vendeçion que ſago yo don Domjngo |² Quiçena z yo dona Graçia, muller ſuya, quiſtamos en Quiçena, amoſ en ſenble, eſtando preſſent cada vno de noſ, de |³ buen coraçon z dagradable voluntat en preſencia de buenoſ homneſ, non forçadoſ nj enganadoſ, maſ con eſta 5 preſſent |⁴ carta firme z por todos tiempos valedera, vendemos z de preſſent liuramoſ alonrado padre z sauio ſeynor, |⁵ adon Johan Garçez dOritz, por la graçia de Dioſ abbat de Montaragon, yeſ aſſaber .ı. huerto con el soto que noſ emoſ en termen |⁶ que diçen de Quiçenjalla; el qual huerto z ſoto affruanta primerament con huerto de Montaragon, z enla 10 çequja deloſ |⁷ molinoſ, z enel rigo que dicen de Flumen z con el canpo dAynneſ, njata mia; aſſi com eſtaſ dictaſ affrontacioneſ del dicto |⁸ huerto z soto de cada vna part çircundean z en ſarran aſſi vendemoſ auoſ, seynor, el dicto huerto z soto con todoſ aquellos |⁹ dreytoſ que noſ allj emoſ nj auer ydeuemoſ por ninguna manera, todo en tegra- 15 ment, yermo z poblado, con entradaſ z exidaſ |¹⁰ ſuyaſ z ſoſ aguaſ z con todoſ ſoſ dreytoſ z pertinençiaſ ſuyaſ ad aquell pertaynenteſ njn deuen pertayner por njnguna raçon, |¹¹ por preçio que anoſ amigablement bien plaçia, ço eſ aſſaber, por nouanta ſolldoſ de dineros jacheſeſ, loſ qualleſ dictoſ dineros de |¹² uoſ ſeynor, luago en preſſent, auiamoſ z 20 recebiamoſ, hon noſ fuemoſ de uoſ bien pagadoſ ala nuaſtra voluntat, hon |¹³ queremoſ z atorgamoſ, aſſi como meyllor z maſ ſanament ſe puede deçir nj en tender apro z aſaluamiento uueſtro z delos |¹⁴ uueſ- tros, ayadeſ, tingadeſ, poſſediſcadeſ, eſpleytedeſ el dicto huerto z ſoto con todo el dreyto que noſ allj emos, apropria heretat, saluo, |¹⁵ fran- 25 cho, quitio, z ſeguro, yeſ aſſaber, por dar, por vender, por enpignar, por camiar, por allienar z por ffer daquell z en |¹⁶ aquell atodaſ uuaſtraſ propriaſ voluntadeſ, voſ z filloſ uueſtroſ z fillaſ z toda generacion z poſteritat uuaſtra, por todoſ tiempoſ. Ama|¹⁷yor uuaſtra ſecuritat z con- firmaçion damoſ auoſ ffiança de ſaluetat del dicto huerto z ſoto z de 30

todo n*ue/t*ro dreyto, |¹⁸ q*ui* auo/ /alue z /aluar faga, de no/ z de todo/
homne/ z femna/ de/t /egle, por fuero dArago*n*, do*n* Martj*n* de Qui-
|¹⁹çena, ha*u*itant en Montarago*n*, z no/ mi/mo/ conel en/enble z qui/-
cuno por el tot; a//i enp*er*o, q*ue* qual q*ue* q*u*iere de/t dia |²⁰ adela*n*t q*ue*
e/ta carta ye/ /eyta auo/ o alo/ u*ue/t*ro/ gitaria*n* nj*n* q*u*erria*n* gitar del ³⁵
d*i*c*t*o huerto z /oto por qual q*ue* q*u*iere co/a |²¹ nj*n* por qual q*u*iere
raço*n*, no/ z la /obred*i*c*t*a ffiança demo/ ometamo/ auo/ z alo/ u*ue/*-
*t*ro/ en otro tan bue*n* huerto z |²² /oto, z en tan bue*n* logar z en tan
conuine*n*t z q*ue* tanto valga, z /agamo/ auo/ z alo/ u*ue/t*ro/ aqu*e*ll
/aluo z /eguro, |²³ /egu*n*t fuero z buana co/tumne dArago*n*. Eyo ante⁻ ⁴⁰
d*i*c*t*o do*n* Martj*n* de Qu*i*çena, e/ta fiançaria /ago z atorgo /egu*n*t q*ue*
|²⁴ /cr*i*pto ye/ de /u/o. Te/timo*n*ia/ /on de/to do*n* Martj*n* Sanche/,
canonge d*e* Montarago*n* z do*n* P*er*o Sarbi//e, cabe*r*o dO/ca. |²⁵ E/to fue
/eyto .x. dia/ entrado/ del me/ de junno. E*r*a M.ª CCC.ª XV. |²⁶ Aliala
co/to do/ /oll*d*o/ z .vi. din*er*os d*e* jache/e/. E yo Ramon Tayllol, publigo ⁴⁵
not*ario* dO/ca z jurado, e/ta carta /cr*i*uie |²⁷ z aqu*e*/t mi /ig-(●)-nal hy
fitz aco/tumnado.

A. H., Montearagón, *P*-328. — Líneas 26 y 44, tilde sobre *gn* de *enpignar* y
sobre *nn* de *junno*. — 30, *foto* puede leerse *feto*.

41

Año **1277**, 16 de noviembre. — Molinos, ayunt. de Lascasas, part. de Huesca. — Not.: Domingo Puyol.

*Venta de un campo y una viña, hecha por Bernal Danara y don Ferrer de
la Puerta a don Pedro Santa Cruz.*

Manjfie/ta co/a /ia atodos, como yo don Bernart danAra, z yo do
Ferer dela Puarta, veçjno/ dela vjla de Moljnos, /ponda /ero/ que fuemo/
d*e*l po/tri mero |² te/tame*n*t de don Pedro Daelca, el qual aya bue*n*
/ieglo, vendemos z ljuramos z confirmamo/ auo/ don P*er*o Sa*n*ta Cruç,
z u*ue/t*ra mullyer dona Maria, cipdadano/ |³ d*e* Uue/ca, un canpo euna ⁵
vjgya, lo/ qual*e/* fueron d*e*l d*i*to do*n* Pedro Daelca; d*i*to ca*n*po ye/
odjçen el Puya çuello, q*ue* afrua*n*ta de p*r*ima part en ca*n*po d*e* Martin |⁴ de
Torre/ /eca/, d*e* /egu*n*da part en ca*n*po de uo/ conprado/, de terçera part
uja publjga q*ue* ua aPon pien muço; d*i*ta ujgya yes alOljuar, q*ue* afrua*n*ta

d*e* p*r*ima part |⁵ en ujgya de laco fraria, *z* de fegu*n*da part ençeqia ₁₀
moljnar, de terçera part en ujgya de Sancha dAluart. Segu*n*t que las
d*i*taſ afrontaçioneſ, de d*i*ta ujgya |⁶ *z* d*i*to ca*n*po, cjrcu*n*dean *z* econ
cluden aelos, afi noſ entegra me*n*t loſ vendemoſ auoſ ealoſ u*n*e*f*troſ,
adaqu*e*lloſ q*u*e uoſ maſ queredeſ, fieneſ de enbargame*n*to ne*n*guno d*e*
nos |⁷ njde loſ n*u*e*f*troſ, nj fieneſ d*e* ne*n*gun retenjmie*n*to, nj entre d*i*to ₁₅
ne*n*guno, nj mala uoç, con entradas *z* xidas ſuyas, feytas nj por fer, d*e*
tjerra entro al çielo, |⁸ ſegu*n*t que m*e*llyor nj maſ firme ſe puede deçjr nj
entender, atodo u*n*e*f*tro p*r*ofieyto etoda u*n*e*f*tra hondra; afi vendemoſ
auos d*i*to ca*n*po *z* ujgya, ço yes aſaber, por |⁹ .xx. ſuel*d*oſ d*e*djn*e*roſ
jacheſeſ, loſ qualeſ emoſ deuoſ recebudoſ, *z* bie*n* pagadoſ en ſomoſ an*u*eſ- ₂₀
*t*ro plaçer; e por eſto vendemoſ auoſ d*i*ta vjgya *z* ca*n*po, *z* metemoſ auoſ
|¹⁰ entenje*n*ça, en u*n*e*f*tra corporal poſſeſion, aeredar; ental co*n*uenjo:
q*u*e vos *z* loſ u*n*e*f*troſ q*u*e poſſedjredes d*i*ta ujgya *z* ca*n*po, enquiſcu*n*
ano, contjnuada me*n*t, por la fieſta de S*an*ta Maria |¹¹ de agoſto, que*n*
dedes de treuudo ala ſeynora abadeſſa de S*an*ta Cruç .II. quarſtalſ *z* un ₂₅
almut deçjuera mjtade*n*ça, meo t*r*igo meo or*d*io, meſura dUeſca. |¹² Voſ
co*n*plje*n*do eſto, d*i*ta vjg*n*a *z* canpo ſia*n* v*u*e*f*troſ pora todoſ tie*n*poſ
yamaſ, por dar, *z* vender, *z* enpinyar, *z* camjar, alienar, por ſeren atodaſ
u*n*e*f*traſ voluntadeſ, uoſ *z* ſillyoſ *z* fil|¹³lyaſ v*u*e*f*traſ, e om*n*j gen*e*racjon
u*n*e*f*tra, por ſecu*l*a cu*n*cta. E por mayor v*u*e*f*tra ſeguridat, damoſ auos ₃₀
fida*n*ça de ſaluedat d*e* d*i*to ca*n*po *z* vjgya, q*u*e auoſ vendemos, q*u*e loſ
|¹⁴ oſ ſagamoſ ſaluoſ por bue*n* fuero *z* buena coſtum*n*e dAragon, a
Joha*n* Drael ca, fillyo d*e*l d*i*to deſſuſo do*n* Pedro Da elca, eſta*n*t en
Moljnos, *z* noſ con el |¹⁵ enſemble abualtaſ, qada uno por el tot. E yo
d*i*to Joha*n* Draelca, de bue*n* corage, eſta fida*n*çaria ſago *z* atorgo e*d*e ₃₅
todaſ laſ coſaſ ſobred*i*taſ. Son teſtjmonjaſ |¹⁶ deſto do*n* Ganeſ de Piera
ſeſç, Pedro de Pueyo, abjta*n*tes en Moljnos. Feyto fue eſto .xv. diaſ por
exir el meſ de nouje*n*bre *z* e*r*a M.ª CCC.ª *z* XV.ª. |¹⁷ Aljada pagada.
Yo Domj*n*go Puyol, publjgo ſcriuano de Moljnos, q*u*i eſto ſcriuje *z* mj
ſeynal-(●)-façje.
    ₄₀

A. H., Benedictinas de Santa Cruz, Jaca, *P*-118. — Llevan tilde: encima de *ch*,
Sancha, línea 11; de *gy, ujgya*, 11; de *y, aya*, 3, y *yo*, 34, 39. - Lo que se ha leído *q*
en *qada*, línea 34, se parece al signo de *con* más que a dicha letra.

42

Año **1277,** 28 de diciembre. — Santa Cilia de Jaca. — Not.: Gil de Aunes.

Venta de una viña de García Morillo y Jimeno de Binacua a don Gastón, abad de Azcar.

Manifeſta coſſa ſia ha toç loſ hom*n*eſ q*u*i ſon preſenç *z* loſ q*u*i ſon por venjr, como noſ Exemeno |[2] de Binacua, *z* mj m*u*ller donOria, Garcia Moriello *z* ſu m*u*ller Ffranca, vendemoſ auoſ don Gaſton, abat |[3] dAſcar, vin*n*a una en*ter*mjno de Binacua; la qual vin*n*a eſ en ca*n*po q*ue* ha fronta de la una part co*n* vin*n*a |[4] del mjſmo co*n*prador, dellotra 5 part vin*n*a de Pelegrin; aſſi como eſtaſ afrontacioneſ encluden *z* d*e* |[5] par*te*n damjro*n*, aſi ue*n*demoſ noſ aua*n*dictoſ ue*n*dedoſ, auoſ aua*n*dicto co*n*prador, la dicta ujn*n*a, aſignada *z* |[6] *a*bouada, franca *z* libre, ſineſ de n*u*lla mala uoç, *z* ſineſ de njn*g*un retenemje*n*to de noſ *z* de loſ n*ue*ſtroſ, |[7] *z* ſineſ de njn*g*un entredit *z* engeyn, q*ue* por pleyto de gleſia nj por ſeglar ela 10 ua*n*dicta vin*n*a, noſ njn |[8] loſ n*ue*ſtroſ, nu*n*ca poſcamoſ enbargar, *z* q*ue* la ayaç *z* la poſidaç uoſ *z* toda u*ue*ſtra generacio*n* *z* u*ue*ſtra poſteritad |[9] aſſi como mellor diçir nj ente*n*der ſe puede, aſaluamje*n*to *z* ha pro-fieto de uoſ *z* de loſ u*ue*ſtroſ, por ſec*u*la cu*n*cta. |[10] Et eſ p*r*ecio placible *z* aliala pagada de la una par *z* dellotra .VII. ſ*u*eldoſ *z* .VIII. di*n*eroſ de 15 buena moneta |[11] jaq*u*eſſa, firme *z* corible en Aragon; del qual p*r*ecio noſ aua*n*dictoſ ue*n*dedoſ noſ tenjemoſ por pagaç |[12] lo dia q*ue* eſta carta ſo ſeyta; et ha mellor u*ue*ſtra ſecoridat damoſ auoſ fida*n*ça de ſaluetat, |[13] afuer de *tier*ra, Domin*g*o Baylo, q*ue* uoſ te*n*ga *z* uoſ ſaga tener en la dicta uin*n*a. *E* yo Domin*g*o Baylo ha|[14]torgo me por tal fida*n*ça. Son teſ- 20 timonjaſ daq*ue*ſto Domin*g*o Xaujere *z* Domin*g*o dOrcal, uecinoſ de Binacua. |[15] Eſto ſo ſeyto .V. k*alenda*s januari*u*ſ. Era M. CCC. XV. Yo Gil dAuneſ, publico notario de Sa*n*ta Cecilia, |[16] eſta carta eſc*r*iuje, eſt ſig-(●)-nal y feçie.

A. H., Benedictinas de Santa Cruz, Jaca, *P*-119.

43

Año **1278,** 25 de septiembre. — PANZANO, part. de Huesca. — Not.: Andreu.

Arrendamiento de una heredad del prior de San Urbez a Salvador de San Esteban.

Conofcan todos qui efta prefent carta hudiran q*e* yo don Jofre, prior de Sant Urbiç, do *z* atorgo *z* de prefent liuro hun cabomafo q*e* |² a fo heredamiento in Sant Efteuan de Donato, lo qual cabomafo *z* heredamiento hye de la cafa de Sant Urbiç, a uos Saluador de Sant Efte|³uan de Donato *z* a uueftra mullier Sania de Buefa *z* a toda uueftra genera- 5 cion ad aqellos q*e* qerran feder en la fen*n*oria de Sant Urbiç, |⁴ lo qual cabomafo afruanta in via puplica *z* in ortos *z* in canpos del dito cabo- mafo, *z* in ortos de Exemeno; afi quemo eftas afrontaçiones |⁵ en farran nin demueftran el dito cabomafo, fi lo do a uos con todos los otros logares q*e* al dito cabomafo p*or*tannen nin deuen porta*n*ner, |⁶ ço es 10 afaber, cafas, cafales, ortos, ortales, eras, linares, canpos, aljaçiras, hyermo *z* poblado, len*n*as, arboles, aguero *z* pafchero, |⁷ de cielo entro a tierra, lo q*e* al dito cabomafo porta*n*ne, *z* qiero q*e* lo ayaç uos *z* generacion u*ue*ft*r*a pora todos tienpos, afi quemo dito es; en tal |⁸ raçon do auos el dito cabomafo q*e* uos *z* aqellos q*e* verran apres uos, q*e* dedes 15 de treudo a la cafa de Sa*n*t Urbiç por todos tienp*os z* por |⁹ cadaunos an*n*os en la fiefta de Sant Mighel del mes de fetienbre, medio kafiç de trigo de mefura dUafca, buana çiuera *z* linpia, *z* hun par |¹⁰ de gallinas tales q*e* fian por dar *z* por prender, *z* uos *z* aqellos q*e* verran apres uos q*e* dedes de aqellos fruytos q*e* D*io*s uos dara |¹¹ a collir en el dito ere- 20 damiento del cabomafo bien *z* lial ment dieçma *z* p*r*omiçia a la cafa de Sant Urbiç, por todos tienp*os;* et yo don Jo|¹²fre, prior fobre dito, por mayor feguridat, en la prefent carta fin*n*al mio meto-(●)-. Teftimonias fon defto don Domingo do*n* Petro, |¹³ veçino de Ventue, *z* don Ferrer de Caftielores, veçino de Caftielores. Efto fue feyto enel mes de 25 fetie*n*br*e,* feis dias en la exida, |¹⁴ quando era M.ª CCC.ª XVI.ª. En la fetena regla erre *z* emende con fobre efcripto. |¹⁵ Andreu, publigo notario de Pançano, efta carta fcriuie *z* eft fin*n*al hy-(●)-façie.

A. M. de Huesca, perg. núm. 283.

44

Año **1278,** 7 de noviembre.—Huesca.—Not.: Miguel de Anzano.

Donación hecha por el prior de San Pedro el Viejo de Huesca a don Miguel Almudevar, del censo de unas casas.

Conofcuda cofa fia a todos como nof don Ramon Garin, prior de Sant Pere el viello de Ofca, queremos z damos z atorgamos |² por nos z por nueftros fucceffores de dito Sant Pere, a uos don Miguel de Almudeuar, ftant en Ofca, que reçibades de mientre que feredes |³ viuo en eft fegle prefent aquellos .v. foldos de jachefef que nos deuemos auer ⁵ z receber de treuudo en quifcun anno en el dia de Mar|⁴teroz, de aque-llas cafas que conpramos en Ofca de don Gyllem de dona Salueta z deffo muyller doña Johana, en barrio que es dito de los deLoças; |⁵ ditas cafas an affrontacions via publica z cafas de don Pero Maça z cafas de Johan dOrdas z cafas de la clauftra; z de pos uueftros |⁶ dias, ¹⁰ ditos .v. foldos que reçibamos nos z nueftros fucceffores dela dita gle-fia de dito Sant Pere por que nos z nueftros fucceffores fomos tenudos de |⁷ fer aniuerfario z foltar uueftra fepultura onrradamientre, fegunt que es encoftumne en la dita glefia, en quifcun anno portal dia como uos |⁸ paffaredes deft fegle, por que ditas cafas conpramos con uueftros ¹⁵ proprios dineros, z por efto fomos z deuemos feder tenudos de conplir dito aniuerfario. |⁹ Et de todas las cofas fobreditas fon teftimonias don Arnal de Marçan z Bernard, pelliçero, ftantes en Ofca. Efto fo feyto .vii. dias entra|¹⁰dos nouienbre. Era M.ª CCC.ª XVI.ª. Miguel de An-çano, publico fcriuano de Ofca, efto efcriuye z eft sey-(●)-nal façie. ²⁰

A. M. de Huesca, perg. núm. 16.

45

Año **1278,** 11 de noviembre. — Huesca. — Not.: Miguel de Anzano.

El prior de San Pedro el Viejo de Huesca nombra a Mancho Arbanies procurador y custodio de las rentas y ajuar de la iglesia de Sancti Spíritus.

Conofcuda cofa fia a todos como nos don Ramon Garin, prior de la glefia de Sant Pere el Viello de Ofca, z nos don |² Ennego de Sefa, z don Johan After z don Per de la Tenda, mayorales en efto de toda la ueçindat de la carrera de Sancti Spiritus |³ de Alquibla de Ofca, por nos z por toda la dita veçindat de la dita carrera eftablimos z mete- 5 mos procurador a uos don |⁴ Mancho de Arbanies, zapatero de Ofca, fobre el feyto de la luminaria z treuudos z logueros z otras oblaciones demandar z |⁵ receber de todos dreytos que portaynen z por tayner deuen a la dita glefia, z afer todas neceffarias z onrras a la |⁶ dita glefia, fegunt que bien z lialmientre an acoftumnado z feyto ad onrra z pro- 10 feyto de la dita glefia los procurados otros |⁷ que fon ftados entro ad eft dia de prefent; en tal conuenio, que deft prefent dia entro a la primera fiefta que uiene de Sant Martin del |⁸ mes de nouienbre que tengades z procuredes efta dita procuracion; z en eft dito termino o paffado dito termino, quando vos o nos querremos, |⁹ que nos dedes lial 15 conto de todas las cofas que uos auredes auudas z recebudas z miniftradas z efpenfadas por raçon defta |¹⁰ procuracion aprofeyto z onrra de la dita glefia de Sancti Spiritus, z al dito conto que nos rendades eftas ditas cofas de jus fcriptas que fon |¹¹ de la dita glefia de Sancti Spiritus, las quales a uos comandamos de prefent. Sabudamientre: .i. caliçe de 20 argent bueno, con fo buena pate|¹²na, z .iiii. amites, z .viii. lineas, z .i. seyna, z .i. dalmatica gran, z otra chica, z .ii. touayllas, z .ii. lineas vie- llas, z |¹³ .iiii. candeleros chicos, z .i. veftiment conplido confo cafula de feda, z .i. lapida fagrada, z .i. cortina, z .i. frontal, z |¹⁴ unas touayllas brefcadas, uiellas, z .ii. façaleyllas uiellas, z .i. cabo de linea, z .iii. fobre- 25 pelliços, z .i. trapo ama|¹⁵riello cruçado, z .ii. trapos de lino chicos, z .i. ftola, z .i. manipol, z .i. fobre caba de feda, z .i. cinta miffal, |¹⁶ z unas façaleyllas ftreytas, z .i. fenferio, z .iiii. candeleros de opera de Limojas, z .i. capfeta del Corpus Chrifti, z .i. |¹⁷ arca bona por alçar los bienes del dito Sancti Spiritus, z .i. miffal, z .i. euangeliftero, z .i. 30

piſtolero, z .iii. oficieros, z |[18] .ii. preſeros, z .i. ſalterio nouo z otro uiello, z .i. ſantural de canto z de lienda, z .i. libro feçiero miſſal piſto-lero |[19] antiquo, z .i. dominical de canto z de lienda, z .ii. preſeros, z vnas coſtumnes, z .i. cruç gran de Limojas, z otra chi|[20]ca z otra de fuſt, z .i. ſcrino, z .ii. anpollas, z .i. açetel, z .i. frontal de quarayeyeſ- 35 ma, z .i. veſtiment blanco, z |[21] .i. caſula de alcoton, z .i. vaçin, z .ii. candeleros grandes de fierro. *E* yo auandito Mancho dArbanies reçebo |[22] de uos onrrado don Ramon Garin, prior de la dita gleſia de Sant Pere, z de uos ditos don Johan de Bardaxin z don Martin de |[23] la Sca-lera..... |[24] la dita procuracion conuiengo a uos a buena fe yo que la 40 procure lialmientre en quiſcuna z en to|[25]das coſas ſobreditas, ſegunt mi poder z mi ſaber, z en fin del dito termino, a buena fe, ſienes engannо, que oſ rienda |[26] dita procuracion z todos los ditos bienes, z todo aquello que auere auudo z reçebudo de luminaria z de treuudos, z que oſ |[27] en de bueno z lial conto; et de todas las coſas ſobreditas 45 ſon teſtimonias don Domingo Lihue, vicario del dito |[28] Sant Pere, z don Garçia de Falçes, clerigos de Oſca. Eſto fo feyto en nouienbre .xi. dias entrados. Era M.ª CCC.ª XVI.ª. |[29] Migel de Ançano, publico ſcriuano de Oſca, eſto ſcriuye z eſt sey-(●)-nal ſaçie.

A. M. de Huesca, perg. núm. 222. — Línea 40, siguen varios nombres.

46

Año **1279,** 23 de mayo. — HUERTA DE VERO, part. de Barbastro. — Not.: Juan de Huerta.

Venta hecha por don Portoles de Peralta, de un corral y unos campos, a la iglesia de Santa María de Alquézar.

Conoſcuda coſa ſia a todos que io don Portoles de Peralta z io danna Boneta, muller del, que eſtamos |[2] en Auoſca, de buen coraçon z de buana uoluntat, ſien enganno nenguno, en pre|[3]ſencia de buenos omnes, por nos z por todos los nuaſtros preſentes z depoſteros, a todos tienpos, vende|[4]mos a uos don Johan Guardial, prior de la gleſia de Santa Maria de Alqueçar, z a tot el capitol de los |[5] clerigos de la dita gleſia, 5 hun corral z hun canpo que hauemos en termino dUarta, on diçen Alcauons, el |[6] qual dito corral z el qual dito canpo afruantan de la pri-

mera part con canpo de Domingo Moncon, ... |[8] que dedes *z* fagades
todos an*n*os en la fiafta de San Michel del |[9] mef de fetianbre, daqui [10]
adeuant, de treuudo, por el dito corral *z* por el dito canpo, dos quar-
tales |[10] de trigo bel *z* porgado, mefura de Barbaftro, a dana Ferrera
de Segorun, eftant en Huarta; *z* |[11] encara vendemos a uos diaç canpos
z dos linas..... |[12] el primer canpo hia o diçen la Corona de Valfentiç.....
|[16] el fecundo canpo hia o diçen Laguna Porcar..... |[20] el tercer canpo [15]
hia o dicen las Bals..... |[21] el quarto canpo hia o dicen la Cruçella.....
|[23] el cinquen canpo hia o dicen Aguilar..... |[24] el fefen canpo hia o
dicen Aguilar..... |[25] el feten canpo hia o dicen el Picador..... |[27] el
hoiten canpo hia o dicen laLiana..... |[28] el nouen canpo hia o diçen
|[29] el Safo ..... |[30] et el decen canpo hia o diçen Cabeça de Bue..... |[32] el [20]
primer linar hia o dicen los Canals, el qual linar afruanta |[33] de la prima
part con linar de fillos de don Arnalt dUarta..... |[34] el fecundo linar
afruanta de la primera part, por que es afitiado en la huar|[35]ta que es
dita del Picador, con linar de Pero Nabialla..... |[38] afi cuemo las ditas
afrontacio*n*s concluden de cada part *z* circundan el dito corral, los ditos [25]
canpos, los |[39] ditos linas *z* el dito oliuar, afi vendemos auos aquel
mifmo corral |[4⁾] *z* aquellos mifmos linares..... |[44] por precio placible
que a nos *z* a uos bian plaçia, por cincientos *fueldo*s de dineros |[45] de
buana moneta jaquefa, los quales..... de uos recebiemos *z* bie*n* pagados
en fomos |[46] a uoluntat nuaftra; por ent aiades uos *z* todos vuaftros [30]
fuccefores el dito corral, los ditos can|[47]pos, los ditos linares *z* el dito
oliuar ad heredar, con poder de uender, de dar *z* de enpin*n*ar, de alie-
|[48]nar *z* de fer ent daquiadeuant a toda vuaftra propria uoluntat a todos
tienpos; et a maior fecuridat |[49] vuaftra..... damos a uos fidança de
faluedat..... |[56] Feito fue efto en el mes de mayo, ço es afaber, en las [35]
diaç ka|[57]lendas de junio. Aliara pagada. Era M.ª CCC.ª XVII.ᵃᵃ. Jo
Johan dUarta, efcriuano publico dUar|[58]ta *z* de Bage*n*, efta carta efcri-
uie *z* aqueft sig-(●)-nal façie.

A. P. de Alquézar.—Línea 2, *Auofca,* hoy existe Adagüesca, cerca de Alquézar. — 8 y 10, *afruantan, fiafta* y *fetianbre* son formas muy repetidas en este
documento. - 14, *Valfentiç*....., sigue dando las afrontaciones de todos los campos.

47

Año **1279,** 22 de julio. — HUESCA. — Not.: Miguel de Anzano.

Fundación de un aniversario en la iglesia de San Pedro el Viejo de Huesca, por doña Sancha Pérez.

Conofcuda cofa fia a todos como yo donna Sancha Pereç, muyller que fue de don Pero Naya, con uoluntat z atorga|²miento de mi fillo Pero Naya z de mis fillas Millia Pereç z Sancha Pereç, ftantes de prefent, quiero z atorgo z affigno pora todos tien|³pos auos don Ramon Garin, prior de Sant Pere el Viello de Ofca, z a uueftros fucceffores z ala   5 dita glefia de dito Sant Pere .VI. foldos de dineros |⁴ jachefes en quifcun anno, en la fiefta de Santa ✠ de mayo, fobre .I. canpo que yo z ditos mis fillos auemos en termino de Ofca..... |⁶ fobre el qual auos damos z affignamos los ditos .VI. foldos que yo z el dito mi marido recebiemos en camio de don Domenge de Ronças, ca|⁷pellano z rector de Sant   10 Vicient de Ofca, por otro canpo que ad el diemos en camio, que es en el dito termino|⁸..... fobre el qual dito canpo |⁹ que nos diemos en camio auiades los ditos .VI. foldos por don Pero de Val, por raçon de aniuerfario..... |¹⁰ z uos z uueftros fucceffores façiendo |¹¹ z conpliendo eldito aniuerfario, fegunt que es acoftumnado en la dita eglefia, en quifcun   15 anno, en otro dia dela dita fiefta de Santa ✠ |¹² del mes de mayo, nos z los nueftros que poffediremos el dito canpo os paguemos los ditos .VI. foldos en el fobredito ter|¹³mino; z fi por auentura en algun tienpo fe reuocaria el dito camio de los fobreditos canpos, quiero z atorgo con uoluntat z atorgamiento |¹⁴ de los ditos mis fillos los ditos .VI. foldos   20 en el fobredito termino que los ayades fobre el dito canpo que camiomos al dito capellan ..... |¹⁶ z nos fobreditos Pero Naya z Milia Pereç z Sancha Pereç, de buen cora|¹⁷ge z de buena uoluntat, atorgamos z lo damos z confirmamos por atodos tienpos que fian firmes todas las cofas, affi |¹⁸ como uos dita nueftra madre las auedes fobreditas.....   25 |²⁰ Efto fo feyto dia de la fiefta de Santa Ma|²¹ria Magdalena en julio. Era M.ª CCC.ª XVII.ª. Miguel de Ançano, publico fcriuano de Ofca, efto fcriuye z eft fey-(●)-nal |²² façie, z en la .II. rregla fobre fcriuye o dice «fillas».

A. M. de Huesca, perg. núm. 115. — Líneas 21-22, *camiomos,* lectura completamente segura.

48

Año **1279,** 19 de noviembre. — Huesca. — Not.: Miguel Violeta.

Arrendamiento hecho por el monasterio de Montearagón a dos judíos de Huesca, de un censo y unas tiendas en esta misma ciudad.

In Dei nomine z eius gracia. Manifiefta cofa fia atodos como nos don Pero Ximeneç de Pueyo, preboft de la gfefia de Montaragon, damos atreudo auos don Rebj Bahyel z auos don Jeffuaf |² Aburabe, gierno de uos dito don Rabj Bahyel, judios dOfca, dieç portaleç de tiendas z vn banquiello z quatro foldof de treudo que la dita preboftria   5 de Montaragon a en la judaria dela çiutat |³ dOfcha; delas quales ditas tiendas las tres fetienen enfenble, z afrontan en la alçacaria delos judios dOfcha, z en via publiga z en tienda dAbraym Aburabe; elas otras tres tiendas |⁴ fetienen todaf tres enfenble, z afrontan en cafas del efpital de la fanoga mayor, z en via publiga z en tienda de don Alaçar   10 Aujnardut; elas otras tres tiendas fetienen |⁵ enfenble, z afrontan endos partes en vias publigas z en cafas del efpital dela fanoga mayor; ela otra tienda yes aquella on mallyan el drapo, que afronta en cafas |⁶ de dona Domenga don Marqueç z en via publiga z en la fanoga mayor; e el dito banquiello ef aquell del canton dela çapataria delos judios dOf-   15 ca; z lof ditos .IIII. foldos del |⁷ dito treudo fon enla tienda de Abraym Aburabe, federo, affi como eftas ditas afrontaçiones circundan z con-cluden de todas partes las ditas tiendas z el dito banquiello |⁸ z los ditos .IIII. foldos del dito treudo, affi damos auos aquellas atreudo, ef affaber, deft· mes de janero primero que viene entro en vint annos continuada-   20 ment conplidos; |⁹ affi enpero, que uos z los uueftros daqui enant dedes de treudo en cada vn anno entro al dito tienpo conplido, anos o al preboft qui por tienpo fera dela dita preboftria de |¹⁰ Montaragon o aprocurador daquella en cada un anno, setanta foldos de dineros jache-fes, moneda buena z firme; ef afaber, quelos ditos fetanta foldos del   25 dito treudo |¹¹ uos z los uueftros aquellos paguedes en dos plaços, ef affaber: la mitat en la fiefta de pafcua florida z la otra mitat en la fiefta de saMiguel del mes de fetienbre |¹² segyent. Vos efto façiendo z con-pliendo, queremos z atorgamos que daqui enant uos z los uueftros las ditas tiendas z banquiello z los ditos .IIII. foldos del dito treudo ayades,   30

|¹³ tingades aquellas enpie z poſſidades, z paçientment eſpleytedes
aquellas entro en la fin del dito tienpo conplido, z que podades aquellas
logar, en preſtar, obrar z me |¹⁴llyorar, ſegunt como nos; z en la fin del
dito tienpo conplido, aquellas rendades anos o al prebofte qui por
tienpo ſera dela dita preboſtria de Montaragon o a |¹⁵ procurador da- 35
quella, z lixedes' aquellas enpie, mellyoradas z non pioradas, saluo
enpero el dreyto del ſenyor rey en todas coſas. Enos ditos don Rabj
Bahyel |¹⁶ z don Jeſſuas Aburabe, reçebemos de uos dito don Pero
Ximeneç de Pueyo, preboſt, las ditas .x. tiendas z el dito banquiello
z los ditos .IIII. ſoldos del dito treudo, |¹⁷ ſegunt que dito eſ de ſuſo, e 40
prometemos z conuenimos auos o adaquell qui por tienpo ſera preboſt
dela dita preboſtria de Montaragon o aprocurador daquella pagar el
dito |¹⁸ treudo en quiſcada vn anno en loſ ditos terminos, ſegunt que
de ſuſo ſe contenexe, eatender z conplir todas z cada vnas coſas
z condiçiones de ſuſo eſcriptas. |¹⁹ Edeſto atener z conplir obligamos 45
ent auos nos z todos nueſtros bienes, mobles z ſedientes, ganados
z por ganar. Teſtimoniaſ ſon deſto don Pero Lopeç, notario pub|²⁰ligo
de Çaragoça, z don Abraym Aujnreyna, judio, veçino dOſca. Eſto ſue
feyto .XII. dias romaſos del mes de noujenbre. |²¹ Era M.ª CCC.ª XVII.ª

|²² Yo Miguel Violeta, publigo notario dOſcha, qui eſto eſcriuje 50
z mj sig-(●)-nal y fiç z por letras lo de partie.

A. H., Montearagón, *P-339.* — *a.b.c.* partido al margen superior.

49

Año **1279,** 30 de diciembre. — Huesca. — Not.: Tomás de Labata.

*Disposiciones firmadas por don García Navarro, sobre la distribución y
reparto de sus bienes.*

Enel nompne de Dios z deſu graçia. Manifieſta coſa ſia atodos como
yo don Garçia Nauarro, prior de Xua, enmj buen ſeſo z enmj buena
memoria, con otorgamiento z volun|²tat de don Johan don Brun, prior
de clauſtra, fago z ordeno z de parto todos mis bienes hon quiere que
yo los aya z auer deua, en remiſſion demj anima, laq|³ual Dios nueſtro 5
ſeignor aduga aſu ſanto Parayſſo; et dotra part do z lexo a Martin Lopeç,

criado mio, .c. foll*dos* de jaqu*e*fef, daqu*e*ll deudo que do*n* Johan d*e* Graç deuia a Marti*n* Lo|⁴peç fobre d*ic*to, con carta publica, elqual deudo, maguera quela carta del deudo deçiefe ald*ic*to Martin Lopeç, era mio; et do*t*ra p*a*rt do *z* lexo a Garçia de Anffon, nieto mio, .c. foll., ¹⁰ |⁵ yes afab*er*, daquellos .D.ᵒˢ foll. que yo e apr*e*nder fobrelas exidas dela t*e*rçera part de la villa de Callyen; et do*t*ra p*a*rt do *z* lexo a M*ar*ia de Anffon, nieta mia, .c. foll. de jaqu*e*fes, |⁶ lof qualef yefcan delof d*ic*tos .D.ᵒˢ foll. de Callyen; et do*t*ra p*a*rt do *z* lexo adona Toda, criada mia, .L. foll. de jaqu*e*fes, lof qualef yefcan delos d*ic*tos .D.ᵒˢ foll. ¹⁵ d*e* Callyen; et do*t*ra |⁷ part do *z* lexo a Domi*n*got *z* Sa*n*chot, ermanof, *z* nietof mios, vna cuba *z* el vino q*u*e yef d*en*tro enlla d*ic*ta cuba que yo e enlla villa d*e* Molinos, la qual cuba |⁸ *z* vino tien*e* por mj B*er*nart d*e* Mo*n*clus, efta*n*t enlla d*ic*ta villa d*e* Molinof; etodos los ot*r*os bien*e*s moullef *z* diner*o*f *z* çiu*e*ra que romanen, onq*u*iere que yo lof aya *z* ²⁰ |⁹ auer deua, por qual q*u*e q*u*iere mane*r*a o raçon, co*n* cartas o menof d*e* cartas fagon *z* eftaulefcon p*r*ocu*r*adores *z* ordenadoref miof, co*n* co*n*fellyo *z* volu*n*tat *z* licençia del d*ic*to |¹⁰ prior d*e* clauftra, do*n* Gar- çia Martin*e*ç, prior d*e* Saraynena, *z* Exemen Sa*n*cheç, cano*n*ges de Mo*n*tarago*n*, alof qualef do plen pod*e*r de demandar *z* re|¹¹çeb*e*r *z* ²⁵ ordenar atodof aquellof q*u*irren amj dar deuen, din*e*ros *z* çiu*e*ra *z* otras cofaf, co*n* cartas *z* menof de cartaf, hoen qual q*u*iere ot*r*a mane*r*a aco*n*plir todaf laf cofaf |¹² fobre d*ic*tas. Eco*n*plidas todas las lexas fobre d*ic*tas delof d*ic*tos bien*e*s mios que romane*n*, quiero *z* mando que den *z* pagu*e*n todas mis deu|¹³das *z* en jurias alli ho*n* trobadas feran por ³⁰ u*er*dat, con cartas omenof d*e* cartas, con co*n*fellyo *z* volu*n*tat del d*ic*to prior d*e* clauftra. E co*n*plido todo efto |¹⁴ *z* todas las cofas defus d*ic*tas *z* cadaunas, el fobre pluf delof d*ic*tos bien*e*s romanie*n*tes mando *z* quiero qu*e* fia todo dado *z* p*a*rtido por mano delof aua*n*|¹⁵ d*ic*tos do*n* Garçia Martin*e*ç *z* de Xemen Sa*n*cheç alli oellos por bien ueran qu*e* ³⁵ mellyor metudo fera, a honor d*e* Dief *z* de Sa*n*ta M*ar*ia, enremi|¹⁶ffion d*e* mj anima, p*er*o co*n* co*n*fellyo *z* volu*n*tat del d*ic*to prior d*e* clauftra; etodo aqu*e*llo que ellof enfaran, demanda*n*do, reçebie*n*do, ord*e*na*n*do, en cara mi|¹⁷niftrando, q*u*iero *z* mando que*n*fian c*r*eudof por lur fim- ple palaura, fienes jura *z* p*r*ouacion; etodo treballyo qu*e* ellos fufriran, ⁴⁰ Dief lefen rieda bue*n* |¹⁸ gualardon eneft fegle *z* vida p*er*duraule ellot*r*o. Teftimo*n*ias fon defto *z* fuero*n* pr*e*fentef enellogar do Nadal, vicario dela glefia d*e* |¹⁹ Sa*n*ta M*ar*ia de fueras d*e* Ofca, *z* don Domi*n*go de

Anſſon, cleriguo z raçionero dela egleſia de Bolea. Eſto fue feyto dos dias enlla |²⁰ fin del meſ de deçienbre. Era M.ª CCC.ª XVII.ª   45

|²¹ Thomas de Lauata, publico notario de Oſca, eſta carta eſcriuie z eſt ſig-(●)-nal fiço.

A. H., Montearagón, P-334 bis. — Hay tilde sobre *Johan,* líneas 3 y 7, y sobre *hoen,* línea 27.

50

Año **1280,** 26 de septiembre. — Castejón de Valdejasa, part. de Egea de los Caballeros.—Not.: Pero López.

Arrendamiento hecho por el monasterio de Summo Portu a Guillén de Malart, de una heredad en término de Zuera.

Manifieſta coſa ſeya atodos quantos eſta preſent carta..... Xemeneç, prior de Sancta Criſtina de Somo del Puer|²to, do auos don Guillem de Malart, z auueſtro fillyo Sancho, el mayor que uos edes veçinos de Çuera, dedias dentramos, aquella heredat que |³ Sancta Criſtina ha z auer deue ſetiada en la Salina, termjno de Çuera, hies aſaber: campos   5 z vinya z verto, z vna muela moledera en el molino |⁴ de la dicta Salina, que afruenta ala dicta heredat dela una part, z con çequia veçinal, dela otra con ſoto de concellyo, z dela quarta campo |⁵ de Maria Monçon. Aſi como eſtas afrontaciones el dicto heredamiento caran z de parten z de terminean adaredor, aſi do aquel auos en |⁶ tal forma, que   10 uos que dedes cadayno continuament ala caſa de Caſtellyon de Val deyaſſa el quinto detodos los fruytos que dar y quera Dios |⁷ en la dicta heredat, z ayades la dicta muela quita, de todos uueſtros dias z de uueſtro fillyo Sancho ſobre dicto, ſaluo que molgades ala caſa de Caſte|⁸lion de todo pan que moler quera. Item, compredes en voç z en   15 raçon del dicto prior por ala dicta caſa de Caſtellyon, vn campo que yes dela |⁹ dicta vinya en ſuſo, con uueſtros dineros; z hotro ſi dedes de aquel el quinto ſegunt que deſuſo dicto yes. Et yo mayeſtro Sancho Xemeneç, prior |¹⁰ ſobre dicto, por el poder amj dado en la dicta orden, prometo z conuiengo auos ſobre dicto don Guillem z auueſtro fillyo   20 Sancho, el mayor, que ſi |¹¹ por auentura en algun tiempo nengun contraſt venia ſobre el dicto heredamiento z muela, z ſobre todo el dreyto

que nos yemos nj la |[12] dicta orden, z ſi porauentura meſſiones nengu-
nas uos con ueria aſer, en pleytiar nj en qual quiere manera, yo ſobre
dicto mayeſtro San|[13]cho Xemeneç uos prometo catar de dano; z ſi 25
por auentura yo nolo façia nj la dicta orden, que uos podades entre-
gar en la ſobre dicta here|[14]dat da quel qui[n]to que uos auedes adar
ala dicta caſa de Caſtellyon; z otroſi la dicta heredat que compredes
luego z lauredes la dicta heredat |[15] bien z fiel ment cadanyo; z dedes
amj cadanyo, qual que hora nj tiempo yo yre con .vi. caualgantes, una 30
çena en la villa de Çuera ſi |[16] juo z ſi no non ſeyades tenjdos dedar
la. E yo don Guillem deMalart z Sancho, fillyo mio, prometemos z
conuenimos abuena ſe de tener |[17] z complir todo lo que dicto yes nj
eſcripto de ſuſo. E yo dicto mayeſtro Sancho Xemeneç, prior de Santa
Criſtina, do auos fianças que uos tiengan |[18] ſaluos z ſeguros en el 35
dicto heredamjento, ſegunt fuero dAragon, don Pedro dona Marta z
don Guillem Aroy z Per Aroy z do Marco, vecinos |[19] de Caſtellyon.
E nos dictos otorgamos ſeder tales fiancas. Teſtimonias ſon deſto don
Arnalt deOual z don Pero Pellicero. Ffeyta carta .v. |[20] dias en la exida
del mes de ſetiembre, era M.ª CCC.ª XVIII.ª. Yo Pero Lopeç, publico 40
notario de Caſtellyon de Val |[21] de Aſſa, por mandamiento del dicto
prior eſta carta eſcriuie z mj ſeny-(●)-nal jmetie.

A. H., Summo Portu, *P*-60. — Línea 1, *carta.....*, sigue un espacio de media
línea destruído por la humedad. — *25, San|cho* puede leerse *San|caho.* — *39,
Oual* o *Cual.* — Pliegue al margen inferior con los orificios del sello pendiente.

5I

Año **1281,** 21 de enero.—Santa Cilia, ayunt. de Panzano, part. de Huesca.—
Not.: Domingo Ferrer.

*Pleito sobre unas ovejas entre el prior de Santa Cilia y unos vecinos de
Arraro.*

En el mes de janero, era M.ª CCC.ª XVIIII.ª, .xi. dias enlla fin del
dito mes. Pero Sanieç, bayle |[2] de Santa Cecilia, fue in uilla de Arraro
por mandamiento de don Bernart de Antinnac, prior de Santa Cecilia,
|[3] ante Johan de Salas, adenantado, z de Domingo del Palomar, z Johan
de Aliaga, z de Domingo de |[4] la Canal, ueçinos de la dita uilla de   5

Arraro, z dio fianças de dereito fobre las injurias z feridas z fuerças |⁵ que los homnes de Arraro fiçon alos homnes de Santa Cecilia de lur **gan**ado, que lo prifon quemmo non deuieron, z |⁶ que lo leuoron de logar don non deuieron, z que lo tienen quemmo non deuen; fobre que les dio el dito Pero Sanieç |⁷ fianças de dereito huna ueç z dos z tres, z non lo quifon odir nin reçebir, ante diçieron que non la reçebrian; |⁸ la qual fiança fue z fe atorgo por fiança Johan de Efcherra, ueçino de Vieraie. Teftimonias fon de |⁹ efto Garcia de Fraga, ueçino de la uilla de Cafuas, z Garcia Poçant, ueçino de uilla de Arbanies. |¹⁰ Enla fetena rregla erre en llogar ob diçe non, z emende con de fobre efcrip- to. Domingo Ferrer, publigo |¹¹ notari de Santa Cecilia, efta carta efcriuie z eft finnal hi-(●)-facie.

A. M. de Huesca, perg. núm. 175, carta 1.ª

52

Año **1281,** 26 de enero.—SANTA CILIA, ayunt. de Panzano, part. de Huesca. — Not.: Domingo Ferrer.

Sobre el mismo pleito que el anterior.

En el mes de janero, era M.ª CCC.ª XVIIII.ª, .vi. dias enlla fin del dito mes. Pero Sanjez, baille de Santa |² Cecilia, fue inlla uilla de Arraro por mandamiento de don Bernart de Antinnac, prior de Santa Cecilia, ante Johan |³ de Salas, adenantado, z de Domingo del Palomar, z Johan de Aliaga, z de Domingo de la Canal, ueçinos de Arraro, |⁴ z dixo Pero Sanieç que los homnes de Raro porque auian feito aquella cofa tan defcomunal; dixo Johan de Aliaga, ueçino |⁵ de Arraro, que lo que auian feito façian por conffello de Domingo Periç de Mauilia. Teftimonias fon defto Garcia de Fraga, |⁶ ueçino de Calonas, z Johan de Scherra, ueçino de Vieraie. Domingo Ferrer, publigo notari de Santa Cecilia, efta |⁷ carta efcriuie he eft finnal hi-(●)-facie.

A. M. de Huesca, perg. núm. 175, carta 2.ª

53

Año **1281,** 27 de enero.—Santa Cilia, ayunt. de Panzano, part. de Huesca.—
Not.: Domingo Ferrer.

Sobre el mismo pleito que los dos anteriores.

En el mes de janero, era M.ª CCC.ª XVIIII.ª, .v. dias enlla fin del
dito mes. P*e*ro Sanjeç, baille de Santa Cecilia, |² fue enlla uilla de
Pançano ante Domingo d*e* Argys, jerno de Domi*n*go Periç, ç demando
le la manlieuda de las |³ houellas ho del ganado que auiat el manleuado,
ç dos en trobaua*n* menos; ç P*e*ro Sanjeç dio fiança de dereito que   5
|⁴ orillen las houellas, ç que ffi rancura*n* auian que ho*m*ne ne faria
dereito; la qual fiança fue do*n* Domingo Lauata |⁵ de Pançano; ç fobre
efto refpondio Domingo de Argys que non prendria fiança dereito,
mas que ffi por dereito |⁶ fueffe uifto, que el las faria tornar. Teftimo-
nias fon defto Domingo de do*n* Artal ç Garçia Queços, ueçinos |⁷ de   10
Pançano. Domingo F*e*rrer, publigo notari de Santa Cecilia, efta carta
efcriuie he eft fin*n*al hi-(●)-facie.

A. M. de Huesca, perg. núm. 258. — Línea 6, *orillen,* la *o* es dudosa.

54

Año **1283,** 10 de septiembre. — Montearagón, ayunt. de Quicena, part. de
Huesca. — Not.: Miguel de San Freiros.

*El prior de San Pedro el Viejo de Huesca se incauta de unos campos que
pertenecían a su iglesia.*

Era M.ª CCC.ª XX ç v*n*o, .x. dias andados del mes de fetiembre,
apariexie don Ramon Gharin, prior de la glefia de San Per Viello
dUefca, aparexie |² en Sebluco por raçon daquell pleyto que yes ni
efpera de feer entre Bertolome d*e*l Porçano ç Domingo Seuaftian, veçi-
nos de Sebluco, del vna part demandant, |³ ç don Lorient de Sebluco,   5

del otra part defendient, por raçon daquell heredamiento que lauant dita glefia de San Per a z auer deue en villa z en terminos de Sebluco; |⁴ on por efto yo dito don Ramon Gharin, prior de lauant dita glefia de Sam Per dUefca, por mi propria actoridat recebo z enparo dos campos de lauant dita |⁵ heredat, los quales campos fon en Soto, ter- ¹⁰ mino de Sebluco; z contefto de prefent los ditos campos, fegunt fuero, al dito don Lorient, por raçon daquellos dreytos |⁶ que lauant dita glefia de San Per auia en los auant ditos campos; los quales dreytos a pertudos lauant dita glefia de .x. annos paffados z de mas, los quales dreytos |⁷ fon eftados efcondudos malinnament tro en eft prefent dia; ¹⁵ z efto fue feyto en prefent don Domengo, abbat de San Vicient dUefca, del concello de Sebluco; |⁸ z el dito don Ramon Garin fiço fer carta publica a Mighel de Sant Freyros, notario de Montaragon. Tefti- monias fon defto don Vales de Palaço z don |⁹ Marco de Palaço. E yo dito Mighel de Sant Freyros efta carta efcriuie el dia z la ora z en el ²⁰ mes fobre dito, z en la fobre dita milefima, z mi |¹⁰ sig-(●)-nal y fiç.

A. M. de Huesca, perg. núm. 280. — Línea 2, *apariexie,* lectura clara, fué a repetirse a la línea 3; pero el escriba enmendó y dejó *aparexie.*

55

Año **1283.** — HUESCA.

Copia hecha en Huesca, en 1304, por el notario Egidio de Fraga, del Pri-
vilegio de la Unión otorgado a los aragoneses por el rey Pedro III en 1283.

..... Eftas fon las cofas de que fon defpuyllados los ricos omnes, mefnaderos, caualleros, z infançones, ciuda|¹⁸danos z los homnes de las uillas de Aragon z de Ribagorça z del regno de Valençia et de Teruel: Quel feynor rey obferue z confirme fueros, coftumpnes, ufus, priuilegios z cartas de donaciones z de camios del regno dAragon z ⁵ de Ualençia z de Ribagorça z de Teruel. Item, que inquificion non fia feita nunca contra ninguno en ningun |¹⁹ cafo, z fi feyta es la inquifi- cion z no es judgada que no fia dado judicio por ella ni uaya ad aca- bamiento, z fi dada es fentencia que no uienga ha execucion. Item, que la jufticia dAragon juge todos los pleytos que uenieren a la cort con ¹⁰ conffeyllo de los richos homnes, mefnaderos, caualleros, infançones, ciudadanos z de los |[20] omnes buenos de las uillas, fegunt fuero z antigament fue coftumpnado. Item, que fian tornados en poffeffion de las cofas de que fueron defpuyllados en tienpo del feynor rey don Jayme z fuyo, de que ellos fe tienen por agreuiados, que fon publicas z noto- [15] rias. Item, que el fenyor rey en fus guerras z en fus feytos |[21] que tocan a las comunidades, que los ricos omnes, mefnaderos, caualleros z los hondrados ciudadanos z omnes buenos de las uillas, fean en fu confeyllo z tornen en lur hondra, affi como folian en tienpo de fu padre. Item, que en cada uno de los logares aya juges daquel mifmo regno, es affaber: [20] en Aragon dAragon, z en Ualencia de Ualencia, et |[22] en Ribagorça de Ribagorça. Item, que todos los del regno dAragon ufen como folian de la fal de qual fe querran de los regnos z de toda la feynoria del feynor rey dAragon, daquella que mas querran, z quen uendan los qui las falinas an affi como folian antigament, z aquellos que por fuarza [25] uendieron fus falinas z fen tienen por agreuiados |[23] que las cobren z que ufen daquellas como folian, ellos enpero tornando el precio que recebieron. Item, del feyto de la quinta, que nuncas fe die en Aragon, fueras por priegas a la vueft de Valencia, z que daqui adeuant nunca fe de de ningun ganado ni de ninguna cofa. Item, que los fobrejunteros [30] ufen affi como antigament folian ufar z no ayan otro |[24] poder ni prengan de las uillas de mercado fino .x. foldos, z cada .v. foldos de las otras uillas, de aquellas que en la junta feder querran; mas los fobrejunteros que fian exfecutores de las fentencias z encalçadores de los malfaytores z de los encarrados, z aquellos malfaytores que fian jud- [35] gados por los jufticias de las ciudades z de las uillas z de los otros lugares |[25] dAragon. Item, del mero enperio z mixto, que nuncas fue ni faben que fes en Aragon ni enel regno de Valencia ni encara de Ribagorça, z que no y fia daqui adeuant, ni aquello ni otra cofa de ninguna de nueuo, fi no tan folament fuero, coftumpne z ufo, priuile- [40] gios z cartas de donaciones z de camios, fegunt que antigament fue ufado en Aragon et |[26] én los otros lugares fobreditos; z que el feynor rey no meta jufticias ni faga judgar en ninguna uilla ni en ningun lugar que fuyo proprio non fia. Item, que ningun juge ni oydor enfu cort del feynor rey non prenga falario de ninguna de las partes por judgar [45] ni por obrir pleyto nenguno, z que aquellos juges que odiran o judgaran, que |[27] fian del regno dAragon los qui auran a judgar los pley-

tos dAragon, z que todas las apellaciones de los pleytos dAragon que
fian terminadas dentro del regno dAragon z non fian tenidas ningunas de las partes de feguir las apellaciones fueras el regno dAragon. 50
Item, las faluas de los infançones que fian affi como el feynor |[28] rey
padre fuyo las atorgo z las juro en Exea; aquello mifmo feya de las con-
pras que fazen los infançones del realencho, que fe faga fegunt que el
feynor rey padre fuyo las juro z las confirmo en Exea. Item, las honores dAragon que tornen a las cauallerias fegunt que eran en el tienpo 55
quel feynor rey don Jayme fino; z los ricos |[29] omnes que ayan las
pagas a fant Miguel cum lures calonias z fus açenblas, fegunt que auian
ufado z coftumpnado antigament, faluo que todos los uilleros dAragon den z paguen z ufen, fegun que coftumpnaron en el tienpo quel
feynor rey don Jayme fino, es afaber, peytas, cauallerias, çenas, açen- 60
blas, calonias, treuudos, vueft z monedage z todas otras cofas, z que
|[30] finque faluo a los de los uilleros lures priuilegios fegunt que de-
mandado fue. Item, que todas las ciudades z las uillas dAragon que
folian feder honor de ricos omnes, que lo fean aquellas que del feynor
rey fon agora, fegunt que coftumpnado era antigament. Item, que ho- 65
nor no fia tollida ni enparada por el feynor rey ha ningun ricomne, fi
doncas |[31] el ricomne non fizieffe por que, z encara aquefto primera-
ment que fia uifto, judgado z conexido..... jufticia dAragon, de confe-
llo de los ricos omnes z otros hondrados caualleros, infançones, ciudadanos z otros omnes de las hondradas uillas dAragon; z aquefto 70
mifmo de los mefnaderos, que non fia enparada lur mefnadaria, fi
[32]| non ficieffe porque, z que fueffe primerament judgado por cort z
por los fobreditos fegunt que..... omnes que non puedan toller tierra
ni honores que dadas auran a lures caualleros, fi doncas el cauallero
non fizieffe porque; et encara aquefto primerament que fia conexido 75
por los uaffallos daquel mifmo ricomne, daquellos |[33] uaffallos que te-
rran tierra por el. Item, que los ricos omnes de la mef[n]ada que an a
feruir al feynor rey, que fian contados en aquel mes los dias de la yda z
de la tornada daquia que fian tornados en lures cafas, z aquello mifmo
fia de los caualleros que tenrran honores de los ricos omnes. Item, fi 80
por auentura algun ricomne, mefnadero, cauallero o infançon, por qual·
quiere razon, querra beuir con otro |[34] feynor fueras del regno dAra-
gon, quel feynor rey dAragon fia tenido de recebir en comanda fu muller z fus fillos z todos fus bienes z fus uaffallos, z encara las mulleres

ʒ los fillos ʒ todos los bienes de todos aquellos uaſſallos que yran con ₈₅
el. Item, las cartas que ſaldran de la ſcriuania del ſeynor rey, que ayan
precio conuinent. Item, los eſcriuanos ʒ los corredores de las ciudades
|³⁵ ʒ delas uillas ſean pueſtos por los jurados ʒ por aquellos que coſtump-
naron de meter los, menos de treudo, ſegunt que auian uſado antigament. Item, de las alfondegas, que no y uaya a poſar criſtiano ni moro, ₉₀
ſino quien ſe quiere; aquello miſmo de las tafurarias, que ſian deſſey-
tas por a todos tienpos. Item, de los cotos ʒ de los eſtablimientos que
ſon generales de todo el regno, aſſi como de no |³⁶ ſacar pan, ni caua-
llos, ni olio, ni otras coſas del regno, que ſian deſſeytos ʒ que nunca ſe
fagan menos de conſeyllo de los ricos omnes, meſnaderos, caualleros, ₉₅
infançones ʒ de los otros omnes hondrados de las ciudades ʒ de las
otras uillas dAragon. Item, de los cotos de las ciudades ʒ de las uillas
dAragon, que ſe metan ʒ que ſe tuelgan por los jurados o por los
otros omnes de las ciudades |³⁷ et de las uillas dAragon, ſegunt que
auian uſado antigament ʒ coſtumpnado. Item, peages nueuos que non ₁₀₀
ſian dados, ʒ ſpecialment de pan ni de vino que lieuan con beſtias,
ni de ninguna moneda ni de ningunas otras coſas que uſadas non fueron de dar peage en Aragon; ʒ que los peages, que tornen ʒ que ſe
prengan enaquellos lugares que antigament ſe ſolian prender |³⁸ ʒ non
en otros; ʒ los omnes que uan por los caminos que uayan por quales ₁₀₅
logares ſe querran, dando todo ſu dreyto al ſeynor rey o ad aquellos
que auran el peage de todas aquellas coſas que dar deuran. Item, que
los ricos omnes dAragon non ſian tenidos por ias honores ni por las
tierras que tienen del ſeynor rey de ſeruir lo por aquellas fueras de ſo
ſeynorio ni paſſar mar. |³⁹ Item, demandan que el ſeynor rey ſuelte el ₁₁₀
eſtablimiento que fizo que ninguno no fueſſe uſado de matar cordero.
Item, demandan los ricos omnes ʒ todos los otros ſobreditos que en
los regnos dAragon et de Valencia, ni en Ribagorça, ni en Teruel, que
no aya .....lle que judien ſia. Item, demandan que en todo caſo, aſſi en
criminal como en |⁴⁰ ciuil, que ualga fiança de dreyto contra ſeynor ʒ ₁₁₅
contra oficiales ʒ contra tod omne, exceptado en deudo manifieſto,
ſegunt que fuero requiere. Item, que el ſeynor rey faga cort general de
aragoneſes, en cadaun anno una uegada, en la ciudat de Caragoça.
Item, que la tierra ʒ las honores que el ſeynor rey dara alos ricos om-
nes, que los ricos omnes que la |⁴¹ partian a los caualleros. Item, quel ₁₂₀
ſeynor rey ni los ſus ſucceſſores que non demande ni prenda, ni de-

mandar ni prender faga, agora ni en ningun tienpo, monedage enlas
uillas ni enlos logares que an ni auran, por qual quiere manera o
razon, aquellos ricos omnes, o poſſediran los uaſſallos de los ricos om-
nes, meſnaderos, caualleros, infançones, ciudadanos |[42] z otros omnes [125]
de las uillas dAragon, mas quel dito monedage ayan z prengan de los
logares que an z auran los ditos ricos omnes, caualleros z infançones,
ciudadanos z otros omnes de las uillas dAragon z los ſuyos, ſegunt
que antigament uſaron z coſtumpnaron de prenderlo. Item, protieſtan
los ſobreditos ricos omnes, meſnaderos, caualleros, infançones, |[43] ciu- [130]
dadanos z los otros omnes de las uillas z de los uilleros z de toda la
uniuerſidat del regno dAragon, que ſaluo finque a ellos z a cáda uno
dellos de las ciudades z a cadauno de las villas z de los uilleros dAragon, toda demanda o demandas que ellos o quales quiere dellos puedan o deuan far, aſſi en eſpecial como en general, con priuilegios o [135]
|[44] con cartas de donaciones o de camios o menos de cartas, quando a
ellos o a quales que quiere dellos bien uiſto ſera, que puedan al ſeynor
rey demandar enſu tienpo z enſu lugar.....

A. M. de Huesca, perg. núm. 13. En las 17 primeras líneas, el notario trans-
criptor, Egidio de Fraga, cuenta cómo los nobles y jurados de Huesca acudieron
a su obispo pidiéndole autorización para sacar copia del documento original de
estos fueros; describe después dicho original con muchos pormenores, especialmente por lo que se refiere a los sellos del rey y del infante, y sigue el mandato del obispo al notario para que hiciese el traslado. Empieza el documento
diciendo que congregados en Zaragoza, en la iglesia de los Predicadores, los
nobles y ricoshombres del reino y representantes de las principales ciudades,
pidieron al rey y a su heredero que confirmasen sus fueros, libertades y costumbres, según el tenor de los presentes capítulos. El rey y el infante otorga-
ron bajo juramento la confirmación pedida. Termina la carta con las firmas de
ambos y muchas otras. Todo está en latín, aparte de lo que aquí se reproduce.—
Líneas 68 y 73, los puntos representan un roto que hizo desaparecer varias
palabras. — 114, ...lle, destruídas dos o tres letras.

56

Año **1284**, 13 de marzo. — Castejón de Arbaniés, part. de Huesca. - Notario: Juan de Castejón.

Don Gómez de Pueyo, señor de Bascuds, se reconoce deudor de unos cahices de trigo al prior de San Pedro el Viejo de Huesca.

Siat manifiefta coffa a todos como yo don Gomeç de Pueyo, feynor de Bafcuas, z mi muller Maria dEftada, atorgamos z uenimos de manifiefto, por nos z por llos nueftros, |[2] que deuemos dar z pagar a uos do Rramon Garin, prior de fan Per el Byello dUafca, ho a tot omne con efta carta demandant, en la fiefta de Santa Maria dagofto primera 5 uinient, siet |[3] kafices z medio, la mitat trigo z la otra mitat hordio, et dela dita Santa Maria dagofto at hun anno hotros siet kafices del tienpo paffado; z prometemos z conueni|[4]mos a uos dar z pagar la dita çiuera en llos (en llos) ditos terminos, çiuera bella z linpia que fia de dar z de prender, mefura dUafca, buana z dereyta, z quella os demos en 10 Uafca, dentro en la |[5] badia de fan Per, en poder uueftro, afi como ef coftunpnado dadoçilla z de dar la os dentro en poder uueftro. Et fi por la uentura nos non pagariamos auos la dita çiuera en llos ditos terminos, |[6] afi como dito es, et dali en ant hos conuerria a fer ho afoftener dannos, mefiones, deftrits, falimenç, por demanda de lauandita 15 çiuera, aquella auos refagamos z emendemos tan toft, |[7] con la dita çiuera enfenble, z fiaç ent creydo por uueftra finple plana paraula, fienes jura z prouaçion; et en cara uos que nos en podaç coftreyner de fer pagar por la glefia |[8] o por el feglar, por qual uos mas querredes; et damos a uos fianças, deudos z pagados, qui con nos z fienes nos 20 paguen o pagar a nos fagan la dita çiuera en el dito termino, ho |[9] qual que ora uos querrades del termino en ant, z refer el danno z lla mifion a tot uueftro plaçer, do Fertu Xemeneç de Tramaçet, feynor de Bafcuas, z don Pero donna Plegrina z do Mi|[10]colao de Planiello z don Lorenç donna Boneta..... |[11] Et en cara nos todos fobreditos enfenbre 25 hobligamos a uos nos z todos nueftros bienes, fedientes z mouientes, ganados z por ganar, ho quiere que uos los podredes |[12] trobar; et nos ditas fianças afi latorgamos todo como dito es..... |[13] Efto fo feyto .XIII. dias entrados del mes de março. Era M.ª CCC.ª XXII.ª Sig-(•)-

no |¹¹ de Johan de Caſtillo*n* de Lieſa, publico eſc*r*iuano, que eſta carta ₃₀
eſcriuie.

A. M. de Huesca, perg. núm. 255. — *Liesa,* part. de Huesca, linda con Arbaniés y con Castejón; acaso este Castejón, que ahora se llama de Arbaniés, es el
mismo que el notario llama de Liesa. – Llevan tilde encima: *podaç,* línea 18, y
ſeglar, línea 19.

57

Año **1284,** 6 de octubre. — PONZANO, part. de Barbastro. — Not.: Ramón de
la Torre.

*Donación de don Bibián de Millán, vecino de Ponzano, a la iglesia de
Santa María de Alquézar, de un terreno situado detrás del castillo de Huerta.*

Conoſcan todos los preſentes *z* por uenir como yo don Beuian de
Millan *z* mi muyller dona Marqueſa Lopez, ueçinos en Ponçano, de
buen coraçon | ² *z* de agradable uoluntat, en remiſion de nueſtros peca-
dos *z* a ſaluacion de nueſtras animas, damos *z* de preſent deliuramos
a Dios *z* a la glorioſa ſanta Maria |³ madre, ques uocacion mayor de la ₅
uilla dAlqueçar, *z* a todo el capitol de los clerigos que ſon participa-
dores de la dita eccleſia en general, ço es aſaber, |⁴ hun nueſtro pueyo
que nos auemos *z* auer deuemos de çaga el caſtiello de la uilla dUarta,
todo auintegrament; el qual dito pueyo |⁵ afronta de las dos partes con
vias publicas, *z* de la tercera part con caſas de los de Banueſt, *z* de la ₁₀
quarta part con lalbachar del dito caſtiello dOrta. |⁶ Aſſi como eſtas
ſobreditas afrontaçiones enſſarran *z* concluden a cada unas de las par-
tes el dito pueyo, aſi nos ditos..... |⁷ damos *z* de preſent deliuramos a
la ſobredita ecleſia dAlqueçar *z* a todo el capitol engeneral el dito
pueyo, ſaluo |⁸ *z* ſecuro, con entradas *z* exidas *z* retornamientos al dito ₁₅
pueyo, quales deue auer franco, liuro, quitiyo *z* infançon, ſienes nuyl
ſerui|⁹cio *z* ſeruitut que no face ni fer no deue, a dar, uender, enpeyn-
nar, camiar, alienar, amudar *z* por ſer toda uueſtra propria uolun|¹⁰tat
a cunta ſecula, ſienes nuyl retenemiento *z* mala uoz; del qual dito
pueyo nos ditos donadores de poder *z* de ſeynnoria nueſtra *z* |¹¹ de ₂₀
toda nueſtra juriſdiccion nos deſeximos, *z* nos aſtrayemos *z* en preſent
en poder uueſtro *z* ſeynnoria uueſtra *z* de toda juriſdiccion uueſtra uos
|¹² enueſtimus por eh*r*edat uueſtra, aſi como de uueſtro proprio here-

damiento, por fer a toda uueſtra uoluntat perdurablement. *E* a la uueſ-
tra mayor ſecuridat |[13] *z* firmeça damos a uos perdurablement fiança [25]
de ſaluedat *z* de ſecuridat qui el dito pueyo ſecurament *z* en paz por
fuero *z* coſtumne |[14] dAragon contra todas peſonas deſt mundo, ço es
a ſaber: don Johan dAlmalle*n*, abitant en Ponçano, *z* nos con el en-
ſemble, con todos |[15] nueſtros bienes, renunciando todo fuero *z* coſ-
tumne ecleſiaſtico *z* ſeclar *z* a todas leys, *z* eſpecialment adaquella ley [30]
que ayuda a los en|[16]ganados *z* a todas otras coſas que a nos ni a los
nueſtros podieſen ualer ni ayudar, ni a uos nocer ni contraſtar por
nuylla |[17] raçon, *z* ualga aſi iuſta carta de renunciamiento aſi como ſi
todos los renunciamientos aqui fueſen eſcriptos *z* nomnados. Qual fian
|[18] ca yo dito Johan fago *z* atorgo, ſecunt la forma de ſus dita. *E* ſon [35]
preſentes teſtimonias Eſteuan de Buera *z* Domingo Almallen, |[19] abi-
tantes en Ponçano. Feyta carta dia viernes, .vi.º dia entrado en el mes
de octubre, era M.ª CCC.ª XX.ª II.ª

|[20] Ramon de Latorre, publico notario de Ponçano, sig-(●)-nal, qui
eſta carta fiço *z* enſarro.   [40]

A. P. de Alquézar, signatura cronológica.

58

Año **1287,** 9 de mayo. — Montearagón.

*Arrendamiento de una viña, del monasterio de Montearagón, a Juçef
Avinardut, judío de Huesca.*

[I]n Ɖei no*m*ine *z* ei*uſ* gra*ci*a. Manifieſta coſa ſia atodoſ como noſ
don Roy Sancheç, *p*reboſt de*l* moneſterio d*e* Montarago*n*, con atorga-
mie*n*to *z* volu*n*tat de*l* hondrado ſeynor don Exime*n* Pereç, |² por la
gra*ci*a d*e* Dioſ abat d*e* Mo*n*taragon, *z* d*e* don Paſcual dUr*uſ*, prior d*e*
clauſtra, *z* del *con*uento de*l* moneſterio ſobred*i*to, d*e* cierta ſciencia *z* [5]
d*e* agradabl*e* volu*n*tat, co*n* aqu*e*ſta |³ *p*reſent publica carta firme *z* por
todoſ tie*n*poſ valed*e*ra, damos *z* luego d*e* *p*reſent liuramos atreuudo
auos don Juçef Auinardut, judio dOſca, vna vigna q*ue* la pre|⁴boſtria
d*e* Montarago*n* ha en Oſca, en t*e*rme*n* q*ue* eſ dito Haratalcomeç; la
q*u*al d*i*ta vigna afronta en vignaſ d*e* dona Perçada *z* en vigna d*e* don [10]
Vidal Auigato*n*, judio, |⁵ *z* en vigna d*e* Rebj Jehuda Anfigarual, judio,

z en dof *p*artef en canpo *de* don En*n*ego Lopeç *de* Jaffa. Affi como
eftaf *di*taf affrontacionef *ci*rcundan z co*n*cluden la |[6] *di*ta vigna, affi
damof luego *de* pre*f*ent auof aq*u*ella atreuudo, toda entegrame*n*t menof
de ni*n*gun retenemie*n*to, yerma z poblada, co*n* entradaf z exidaf fuyaf,   15
aguaf |[7] z p*er*tine*n*ciaf z con todof otrof dreytof, p*er*tenie*n*tef odeuien-
tef p*er*tenir a la *di*ta vigna por ni*n*guna man*er*a. En tal *con*uenio z con-
di*çi*on, q*u*e uof z fuccefforef u*ue*f*t*rof o qui |[8] la *di*ta v*i*gna tenira nj
poffidra, dedef z paguedef anof z affuccefforef n*u*estrof por todof tien-
pof en q*u*ifcun an*n*o, en la fiefta *de* fant Migu*e*l d*e*l mef *de* fetie*n*bre,   20
|[9] trenta z çinco fol*ido*f din*er*of jach*e*f*e*f *de* treuudo, por raçon *de* la
*di*ta vigna, et que dedef la dieçma z la p*re*micia *de* la *di*ta vigna anof
z afuccefforef n*u*eftrof en q*u*ifcu*n* an*n*o |[10] por todof tie*n*pof, dentro
en la *di*ta vigna; et encara q*u*e la *di*ta vigna fia por todof tie*n*pof ente-
gra, affi como huéy, eft p*re*fent dia q*u*efta p*re*fent carta fue |[11] efcripta,   25
ef, z q*u*e aq*u*ella no*n* pueda fed*er* deuedida en p*ar*t ni*n*guna. Et fi por
auent*u*ra la *di*ta vigna vendriadef o q*u*eriadef vender q*u*e lo fagadef p*ri*-
m*er*ame*n*t affaber |[12] anof z affuccefforef n*u*eftrof por .x. diaf antef *de*
la vendi*çi*on, z fi aq*u*ella comprar q*u*eremof q*u*e la ayamof menof q*u*e
otro .x. fol*ido*f, z fi aq*u*ella comprar no*n* q*u*eremof que |[13] la poda-   30
def vender aq*u*i uof q*u*eredef, exceptado a cau*er*of, infanconef, cl*er*igof,
religiofof z lebrofof, maf auof *con*ffenblantef, en q*u*e el *di*to treuudo
anof fia faluo con laf con|[14]dicionef fobre *di*taf. Vof efto façiendo z
co*n*pliendo q*u*eremof z firmeme*n*t atorgamof q*u*e da q*u*i ena*n*t ayadef,
tingadef, poffidadef z pacientme*n*t efpleytedef la *di*ta vigna, |[15] falua   35
z fegura, por dar, vend*er*, enpinyar, camiar, z en qual q*u*e man*er*a auof
plaçra alienar, uof z fillof z fillaf u*ue*f*t*raf z toda u*u*eftr*a* gen*er*acio*n* z
pofteridat u*u*eftr*a*, |[16] por todof tie*n*pof, affi como *de* donacion p*er*fecta
mellor z maf faname*n*t fe puede deçir nj entend*er* apro z abien *de* uof
z delof u*u*eftrof. Et yo *di*to do*n* Juçef |[17] Auinardut, judio dOfca, con   40
muytaf gr*a*ciaf reçebo *de* uof hondrado z fauio do*n* Roy Sancheç pre-
boft fobredito, la *di*ta vigna atreuudo focç la forma z laf *con*dicionef
|[18] fobre *di*taf z p*ro*meto z co*n*uiengo pagar el *di*to treuudo bien z
enpaç en q*u*ifcun an*n*o en el *di*to t*er*me*n*..... Efto fue feyto |[20] .ix. diaf
entradof d*e*l mef *de* mayo, era M.ª CCC.ª XX.ª q*u*inta.   45

A. H., Montearagón, *P*-111. — Carta partida por *a.b.c.*— Llevan tilde encima
de la *y: feynor*, líne*a* 3, y *enpinyar*, línea 36, y también *vigna*, constantemente,
encima de la *n*.

59

Año **1287,** 30 de junio. — Huesca. — Not.: Pedro Anglés.

El monasterio de Santa Cruz da en arrendamiento una heredad a doña Sancha y a don Mateo de Lascasas, vecinos de Quicena.

Manifiefta cofa fia atodos, comonos dona Sancha Martineç de Canellas, por la gracia de Dios abbadeffa del monefterjo de Santa Cruç, conatorgamiento z uoluntat de dona Orraca de Argon, |² almofnera, z de dona Mayor Martineç, monjas del dito monefterjo, eftando de prefent z atorgan, damos z atorgamos z deprefent liuramos atreudo, de 5 toda nueftra vida, |³ auos dona Sancha lafCafas, z auos do Mateu delas Cafas, vicario de fant Blas de Montaragon, abitantes en Quicena, todo aquel heredamiento quenos auemos enla uilla |⁴ en terminos de Quicena, elqual dito heredamiento, uos ditos dona Sancha z do Mateu, foliades tener de nos. Ental manera damos auos eldito heredamiento 10 atreudo, |⁵ queuos o qui el dito heredamiento tenra nipoffedira, dedes encadaun anno anos, detreudo, porla fiefta de Santa Maria del mes dagofto, .xviii. kafices de pan: .vi. kafices detrigo, .vii. kafices dordio |⁶ z .v. kafices deciuada, adueyto dentro ennueftro poder, en Ofca, conuueftra propria meffion. Et encara mas, quefi por auentura uos ditos 15 dona Sancha [z] don Mateu conpra|⁷riades res o enpartida de qualquiere heredamiento quenos ayamos enla dita villa de Quicena, queuos nof dedes z noffiades tenudos de dar la tercera part del fruayto que Dios |⁸ y dara, z adueyto dentro ennueftro poder, conuueftra propria meffion, en Ofca. Eyo dito don Mateu, conmuytas gracias, recebo eldito 20 heredamiento deuos fobre dita feynora abbadeffa |⁹ z monjas, contodas las condiciones defufo ditas, prometiendo auos dedar el dito treudo encadaun anno, z de obferuar todas z cadaunas cofas defufo ditas. Testimonias |¹⁰ fon defto, don Pero, abbat deSamitier, z don Botran de Boralt, veçinos de Ofca. Efto fue feyto çaguero dia dejuyno. Era M.ª CCC.ª XX.ª 25 quinta.

|¹¹ Sig-(●)-nal de Pero Angles, publico notario de Ofca, quiefto efcriuie.

A. H., Benedictinas de Santa Cruz de Jaca, *P-125.* — Línea 18, *fruayto,* la *a* lleva encima un punto que acaso indica que se quiso tachar esta letra.

60

Año **1287**, 29 de septiembre. — Huesca. — Not.: Juan Salmón.

Sentencia arbitral dada por don Guillén de Oros en el pleito seguido por el prior de San Pedro el Viejo de Huesca contra doña Juana Pérez, sobre el censo de una viña.

Manifiefta cofa fia a todos, como fuefe comprometudo en mi, don Guyllem dOros, el mayor, con carta publica, feyta por mano de Johan Salmon, |² notario publico dOfca, fobre pleyto que yera ofperaua de feder entre don Ramon Garyn, prior de fant Per el Uiello de Ofca, demandant |³ de la una part, *z* dona Johana Pereç, muyller q*ue* fue de 5
don Marcho Xemeneç, defendient de lotra, fobre feyto d*e* una vigna q*ue* diçen la |⁴ Mailluela, q*ue* fue de don Xemen Rauia, fetiada en termino de Alchoraç, q*ue* deçia el d*i*to prior q*ue* por condiciones non obferuadas, cayes que la |⁵ dieçma *z* la promiçia d*e* la d*i*ta vigna deuia feder dada a Sant Per *z* adueyta dentro en cafa, *z* efto non fefe la d*i*ta 10
dona Johana |⁶ Pereç, *z* otras condiciones que non auia obferuadas ni el treudo pagado tres an*n*os auia o mas, que yes vna liura de pebre cada an*n*o; *z* |⁷ fobre efto fuefe conprometudo en mi, d*i*to don Guyllem dOros, foç pena de .c. morauedis alfonfis, fegunt que en el d*i*to conpromis fe |⁸ contenexe. On yo don Guyllem dOros, arbitro fobre 15
d*i*to, auudo confeyllo d*e* fauios *z* uiftas todas las muaftras *z* defenfiones q*ue* las partes moftrar |⁹ quifon ni alegar, auiendo folo Dios ante mis vuellos, fentenciando..... digo, foç la pena nel d*i*to conpromis po|¹⁰fada, q*ue*la d*i*ta dona Johana Pereç *z* qui q*ui*ere que la d*i*ta vigna tenra ni pofedira de *z* pague fienpre dieçma *z* p*r*omicia, *z* q*ue*la aduga 20
afo |¹¹ meffion dentro en la cafa de fant Per en cada an*n*o.....

|¹⁶ Dada fue efta fentencia dia lunes, .ii. dias naxida del mes de fe|¹⁷tienbre, prefentes teftimonias, *z* ad efto clamadas *z* p*r*egadas, Andreu Pereç dAguas, fauio en dreyto, *z* don Simon dExea, clerigo, eftantes |¹⁸ en Ofca. E*r*a M.ª CCC.ª XX.ª V.ª. Io Johan Salmo*n*, publico 25
notario dOfca, q*ui* por mandamiento del d*i*to don Guyllem dO|¹⁹ros efta carta façie *z* mi fig-(●)-nal acoftumnado y fyç.

A. M. de Huesca, perg. núm. 269.

61

Año **1289,** 25 de agosto. — Huesca. — Not.: Rodrigo de Vieu.

Arrendamiento de un soto de la casa de San Lázaro de Huesca, a favor de Gil de Luesia.

Conefcuda cofa fea que nos don Martin de Nifano, procurador de la cafa de fant Laçaro dUefca, ᴢ muyller mia dona |² Maria, habitantes en Uefca, damos a treudo a uos Gil de Luefia, veçino dUefca, ᴢ a muy-ller vueftra Sancha, vn prefayl|³lo de foto, fuera la puerta, a la 'yfuela de fant Migel, en Uefca, que afruenta en rigo ᴢ en paral de fant Laçaro 5
ᴢ |⁴ en verta de Sancho dOftes, yermo ᴢ poblado, ᴢ con fus entradas ᴢ exidas ᴢ con fu agua por regar, por la |⁵ heredat de fant Laçaro; en tal condeçion, que dedes de treudo a la cafa de fant Laçaro en quifcun anno .xii. dineros jaquefes en |⁶ la fiefta de Santa Maria del mes de augufto; ᴢ fil queredes vender, por .x. dias antes lo fagades a faber 10
antes al |⁷ procurador de fant Laçaro, ᴢ fil quiere conprar quel aya menos .xii. dineros que ninguno, ᴢ fi conprar nol quiere, dalli enant que |⁸ lo podaç vender ᴢ allienar a qui quereç, excepto infançon ᴢ religion; ᴢ damos a uos fiança de faluedat ᴢ de feguri|⁹dat del dito pre-fayllo, Pafchual de Nifano, veçino dUefca, prefent ᴢ atorgant la dita 15
fiançaria, ᴢ nos con |¹⁰ el enfemble, ᴢ quifcuno por el tot. Teftimonias fon defto Migel dArguis ᴢ Ramon de Barbaftro, veçinos |¹¹ dUefca. Feyto fue efto en el mes de augufto, .vii. dias en fin. Era M.ª CCC.ª XX.ª VII.ª

|¹² Sig-(●)-no de Rodrigo de Vieu, publico notario dUefca, qui efta carta fcriuie ᴢ por abeçe la partie. 20

A. M. de Huesca, perg. núm. 281.

62

Año **1289,** 17 de diciembre. — Matidero, ayunt. de Secorún, part. de Boltaña. — Not.: Bartolomé de Matidero.

Arrendamiento de unas casas, hecho por el prior de San Urbez a favor
de Domingo, hijo de Sancho de Guarga.

Manifeſta coſa ſia a todos los qui ſon de preſent ʒ a los qui ſon de
uenir, como yo don Jufre, prior de ſant Urbiç, monge de ſant Ponç de
Tomeras, atorgo |² de buen coraçon ʒ de franca uoluntat que do ʒ de
preſent en corporal poſeſion meto con eſta preſent carta por atot ſian-
pre ualedera, auos Domingo, |³ fillo de don Sanxo de Guarga ʒ de ſo   5
moller dan Oria dOrlato, que uos do por ageneracion a todos tianpos
jamas, vnas caſſas de ſant |⁴ Urbiç, que ſon en la villa dOrlato, con
toda ſo heredat quanta que a las ditas caſſas pertenexen en la dita villa
dOrlato et en ſos terminos, et encara |⁵ con un orrio que ad en las ditas
caſſas, es aſaber, aquellas que tenian don Johan de Solaniala ʒ ſo moller 10
dona Sanxa dOrlato, todas abintegrament, |⁶ que las do yo auos atre-
budo ʒ a fillos ueſtros ʒ ageneracion ueſtra ʒ a toda ueſtra poſterita,
es aſaber, caſas, caſales ʒ era ʒ pallar ʒ orio et |⁷ vartos, ortales, can-
pos, canamares, aliegares ʒ fructales; todo hiermo ʒ poblado, coneſcudo
ʒ no coneſcudo, todo quanto a las ditas |⁸ caſſas pertenexen ʒ deuen   15
pertenir en la dita vila dOrlato; todo que lo do yo auos ʒ a los ueſtros
ageneracion, a t[r]ehudo, conſo deçima, eſ aſaber, |⁹ con todo aquel tre-
budo ʒ con todas aquellas **coſas** que an ſienpre coſtunado de dar a la
gleſia ʒ ala caſa de ſant Urbiç, eſ aſaber, tres quartales |¹⁰ de trigo ʒ
tres quartales dordio de la miſura dOſca, ʒ quinçe dineros; ʒ uos ʒ los   20
uueſtros faciando a mi od aquales qui teran la gleſia ʒ la caſa de ſant
|¹¹ Urbiç eſte dito trebudo conſo deçima por cada un anno en la fieſta
de ſant Miguel del mes de ſetenbre, aiades plen poder de tener |¹² ʒ de
poſedir ʒ de explectar ʒ de lauorar todas las ditas caſas con ſo heredat,
ʒ vos ʒ fillos ueſtros ʒ generacion ueſtra ʒ toda ueſtra poſterita   25
|¹³ por todos tianpos jamas. La qual dita donacion fago yo dito don
Jufre a uos dito Domingo et a los ueſtros, ſegunt que dito es, con
atorga|¹⁴miento ʒ con conſentimiento de don Johan de Solaniala ʒ de
ſo moller dona Sanxa dOrlato. Et por eſta uos fago yo la dita donacion

|¹⁵ perpetualment por todos tianpos, q*ue* fia ualedera a uos *z* alos u*ue*f- 30
*t*ros, la qual d*i*ta donacion no fia reuocada daqui en a*n*te, por ninguna
ma*n*era que |¹⁶ a uos ni a los u*ue*ftros podiefe noçer. Teftes fon defto
a*n*te d*i*to B*er*tran de Seguru*n z* Domingo dAuerra, ftantes en fant Ur-
biç. F*ey*to fue efto |¹⁷ .xvi. k*alen*d*as* januari, e*r*a M.ª CCC.ª XXVII.ª.
B*er*tolomeo de Matidero, publico nota*rio* de la junta de Saraulo, por 35
mandamiento del d*i*to don Jufre, |¹⁸ efta carta efcriuia *z* por letras la
partia, *z* efte si*n*-(●)-nal façia.

A. M. de Huesca, perg. núm. 76. — Línea 8, tilde sobre *pertenexe,* además de
la correspondiente a *er;* más abajo, línea 15, aparece el mismo caso sin abreviatura.

63

Año **1290,** 28 de julio. — Huesca. — Not.: Miguel de Igrés.

*Fundación de un aniversario perpetuo en la iglesia de San Pedro el Viejo
de Huesca, por don Guillén de la Reulla.*

Manifefta cofa fia a todos como yo don fray Gyll*e*m Tallada, vicario
de fanta Maria de Mont Florit de Huefca, efpondal*e*ro |² del çaguer
teftament de don Gyll*e*m de la Reulla, q*u*i fue, por auctoridat *z* poder
del d*i*to teftament, do *z* afigno en |³ cada an*n*o octo folidos de treudo
a uos don Ramon Gari*n*, p*r*ior de fant Pere el Viello de Huefca, *z* ala 5
glefia del d*i*to fant Pere |⁴ los q*u*ales ayades *z* reçibades fobre aquella
tenda q*ue* don Gil dOfan ha en la Carniçaria mayor; la qual tenda
afroe*n*ta de la |⁵ una part en tenda de don Domingo Portoles, *z* de dos
partes en cafas *z* tenda de don Mig*e*l de Exeya, *z* de lotra part |⁶ en
carrera publica. Daq*ue*llos dieç *z* siet folidos qu*e*l d*i*to don Gyllem de 10
la Reulla auia *z* ha de treudo fobre la d*i*ta ten|⁷da, los d*i*tos .viii. folidos
do a uos porraçon d*e* anniu*er*fario, el qual fagades perdurable ment,
uos *z* u*ue*ftros fucceffores, cada un |⁸ an*n*o por la a*n*ima d*e* dona Oliua,
mull*e*r que fue del d*i*to don Gyll*e*m, en aquella kalenda que ella fino,
los quales .viii. folidos ayad*e*s |⁹ *z* reçibades *z* poffidades uos *z* u*ue*ftros 15
fucceffores, perdurablement, por la fiefta de Martiro*rum*, fegunt que fe
contenexe |¹⁰ en la carta origenal de la conpra, feyta por don Gyll*e*m
de Loças, publico notario de Huefca, q*u*i fue, faciendo el d*i*to anniu*er*-

ſa|[11]rio uos ʒ ſucceſſores uueſtros, ſegunt que díto es. Teſtimonios ſon deſto don Gyllem dOros, cauero, ʒ don Martin |[12] Pietauin, ueçinos de 20 Hueſca. Feyto fue eſto .IIII. dias en la fin de julio. Era M.ª CCC.ª XX.ª |[13] octaua. Eyo Miguel de Igres, publico notario de Hueſca, eſta carta eſcriuie |[14] ʒ mi sig-(●)-nyal acoſtumnado y metie.

A. M. de Huesca, perg. núm. 75.

64

Año **1292,** enero. — NAVAL, part. de Barbastro. — Not.: Domingo de Arao.

Venta hecha por don Juan de Escamiés, vecino de Barbastro, al monas-terio de Montearagón, de una cabaña situada en Naval.

Manifieſta coſa ſia atodoſ como yo Johan dEſcamieſ, con mj muller Maria, becinoſ de |[2] Barbaſtro, de buen coraçon ʒ de buana voluntat bendemoſ ʒ de preſent liuramoſ auoſ don |[3] Ruy Sanxeç dEradre, pre-boſtre dela preboſtria de Montaragon, vna cabanna que |[4] noſ auemoſ en la rolda de Naual, por precio placible ʒ aliara que entre noſ ʒ uoſ 5 |[5] bia[n] conuenia ʒ placia anoſ, eſ aſſaber, por .XVII. ſueldoſ de dineroſ de buana moneda |[6] jaqueſa; loſ qualeſ dineros de uoſ contadoſ auiamoſ ʒ bian pagadoſ ſomoſ. Afrontat la |[7] dita capanna de .I. part en cabanna de D. Torrecialla ʒ en via publiga ʒ en ca|[8]banna de Galindo; aſi como laſ ditaſ afrontacioneſ enſaran ladita cabanna, aſi la |[9] bendemoſ auoſ ʒ 10 aloſ uueſtroſ, con entradaſ ʒ exidaſ ʒ contodaſ ſoſ pertinençaſ que ala dita |[10] cabanna pertinexen ho pertinere deue[n], de ciello entro adabiſ-mo; ʒ que ayaç en heredat |[11] la dita cabanna, uoſ ʒ uueſtroſ anteceſoreſ, por dar, bender ʒ camiar ʒ alianar por ſeccula |[12] cuncta. E por mayor vueſtra ʒ deloſ vueſtroſ ſeguritat, damoſ auoſ fidança de ſalue|[13]dat por 15 buen fuero dAragon, quj la dita cabanna con todoſ ſoſ meyllo|[14]ramiantoſ ali ſeytoſ ho por fer auoſ ʒ aloſ uueſtroſ ʒ aquj uoſ quereç fagat |[15] [auer], tener ʒ poſidir en paç por cuncta ſeccula, eſ aſaber, Pero de Brue|[16]yllo, eſtant en Padul, quj eſta fidança façe ʒ atorga. E deſto ſon teſti|[17]moniaſ Andreo deBuara ʒ Ramon dAraſanç ʒ Çaet Abatro, 20 moro, |[18] becinoſ de Nabal. Feyto fue aqueſto en el meſ de janero, era M.ª CCC.ª XXX.ª |[19] Domingo dArao, ſcriuano publigo de Nabal, eſta carta eſcriuia z eſt ſig-(●)-nal |²⁰ facia, z ſobreſcriuie en la .xii. regla, odiçe: por dar, bender z camiar.

A. H., Montearagón, *P*-370. — Línea 5, *rolda,* con *r* mayúscula. — 9, *Torre-cialla,* tilde sobre la *ll.* — 18, las tres o cuatro primeras letras de la línea 15 del documento, donde he leído *auer,* están casi borradas.

65

Año **1292,** 29 de septiembre. — Jaca. — Not.: Guallart de Seta.

Don Pero Cornell y doña Urraca Artal de Luna conceden ciertos benefi-
cios a sus súbditos de Aísa.

In Dei nomine amen. Sepan quantos eſta preſent carta ueran como nos don Pero Corneyll z dona Hurraca Ar|²tal de Luna, ſu muyller, por nos z por todos los nueſtros, preſentes z qui ſon por uenir, femos z atorgamos aqueſta gra|³çia a los homnes nueſtros de Ayſa, a los pre-ſentes z qui ſon por uenir: que de aquella quantia que ellos an coſtum-   5 pnado |⁴ de dar a nos por razon de la peyta, que enden a nos z a nueſtros ſucçeſſores trezientos ſoldos de jacceſes cada un anno, z no |⁵ mas. Encara les femos graçia que en abſençia nueſtra que ellos den cada un anno .lx. ſoldos de jacceſes, por razon |⁶ de nueſtra çena, z no mas. Enpero nos uiniendo ad Ayſa que den com[o dicho es] la cena a   10 nos z a todas nueſtras conpanyas. |⁷ Aqueſtas ſobreditas graçias femos nos por nos z por todos [nueſtros ſuccesores a v]os, homnes nueſtros de Ayſa, preſen|⁸tes z qui ſon por uenir, ſaluo en todas coſas todo el dreyto de nueſtra ſeynoria z de los nueſtros. Preſentes ad aqueſto cla-|⁹mados teſtimonios don Martin Peretz dUeſca, cauero, z Jurdan Alua-   15 retz, alcayte del caſtiello de Grafin. Eſto fue feyto .iii. |¹⁰ kalendas occto-bre. Era M.ª CCC.ª XXX.ª

|¹¹ Eyo Guayllart de Seta, publico notario de la çiudat de Jacca, en todas las ditas coſas preſent fue, z por |¹² mandamiento de los ditos don Pero Corneyll z dona Hurraca Artal, ſu muyller, eſta carta ſcriuie   20 z en publica forma |¹³ la retorne, z aqueſt mio ſig-(●)-nal acoſtumpnado y metie.

|¹⁴ Enos don Pero Corneyll, auant dito, aqueſte priuilegio mando-

mos fiellar con nueſtro fiello pendient por mayor |[15] firmeza de todas
las auandítas coſas.   25

A. M. de Aísa, perg. núm. 2. Acompaña a este pergamino una copia hecha
en 1765. — Líneas 6 y 7 del original hay un roto que interesa a cuatro o cinco
palabras, cuya lectura se hace por la copia adjunta.

66

Año **1292,** 9 de octubre. — Aínsa. — Not.: Ramón de Alagón.

*Donación de un campo, hecha por don Martín del Boxidar al monasterio
de San Victorián.*

Manifieſta coſa fia atodoſ, que noſ Martin del Boxidar, fyllo de don
Blaſco del Boxidar, z mj muyller Jacina, eſtanteſ en Aynſa, amoſ en
femble z quiſcadauno denoſ por el todo, por |[2] noſ z por loſ nueſtroſ,
damoſ z de preſent liuramoſ aDioſ z al monaſterio de feynor fan Betrian
z al conuent daquel lugar, et eſpecialment ala caſa de la enfermaria del   5
dito monaſterio, vn |[3] campo nueſtro que auemoſ en termjno de Ara-
huaſt, en lugar on dicen la Cort de Bel eſtar; que afruanta de launa part
en campo de Benedeta, muyller que fue de Juhan de Muro de Torla z
de |[4] ſoſ fylloſ, de lotra part en campo de la egleſia de Santa Maria de
Aynſa et en campo de la capellanja de San Per, et en campo de Migel   10
Pereç de Nabal; et en cara un caſal en |[5] aquel miſmo lugar, que afruanta
por doſ parteſ en campo et en caſal de la dita Benedeta z de ſoſ fylloſ;
et lapart de la era que ſe tiene con loſ ditoſ caſaleſ, la qual pertenexc
al dito caſal; |[6] et toda la era en femble afruanta de la una part en era
de Migel Pereç de Nabal, et por doſ parteſ en loſ ditos caſaleſ. Aſi como   15
eſtaſ ditaſ afrontacioneſ circundan por todaſ |[7] parteſ aſi damoſ loſ ditoſ
lugareſ al dito monaſterio, et eſpecialment ala dita caſa de la enfermar-
ria del monaſterio auandíto, con entradaſ, exidaſ ..... z pertinencíaſ que
|[8] pertenexen nj pertenjr deuen alos ditoſ lugareſ, z con todoſ meyllora-
mjentoſ ali feytoſ z por fer, dentro nj defuara, por dar, uender, camjar   20
z en qualquiere otra manera alienar. |[9] Et amayor firmeca damoſ fianca
de faluedat z de feguridat que la dita donacion faga auer, tener, poſſedir por todoſ tiempoſ al dito monaſterio z conuent z a la dita caſa de

la en|¹⁰ſermaria de aquel miſmo lugar, ſegunt que deſuſo eſ· dito, Pele-
grin dAlſaro, eſtant en Puartholaſ, qui fianca ſe atorgo en la manera ²⁵
deſuſo dita. Teſtimonjoſ ſon deſto Bernart |¹¹ de Peralta, eſtant en Bar-
daxin, z Arnalt de Marcan de Biela. Feyto fue esto .VII. jdus de octo-
bre, anno domini milleſimo CC. XC. secundo.

|¹² Yo Ramon de Alagon, publico notario de Aynſa, qui por man-
damjento deloſ ſobre ditoſ eſto eſcriuje z mj sig-(●)-nayl hi facie. ³⁰

A. H., San Victorián, *P-272.* — Línea 18, hay una palabra ilegible, borrada
por la humedad.

67

Año **1293,** 17 de marzo. — Barbastro. — Not.: Ramón de Monzón.

Sentencia del justicia de Barbastro sobre la demanda interpuesta por el
concejo de Alquézar contra los arrendadores del peaje del puente de Monzón.

Sepan todos que dia miercoles, .XVI. kalendas de abril, anno Domini
M.°CC.°XC.° tercio, en cort ante don Michel don Gaſton, juſticia de la
ciudat |² de Barbaſtro, parexieron don Gil de la Canal, jurado de Al-
quecar, z don Johan de Pero de Ayerbe, vaylle de Alqueçar z de ſus
aldeyas, z dixon que |³ como don Johan de Benauent z don Johan de ⁵
Olbena, arendadores del peage de Barbaſtro, auieſſen pindrado algunos
homnes de la villa de Alqueçar |⁴ z de ſus aldeyas, por raçon de peage
o de leſçda, que dauan fiança de dreyto ſobre las ditas pendras, mayor-
ment como ellos auieſſen priuile|⁵gios del ſenyor rey z de la vniuerſſi-
dat dAragon z de los reyes que paſſados ſon, que los omnes de Alque- ¹⁰
çar z de ſus aldeyas ſian francos por los |⁶ priuilegios, es aſaber don
Bertolomeu de Lauata, veçino de Alqueçar, z Sancho Pereç Ros, vecino
de Barbaſtro, los quales fiancas ſe atorgoron, z |⁷ ſobre fiança deman-
doron las ditas pendras a ellos ſeer rendudas; demandoron otroſſi que
les fues vedado que daqui adelant no pindraſen |⁸ los omnes de Alque- ¹⁵
çar z de ſus aldeyas. Et los ditos don Johan de Venauent z Johan de
Olbena, arendadores del peage del ſenyor rey, del |⁹ puant de Monçon
z de Barbaſtro, diçen que las fianças dadas por los ſobreditos don Gil
de la Canal z don Johan de Pero de Ayerbe no deuen ſeer |¹⁰ recebi-
das por eſto: por que el peage eſ dreyto del ſenyor rey antigament z ²⁰

acoſtupnadament, q*ue*s da *z* es deue dar por los om*n*es d*e*l |[11] ſeynor
rey, exçeptado aq*ue*llos q*ue* deſpecial graçia del ſeynior rey ſon pri-
uilegiados; on como los ditos don Gil *z* don Johan de Pero de |[12] Ayer-
be, deſto eſpecial priuilegio ni gracia moſtrado no ayan del ſeynior rey,
ni enchara mandamiento ni procuracion no muaſtren del (e*n*) *con*ceyllo   25
|[13] d*e* Alqueçar, de todo ni de partida, que el dito peage por luengo
vſſage *z* por luanga coſtupne ſia dreyto del ſeynor rey, dixo*n* q*ue* fiança
|[14] de dreyto no auia lugar ni deuia ſeer reçebuda en aquel paſſo. *E*
los ditos do*n* Gil de la Canal *z* do*n* Joha*n* de Pero d*e* Ayerbe dixon
|[15] que las fianças de dreyto dadas por ellos auian lugar *z* deuian ſeer   30
recebudas, como ellos auieſſen priuilegios de los reyes q*ue* paſſados
heran, *z* que |[16] heran pri*e*ſtos *z* apareyllados de moſtrar aq*ue*llos, *z*
q*ue* el dito juſticia les dieſſe tienpo a moſtrar aquellos. Sobreſto las
partes demandoron ſentencia ſeer |[17] dada, et en continent el dito juſ-
ticia enato en la forma q*ue* se ſeguexe: Hon yo do*n* Michel Gaſton,   35
juſticia ſobredito, viſto la |[18] demanda d*e* los ditos don Gil d*e* la Canal,
jurado d*e* Alqueçar, *z* don Johan d*e* P*e*ro d*e* Ayerbe, vaylle daquel
miſmo lugar, *z* viſto otroſſi las |[19] fiancas d*e* dreyto dadas por ellos, *z*
viſtas otroſſi las defenſſiones d*e* los ditos don Johan de Venauent *z* don
Johan de Olbena, arendado|[20]res del peage d*e* Barbaſtro, ſobre todas *z*   40
çhadaunas coſas audo diligent conſeyllo *z* tractamiento de ſauios, ſen-
tenciando, pronuncio q*ue* la fiança |[21] de dreyto dada..... an lugar, *z*
ſobre fiança |[22] d*e* dreyto mando las ditas pendras ſeer rendudas, en
continent, *z* q*ue* los ditos don Gil *z* don Johan muaſtren dentro .x. dias
los |[23] priuilegios por ellos allegados *z* carta de procuracion baſtant del   45
conceyllo d*e* Alqueçar, por ellos (por ellos) allegados en cort ante el,
|[24] por certificar a los ditos don Johan de Venauent *z* don Johan de
Olbena. La qual ſentencia el dito don Gil de la Canal *z* don Johan
|[25] de Pero (de Pero) de Ayerbe reçebiaron. Et los ditos do*n* Johan d*e*
Venauent *z* do*n* Johan de Olbena de la dita ſentencia apelloron al   50
|[26] ſeynor rey..... |[27] En aquel miſmo dia q*ue* deſuſo, los ditos don Gil
de la Canal *z* don Johan de Pero de Ayerbe, en cort ante el dito juſti-
cia |[28] parexieron, *z* moſt*r*oron *z* leyr fiçono los priuilegios *z* la carta
de los ricos om*n*es *z* de la vniuerſſidat dAragon por ellos allegados;
|[29] los quales leydos, requerieron al dito juſticia q*ue* mandaſſe a ellos   55
ſeer rendidas las ditas pendras; et el dito juſticia mando a |[30] don Johan
de la Faua el mayor teniant lugar d*e* vaylle, q*ui* preſent h*e*ra, q*ue* man-

daſſe ſeer rendudas las ditas pendras. Teſtimonios |[31] fueron deſt mandamiento Garcia Sanchieſç dAraſal, ſcudero, z Ferer de Cornudiella, el menor, notario publico de Barbaſtro z veçinos |[32] daquel miſmo 60 lugar. Feyto fue esto en lanno z dia que de ſuſſo. Io Ramon de Monçon, publico notario de la ciudat de Barbaſtro, qui |[33] de mandamiento del dito juſticia eſt proces z ſentencia ſcriuie, et mi sig-(●)-nal acoſtupnado aqui poſſe.

A. M. de Alquézar, signatura cronológica. — Llevan tilde encima, en el original, las palabras *villa*, línea 7, y *seynor*, líneas 21 y 27.—Línea 35, *enato*, sin tilde. — 42, hay unas palabras ilegibles.

68

Año **1293**, 28 de junio. — Huesca. — Not.: Domingo de Aroyeda.

Fundación de un aniversario perpetuo en el convento de dominicos de Nuestra Señora de los Ángeles, en Huesca.

Manifieſta coſa ſia atodos como yo don Ramon de Boleya, prior de Sanctas Maſſas de Çaragoça z eſpondalero de maeſtre Pedro de Briua, do z atorgo z de preſent liuro por atodos tiempos al prior z |[2] al conuento de los frayres predicadores de la caſa dOſca tres morabetinos z meyo alfonſſis, por raçon de ſer en cadanno eniuerſſario por la anima 5 del dito maeſtre Pedro de Briua, ſobre ſo ſepul|[3]tura, por tal dia como el fino; los quales ditos tres morabetinos z meyo quiero z atorgo que el dito prior z conuento ayan, tiengan z poſſedeſcan z receban en quiſcun anno por atodos tiempos, |[4] eſ aſſaber, los ditos morabetinos ſobre las caſas de don Pero dOrna, en el barrio de la Pedrera, que 10 afrontan en el muro de piedra z en carrera publica, z vn morabetino ſobre las caſas de Matheo dAraſcuas, |[5] fuera la puerta ferriça de Montaragon, que affrontan en caſas de Gil dAlfaguen z en carrera publica, z meyo morabetino ſobre las caſas de dona Maria, hermana mja, que ſon en aquel miſmo |[6] logar, z afrontan en carrera publica, z en caſaſ 15 de Bernart dOloron; aſſi como eſtas ditas afrontaciones de las ditas caſas circundan z concluden, aſſi do z aſigno de preſent por atodos tiempos |[7] al dito prior z conuento de los freyres predicadores dOſca

por atodos tiempos, fegunt que dito ef defufo, los ditos tres morabeti-
nos z meyo a fer toda lur propria uoluntat; los quales ditos tres mora- 20
betinos [8] z meyo prengan z receban en cadanno en laf ditaf casaf bien
z enpaç, fienef contrariedat de ninguna perfona, en aquel tiempo que
lof ditof eftagerof los an apagar z yo coftumpnado los he [9] de prender.
Teftimonios fon defto don Ennego Lopeç de Jaffa, baylle general en
Aragon por el feynor rey, z don Pelegrin de Jaffa, caueros. Efto fue 25
feyto enel mes [10] de junio, .iii. dias en lafin. Era M.ªCCC.ªXXX.ª prima.
Yo Domingo dAroyeda, publico notario dOfca, efta carta efcriuie z
mj [11] sig-(●)-nal y fiç.

A. H., Dominicos de Nuestra Señora de los Ángeles, Huesca, *P-21.*

69

Año **1293,** 27 de julio. — Huesca. — Not.: Jordán de la Xafarra.

*Sentencia pericial sobre la demanda presentada por don Gil. de Ayerbe
contra Bernat Gastón, de Huesca, acerca de la medianeria de un pozo.*

[5] ..... Quereylla es feyta ante nos por don Gil dAyerbe, vezino
dUefca, diziendo que como el tienga z poffedefca vnas cafas por cierto
[6] treuudo dela preboftria de Montaragon, en barrio que es dito Algo-
rrj, z en aquellas cafas aya .i. corral enel qual a .i. pozo que fizo el a
fu propria meffion, çerca la tapia que es enta part dun [7] vuerto z 5
corral dunas cafas que Bernart Gafcon tiene atreuudo de don Ramon
de Boleya, fpondalero de mayeftre Per de Briua, el qual dito Bernart
auia foradada la tapia, [8] baxo, enla laçez, en dreyto daquel poço, z alli
auia feyto obra denueuo, en manera que prendia e traya el z los fuyos
agua del dito poço, en muyt grant periudicio de fus [9] cafas, e que fer 10
nonlo deuia, ondemando el dito don Gil anos ditos vededores que por
nueftro officio mandaffemos aquella obra farrar z deffer, z vedafemos
al dito Bernart que [10] la deffizieffe, z que non quifiefe fer el njn los
fuyos el dito periudicio o fuerça nel dito logar. Et nos oyda la quere-
llya fizomos uenir ante nueftra prefencia el dito Bernart Gascon [11] el 15
qual dixo anos que aquel poço era por meytat, z que auia enaquel fu

part, bie*n* aſſi como el dito do*n* Gil, *z* que*n*t podia p*r*ende*r z* trayer
el *z* los ſuyos agua d*e*l dito poço. Ont |[12] nos ditos vededo*r*es fuemos
peſſonalme*n*t veer eldito logar on el dito poço era; *z* demandada e ſa-
bida u*e*rdat muy diligen*t*me*n*t ſobrel dito feyto ahomn*e*s ancia|[13]nos *z* 20
dignos de fe, por el pod*e*r dado *z* atorgado anos por los ditos jurados e co*n*cellyo dUeſca, dizimos *z* mandamos al dito B*e*rna*r*t Gaſco*n*
q*ue* la dita obra, feyta |[14] porel en*e*l dito poço, nueuame*n*t ſea deffeyta
e ſarrada por el en*con*tine*n*t oq*ue*la pueda ſarrar *z* deffe*r* el dito do*n*
Gil. Si por uent*u*ra el dito B*e*rna*r*t no*n* la q*ue*ria deffe*r* por |[15] eſto qual 25
trobamos q*ue* noy deue ſeer nj p*a*rt nj dreyto ne*n*guno nel dito poço
no ha nj deue aue*r* el dito B*e*rna*r*t (nel dito poço) el nj*n* los ſuyos; pero
ſi algun dreyto |[16] ſi dize au*e*r naq*ue*l poço, p*r*oteſtamos q*ue*lo pueda
demandar judicialme*n*t, *z* ſi la juſticia uede o entiende q*ue*loy aya, q*ue*l
ſea ſaluo todo ſu dreyto. Et enteſtimo*n*io d*e*las ante|[17]ditas coſas man- 30
damos ent fer eſta p*r*eſent carta firme *z* por ſiemp*r*e ualede*r*a. Teſtimo-
*n*ios ſon deſto do*n* Gil dAraſquas *z* do*n* Gil dEspada, vezin*o*s dUeſca.
|[18] Eſto fue feyto .v. dias enfin d*e*l m*e*s de julio, era M.ª CCC.ª XXX.ª
p*r*ima. |[19] Sig-(●)-nyal de Jurdan d*e*la Xafarra, publico not*a*rio dUeſca,
q*u*i a*r*requiſicio*n* d*e* los ditos vededo*r*es, eſta carta ſcriuie. 35

A. H., Montearagón, *P*-373. — Línea 1, precede el encabezamiento con los
nombres de las personas que juzgar*o*n este pleito.—8, *laçez,* parece que primeramente se escribió *lazez.*—14, *periud*i*cio,* la *c* parece también rehecha sobre una *z.*

70

Año **1295,** 16 de mayo. — MONCLÚS, part. de Boltaña. — Not.: García Castill**ón.**

*Carta de hermandad entre don Pero Sant Vicent, Gil Pérez y Sancha
Pérez, vecinos de Boltaña*.

Coneſca*n* todos como nos do*n* Pero ſant Becie*n*t, d*e*la vna part, *z*
nos Gil Pereç, de Boltanya, *z* Sa*n*xa Pereç, |[2] m*u*ller d*e*l, filla q*ue*fue
de do*n* Arnalt d*e* Bardaxi*n*, d*e*lotra p*a*rt, nos todos enſenble atorga-
m*o*s, p*r*ome|[3]temos *z* co*n*uenimos cada una d*e*las partes, los unos alos
otros, d*e*aiudar *z* de en parar, |[4] d*e* defende*r z* d*e* valer nos co*n*tra todas 5
peſſonas anos dema*n*dantes part ni ſrayreſca, |[5] en Re*n*leſpe*n* ni en

Raual ni enAnaſpuʒ ni enlla Corona ni entodos lures *ter*minos; |[6] q*ue*
ſi dema*n*da ni*n*guna enllos aua*n*t d*i*tos logares ni*n*guna peſſona nos
façia, por la qual |[7] dema*n*da nos sobre d*i*tos auiam*os* alleuar pleyto ni
aſotener gerra, q*ue* p*ro*metemos |[8] los unos alos otros d*e* pagar todas ₁₀
las meſſiones ʒ cadaunas q*ue* por las ſobre d*i*tas co|[9]ſas ſariamos ni
ſoſterriam*os;* las quales meſſiones yeſca*n* p*ri*mera me*n*t d*e*la exida |[10] ʒ
d*e*la rendida q*ue* d*e*los d*i*tos logares exira; ʒ ſi por la bentura la ren-
dida q*ue* d*e*los di|[11]tos logas exira no*n* co*n*pliua alas meſſiones q*ue* en
defend*e*r los ſobre[ditos] logas ſariamos, |[12] q*ue*y metamos cadau*n* d*e* ₁₅
nos d*e*l nu*e*ſ*t*ro, ſegu*n*t q*ue* d*e*los d*i*tos logas d*e*la rendida pendre|[13]mos,
nopnada me*n*t: nos ſobre d*i*to do*n* Pero ſant Beçie*n*t la *ter*cera p*ar*t,
ʒ nos ſobre di|[14]tos Gil P*e*reç ʒ Sa*n*xa P*e*reç, m*u*ller d*e*l, las dos p*ar*tes;
las (quals) quales meſſiones ſia*n* |[15] d*e*los unos alos otros pagadas ʒ
co*n*tadas aconixe*n*ça d*e* dos amigos nu*e*ſtros, d*e* nos |[16] todos comonal- ₂₀
me*n*t eſleydos, ʒ qual q*ui*ere p*ar*t d*e* ños q*ue* enllas ſobre d*i*tas coſas
me|[17]tria ni faria meſſiones por defend*e*r ni raçonar los aua*n*t d*i*tos logas,
ſalbo ta*n*ſo|[18]lame*n*t la p*ar*t q*ue*ley tocara, q*ue*lo aya ſobre la p*ar*t
d*e*los d*i*tos logas q*ue*lotra p*ar*t q*ue* no |[19] aura pagado enllas meſſiones
yd*e*ue auer; ʒ ſi queriam*os* partir, vend*e*r ni alli|[20]enar nos ni*n*llos nu*e*ſ- ₂₅
tros nu*e*ſ*t*ra p*ar*t d*e*los d*i*tos logares, ſegu*n*t que lay auemos, q*ue* la non
po|[21]damos partir, vend*e*r ni allienar ſi no co*n*uolo*n*tat de entramas las
partes; mas |[22] nos elos nu*e*ſtros q*ue*lo lexemos anu*e*ſtros fillos legiti-
mos; ʒ ſi por la ventura ni*n*gu|[23]no de nos co*n* volu*n*tat d*e*lotra p*ar*t
vend*e*r q*ue*rria ſo p*ar*t d*e*los ſobre d*i*tos logas q*ue*lo |[24] faga aſaber ₃₀
alotra p*ar*t por .xxx. dias, antes ſi q*ue*rra co*n*prar, ʒ ſi co*n*prar |[25] q*ue*rra
q*ue*la aya cient ſueldos d*e* din*e*ros jaq*ue*ſes menos q*ue* altre ni*n*guno,
p*ro*prio ni |[26] eſtranyo. *Et* nos todos enſenble atender ʒ co*n*plir todas
ʒ cadaunas coſas d*e* |[27] ſuſo d*i*tas, damos los unos alos otros fiança
do*n* Gyll*e*m d*e* Bielſa, cau*e*ro. La |[28] fiançaria yo d*i*to Gyll*e*m ſago ʒ ₃₅
atorgo d*e* todas partes ſoç la forma d*i*ta. |[29] Teſtimo*n*ias fuer*on* deſto do*n*
Domi*n*go las Benedetas, dAnauarre, ʒ Yoha*n* d*e* Cla|[30]moſa, de Tro*n*-
ceto. Feyto ſo eſto .xvii. kale*n*das d*e* junyo, e*ra* M.ᵃ CCC.ᵃ XXX.ᵃ III.ᵃ

|[31] Yo Garcia Caſtillo*n*, p*u*blico not*ari*o d*e* Monclus, q*ue* eſta carta
ſcriuie ʒ por letras la |[32] partie ʒ mi ſig-(●)-nyal yfacie. ₄₀

A. H., San Juan de la Peña, *P*-636. — Carta partida en línea recta al margen
inferior. — Existe Monclús, aldea del partido de Balaguer (Lérida), junto a Ribagorza; pero el Monclús del notario parece coincidir con Morillo de Monclús,

partido de Boltaña (Huesca), que está en la sierra de Pallaruelo, junto a Troncedo y Navarri *(Tronceto* y *Anavarre),* citados también en el documento. Llevan trazo vertical doble la ʄ y la ʃ en *filla, fue,* línea 2; *enʃenble,* línea 3; *faga, aʃaber,* línea 30, etc.

71

Año **1295,** 15 de septiembre. — Huesca. — Not.: Rodrigo de Vieu.

Cláusulas del testamento de don Guillém de Cordoviella.

Coneʃcuda coʃa ʃia: E*r*a M.ª CCC.ª XXX.ª III.ª, en el mes d*e* ʃetiembre, .xv. dias entrados, ante do*n* Ramo*n* Violeta, tenient logar d*e* |² juʃtiçia en Veʃcha, por do*n* Ferra*n*do Burrel, juʃtiçia dUeʃca, don Arnalt dArçah, veçino dUeʃcha *z* p*r*ocu*r*ador de don Adalric Patau, mo*n*ge de ʃant |³ Ponç d*e* Tom*er*as, p*r*ior *z* ʃacriʃtan de ʃant Per Viello dUeʃcha, ⁵ eʃc*r*ipta la p*r*ocu*r*acion por mano d*e* Miguel, not*ar*io publico dUeʃca, demando ami, |⁴ Rodrigo de Bieu, a inʃtançia del dito p*r*ior *z* ʃagriʃtan de ʃant Per, q*u*e como yo auia ʃeyto el teʃtame*n*t d*e* do*n* Guillem d*e* Cordouiella *z* alli auia lexa |⁵ ʃeyta el d*i*to do*n* Guill*e*m d*e* Cordo-uiella d*e* cierto treudo a la gleʃia de ʃa*n*t Per, q*u*e de aq*u*ellas clauʃulas ¹⁰ quel fueʃʃe*n* treytas *z* ʃeyta carta en publica |⁶ forma, *z* al dito do*n* Ramon fue moʃtrado la ʃuma del lugo; *z* uiʃto la ʃuma, el dito don Ramon Violeta die ʃe*n*te*n*cia q*u*e d*e* aq*u*ellas clauʃulas q*u*e len fies carta publi|⁷ca. *E* deʃto fuero*n* teʃtimonias do Miguel P*e*reç Romea *z* Guiralt de Cami*n*, veçinos dUeʃcha. *E* aʃʃi sepan todos como yo Rodrigo de ¹⁵ Bieu, publigo not*ar*io |⁸ dUeʃca, por mandamie*n*to *z* ʃe*n*te*n*cia d*e* don Ramo*n* Violeta, tenie*n*t logar d*e* juʃtiçia en Veʃcha, por do*n* Ferra*n*do Burrel, juʃticia dUeʃcha, eʃc*r*iuie *z* ʃaque |⁹ en eʃta forma publica, a inʃtancia del dito Arnalt dArçah, la nota d*e* des clauʃulas d*e*l teʃtame*n*t d*e* do*n* Guillem de Cordouiella, veçino dUeʃca; la v*n*a |¹⁰ dice: *E* lexo ²⁰ *z* do a dona Sorina, nieta mia, v*n*a vin*n*a q*u*e yo e en Veʃcha en t*er*-mino d*e.* Mençalat, q*u*e afrue*n*ta en vin*n*a don Bales dAlloege, *z* en vin*n*a d*e* los |¹¹ de la Merçe, *z* en vin*n*a de los de Alcal; en tal conde-cion, q*u*e ella q*u*e de d*e* treudo quiʃcu*n* an*n*o, o qui poʃʃedira la dita vin*n*a, dos carnes ala gleʃia de ʃant |¹² Per Viello dUeʃcha; *z* lotra clau- ²⁵ ʃula: Item, lexo v*n*as caʃas en Veʃcha, en varrio tras ʃant Per, a la d*i*ta dona Sorina; las caʃas afruentan en via |¹³ publica *z* en caʃas do*n* Do-

mingo de Latre, ç en caſas don Blaſcho Pereç dAçlor, ç en muro de
piedra; en tal condeçioɴ qᴜe ella, o qui poſſedira las ditas |[14] caſſas,
qᴜe en quiſcuɴ anɴo, por la fieſta de Omnium Sanctorum, ſobre la ₃₀
fueſa mia del foſal de ſaɴt Per, ſean tenudos de aportar .ɪ. libra de
cera ç |[15] .ɪ. quartaron de ſens, qᴜeɴ crieme. *E* yo Rodrigo de Bieu,
publigo notɑrio dUeſcha, las dɪtas dos clauſulas de la nota del teſta-
meɴt eſcriuie, |[16] ç de mandamieɴto del dito doɴ Ramoɴ Violeta, tenient
logar de juſtiçia, en aqᴜeſta forma publica las metie..... |[17] ç mi sig-(●)- ₃₅
nal acoſtumnado y metie.

A. M. de Huesca, perg. núm. 178.

72

Año **1296,** 25 de agosto. — Sᴀɴᴛᴀ Cɪʟɪᴀ ᴅᴇ Jᴀᴄᴀ. — Not.: Xemén de Bailo.

Concordia entre los vecinos de Bralavilla y los de Cillas.

Sepaɴ todos como nos Domjɴgo de Bal, Açnar Belça, jurados del
conçellyo de Brallauilla; |[2] Mighel Juhaɴs, alcal, Açiuillo Prodera, bayle
de Juhaɴs Martineç, Domiɴgo Açnar, tenieɴt logar |[3] de bayle de Lop
Sanjeç, Monçin de Sançaturniɴ, Açnar Galinç, pɾocurados del conçe-
llyo de Brala|[4]uilla; Açnar dAriuala, Gil de Bal, Açnar de Begia, Blasco ₅
Çapatero, Açnar Gayeta, Açnar de |[5] Maria, Domjɴgo de Maria et toda
la vniuerſidat dela uilla de Bralla uilla, plegados açonçellyo |[6] enlo
logar doɴ yes costubnado de plegar, de bueɴ coraçoɴ ç de buena vo-
luɴtat ç ſines |[7] todo coſtrenyemieɴto, perdonamos, qᴜitamos ç difini-
mos alos hoɱnes e atoda lla |[8] vniuerſidat dela uilla de Ciella, preſentes ₁₀
ç qᴜi ſon por venir, por nos ç por todos nᴜeſtros ſuſceſores, |[9] todas
plagas ç todas enjurias ç deſonras, ç dodos otros daɱnos ç males qᴜe
los hoɱnes ç lla |[10] vniuerſidat dela villa de Ciella ayaɴ ſeytos alos
hoɱnes ç ala vniuerſidat dela uilla de Bralauilla, atoç |[11] en general o
a qᴜiscuno en eſpecial; lo qual perdonamieɴto, qᴜitamieɴto ç difini- ₁₅
mieɴto femos |[12] alos hoɱnes ç ala uniuerſidat de Ciella, aſſi qᴜe ningun
tieɴpo nos ni otro por nos de maɴda noɴ |[13] lis enfaga niɴlis enpoda-
mos fer, por dreyto de glaſia njɴ por fuero ſeglar njɴ por njɴguna
|[14] otra raçon; antes qᴜeremos ç atorgamos voleɴtaroſſament qᴜel dɪto

*per*donamie*n*to, difinimie*n*to *z* |¹⁵ quitamie*n*to, aya ualor efirmeça para ₂₀
todos tie*n*pos jamas, en cara *p*rometemos de no*n* ue|¹⁶nir qua*n*tral
d*i*to difinimie*n*to, ni*n* qua*n*tra alguna oalgunas d*e*las co*ff*as *f*obre d*i*tas,
de *f*eyto |¹⁷ ni*n* de dreyto ni*n* de pallaura ni*n* por uebra, por nos ni*n*
por otra interpo*ff*ita *p*er*ff*ona, ni*n* en|¹⁸petrarem ni*n* juge qua*n*tralla-
ua*n* d*i*to difinimie*n*to ni*n* qua*n*tra alguna oalgunas d*e*las |¹⁹ co*ff*as *f*o- ₂₅
bre d*i*tas, nin allegaremos *p*riuilegio ni*n*guno ni*n* po*ff*aremos ni*n*guna
ex*ç*ep*ç*ion ni u*ff*arem |²⁰ de ni*n*gun beneficio de ley, de dreyto ni*n*
de *f*uero, por lo qual o porlos quales lo d*i*to difinimie*n*to |²¹ o alguna
o algunas d*e*las co*ff*as *f*obre d*i*tas pode*f*en *f*eder de*ff*eytas; antes renu*n*-
*ç*iamos e*f*pre*f*a|²²ment abeneficio de todas las aua*n* d*i*tas co*ff*as, *z* re- ₃₀
nu*n*çiamos a exepcio*n*ç, *p*riuilegios, leyes, drey|²³tos e fueros, *z* atodo
ma*n*damie*n*to de *f*enyor, *z* atodas otras exepcio*n*ç e ajutorios q*ue* anos
pode*f*e*n* ²⁴| ajudar qua*n*tra lo d*i*to difinimie*n*to ni*n* que*n*tra alguna o
algunas d*e*las co*ff*as *f*obre d*i*tas. De*f*to *f*on |²⁵ te*f*timonias *p*re*f*e*n*tes,
*f*eytas, e*f*criptas, Bla*f*co Uenies, ueçino d*e*la uilla d*e* S*an*ta Cilia, Enego ₃₅
Pereç, |²⁶ ueçino d*e*la uilla de Saluat*ie*rra. Feyto *f*o aque*f*to .VIII. kalen-
d*a*s de *f*etie*n*bre, era M.ª CCC.ª XXXIIII.ª. Yo Xeme*n* de |²⁷ Uaylo,
notario publico *z* jurado de S*an*ta Cilia, por ma*n*damie*n*to d*e*los *f*obre-
d*i*tos e*f*ta carta *f*criuie |²⁸ et e*f*t *f*ig-(●)-nal y*f*acie.

A. H., San Juan de la Peña, *P*-638. - Línea 18, *glasia,* lleva una tilde que cruza
el palo de la *l.* — 24, *enpetrarem,* sobre las últimas letras hay una tilde horizontal; más abajo, en la línea 27, *uffarem,* sin tilde. —La mención de los lugares de
Cillas, Bailo y Biniés, del partido de Jaca, próximos a Santa Cilia de Jaca, hace
que pueda tomarse esta villa, más bien que la de Santa Cilia de Huesca, ayunta-
miento de Panzano, como lugar del notario.

73

Año **1299,** 23 de enero. — MIRANDA, aldea de Sariñena. — Not.: Miguel de
Atiert.

*Arrendamiento de unas casas y campos, hecho por el procurador de
los mercedarios de Huesca a Martín Cubero.*

Sepan todo*f* qua*n*to*f* e*f*ta carta veran como yo do*n* ffray Climie*n*t, de
la horden d*e* *ff*anta Maria d*e* Mon florit, por el poder |² ami dado por
don ffray Guillem Tallada, vicario *z* comendador d*e* la ca*f*a d*e* *ff*anta

Maria de Monflorit, z de atorgamiento z vo|³luntat de ffray Pere dAç-
llor, comendador de la casa de los ffreyres de la Merçe de Osca, z de
ffray Domingo Dexac z de ffray Gil Cap |⁴ de Porch z de ffray Arnalt
Yuuer, freyres de la dita horden, z con carta de procuracion seyta por
mano de Tomas de Lauata, no|⁵tario publigo de Hosca, de buana volun-
tat, do atreuudo por a todos tiempos z lliuro en continent, a uos Martin
Cubero z a vuas|⁶tra muller Gilia, stantes en Miranda, z alos vuastros
qui uos querredes, dos cabomasos de casas z un casal z vna era z ferria-
nal, |⁷ z un payllar con adempna, z un huerto z cinquo campos z vna
vinya que la casa de ssanta Maria de Montflorit ha en la uilla z en |⁸ ter-
mino de Miranda, aldeya de Ssaragnyena. El primer cabomaso affruanta
de primera part en casas de fillos de Johan de la Gonarrota, de |⁹ segun-
da part en casas de dona Johana don Cauallera. El segundo cabomaso
affruanta de primera part en casas de los de Panno, de la |¹⁰ segunda
part en çellero de dona Johana don Cauallera. El casal affruanta de pri-
mera part en casas de Miguel de Ual z de segunda part |¹¹ en casas de
los de Panno. La era con el ferrianal affruanta de primera part en ca[sa]s
de Johan de Lobaru[a]la, de segunda part en care|¹²ra publica. El pallyar
con la adempna affruanta de primera part z de segunda en carreras pu-
blicas, de tercera part con era de Johan |¹³ de lo Bacco. El huerto yes
en la huarta de Pisa; affruanta de primera part en Alcanadre, de segun-
da part con huerto de Domen|¹⁴ya Sopeana, de tercera part en cequia
veçinal, de quarta part con huerto de don Domingo Borraç. El primer
campo ye en la |¹⁵ ribera; affruanta de primera part en hyermo llogar,
de segunda part con campo de Pedro del Pico. El segundo campo ye
alos Tripo|¹⁶nnales; affruanta de primera part en hyermo llogar, de
segunda part en campo de don Domingo Borraç. El tercer campo, con
la vi|¹⁷nya en senble, yes aLas coba, afruanta de primera part en carrera
publica, de segunda part en campo de Domingo Cofita, |¹⁸ de terçera
part en campo de fillos de Benedet de Monllombar, de quarta part en
vinya de Bernart de Formigales. El |¹⁹ quarto campo ye ala uassa de Las
coba; affruanta de primera part en campo de Miguel don Borraç, de
segunda part en campo de |²⁰ dona Oria Squerra. El quinto campo ye
tras los Sarraç; affruanta de primera part en campo de dona Marta
diAro, de segunda |²¹ part en hyermo logar. Asi como las ditas affron-
tacciones de las ditas casas z de los ditos campos con la dita vinya |²² z
con el dito huerto en cluden z departen por andamiento adarredor, con

en tradas ꝫ exidas ꝫ con todoſ melloramientoſ |²³ ſuyoſ, conoxidoſ o
por conoxer, del çielo ala byeuſo, ſi damoſ auoſ laſ ditaſ caſaſ con el dito
caſal ꝫ la dita era ꝫ fe|²⁴rrianal, ꝫ el dito pallyar con adempna, ꝫ el dito
huerto, ꝫ loſ ditoſ campoſ con la dita vinya; con tal condicion que uoſ
o |²⁵ qui quiere que loſ ditoſ llogareſ tenrra que dedeſ ꝫ paguedeſ vna   45
vegada en cada vn anno por a todoſ tiempoſ, en |²⁶ la fieſta de Nadal,
dotçe ſueldoſ de treuudo ſenſal, de buana moneda jaqueſa, ala caſa de
ſanta Maria de Monflo|²⁷rit. En cara yeſ conuenjo que ſi en ningun
tiempo uoſ o loſ vuaſtroſ querriadeſ vender la dita heredat, que lo faga
deſ |²⁸ aſaber dyeç diaſ ante al comendador de ſanta Maria de Montflo-   50
rit, qual quiere que por tiempo ſera, o aſu llogar tenyent, |²⁹ ꝫ que tin-
gadeſ la heredat mellyorada ꝫ no en piorada, ꝫ en cara que no la poda-
deſ vender a clergo ni a cauero |³⁰ ni aynſançon ni a homne lebroſo;
en cara yeſ conuenjo que ſi por auentura ffreyres de la caſa de ſanta
Maria |³¹ de Monflorit aurian auenir por el treuudo, ꝫ en culpa de uoſ   55
o de qui quiere que la dita heredat terra aurian aſperar |³² el treuudo
que leſ ſagadeſ la meſion del uueſtro proprio, tanto quanto el treuudo
auran aeſperar; etencara que ſi por |³³ auentura ffrayre ninguno de
ſanta Maria de Monflorit venria en Miranda por ſeyto de peticion o por
qual|³⁴quierè otra manera, que uoſ que leſ dedeſ poſada ꝫ elloſ que ſe   60
fagan ſu meſion. E uoſ conpliendo todaſ ꝫ cada |³⁵ unaſ coſas de ſuſo
ditaſ ꝫ pagando el dito treuudo ayadeſ la dita heredat, voſ ꝫ toda vuaſ-
tra generacion, a|³⁶quellos qui uos querredeſ, ad heredar todoſ tiempoſ,
adar, vender, en penyar, camiar, alienar ꝫ a todaſ vuaſtraſ vo|³⁷luntadeſ
perdurable ment ſer, aſi como de vuaſtra propria heredat. E a mayor   65
uuaſtra ſeguridat yo don fray |³⁸ Climyent, procurador ſobredito, do
fiança de ſaluedat a uoſ Martin Cubero ꝫ a vuaſtra muller Gilia, qui
|³⁹ a uoſ ꝫ aloſ vuaſtroſ la dita heredat todoſ tiempoſ faga auer, tener
poſedir, expleytar en ſana paç, al |⁴⁰ buen ſuero dAragon, voſ dando ꝫ
pagando el dito t[reuudo] ꝫ conpliendo todaſ ꝫ cada unaſ condicioneſ de   70
ſſuſo ditaſ, |⁴¹ Bertolomeu de Lobaruala, ſtant en Miranda, ꝫ todaſ c[oſ]as
del, ꝫ yo con el en ſenble, ꝫ aquelloſ de qui yo ſo procurador; la
|⁴² qual fiança yo Bertolomeu de Lobaruala de buana voluntat ſago ꝫ
atorgo, aſi como dito ye de part de ſſuſo. E nos |⁴³ ditoſ Martin Cubero
ꝫ yo Gilia, muller del, de uoſ dito don ffray Climient, de la horden de   75
ſanta Maria de Monflorit, |⁴⁴ la dita heredat de buana voluntat recebe-
mos, ꝫ prometemos a uos pagar loſ ditoſ dotçe ſueldoſ de treuudo ꝫ

co*m*plir |⁴⁵ todaſ *z* cada unaſ co[n]dicioneſ de ſuſo ditas, dioſ obligacion de todoſ nueſtroſ byeneſ, auudoſ *z* por auer. Teſtimoniaſ |⁴⁶ ſon deſto q*ui* preſenteſ fueron don fray Bernart Tapiador, d*e* la horden d*e* Mon-   80 florit, *z* do*n* Marti*n* Scolano *z* Pero Sieſo, ſta*n*|⁴⁷teſ en Miranda. Eſto fue feyto .x. k*alenda*ſ d*e* freuero. E*r*a M.ª CCC.ª XXX.ª VII.ª. Jo Miguel dAtiert, not*ario* de Mira*n*da, eſta car|⁴⁸ta ſcriuie *z* mi sen-(●)-al y ſaçie, *z* por a.b.c la partie.

A. H., Mercedarios de Huesca, *P*-1. — *a.b.c.* partido en línea recta al margen superior. — Líneas 31 y 39, tilde sobre *vinya*. — 75, repetido *de uoſ*.

74

Año **1299,** 2 de junio. — LA PERDIGUERA, part. de Barbastro.

Cédula del sobrejuntero de Huesca a los lugartenientes de su jurisdicción, dispensando a los vecinos de Alquézar del pago de ciertos tributos.

De nos do Alfonſo d*e* Caſtel nou, sobreju*n*tero dUaſca por el ſeynor rey, a todos los tenientes nueſtro lugar en la dita sobre |² ju*n*taria, ſaludes *z* buena amor: Sepades que los om*ne*s dAlqueçar *z* de ſus aldeas demoſtraron a nos la p*r*obreça *z* la mengua |³ q*ue* auian en el dito lugar, *z* por q*ue* les ſegya muytos daynos por raçon q*ue* auian a ſeguir   5 todos los apellidos, por eſto |⁴ ſi nos daquello eſcuſar los podieſemos, queſ meyloraria la dita villa *z* los om*ne*s abitantes en aquella; *z* nos entendien|⁵do *z* queriendo meylorar la villa al ſeynor rey, porque meylor ſe podieſe poblar por al ſeruicio ſuyo, atorgamos |⁶ *z* queremos q*ue* deſt dia adelant que eſta preſent carta fue feyta en dos an*n*os con-   10 tinuadament co[*m*]plidos, ellos non ſi|⁷gan ni ſean tenidos de ſegyr a nos ni ad otro por nos en apellido ni*n*guno, ſi no era perſonalment con el ſeynor |⁸ rey o con infant procurador de tierra. Dat*a* en la Perdiguera .ıı. dias andados d*e* juyno. E*r*a M.ª CCC.ª XXX.ª |⁹ VII.ª. *E* a mayor firmeça *z* ſeguridat fiç y jetar mi ſielo colgant.   15

A. M. de Alquézar, signatura cronológica. — Llevan tilde encima *ſeynor*, líneas 1, 8 y 13, y *juyno*, línea 14.

75

Año **1299,** 11 de noviembre. —Jaca. — Not.: Pere Aldeguer.

Carta de hermandad entre los lugares del valle de Ansó y otros lugares del monasterio de San Juan de la Peña.

In *Chriſt*i *nom*ine et ei*us* gracia. Conoſcan todos como nos don Gil dona Clau*era z* Sanxo P*ere*ç *z* Domingo Abbat, jurados de la villa de Ciella, *z* Saluador Garçia Sancheç, Ennego Santz..... |² vezinos de Ciella, *z* nos Blaſco Nauarro *z* Pedro de Lera, p*ro*cu*ra*dores del co*n*cellyo de de Nauaſal, con carta de p*ro*cu*ra*cio*n* ſeyta por mano de Joha*n* Lopeç, ⁵ eſcriuano publico d*e* Ciella, |³ *z* nos don Andreu dUertolo, San dAſſa, Lop dUertolo..... vezinos de Huertolo, nos todos los ſobreditos d*e* las ditas villas, de conſſellyo *z* de voluntat de do*n* Pedro, por la g*ra*ci*a* de Dios, abbat del mona[ſt]*er*io de ſa*n*t Joha*n* d*e*la Penna, ſennyor *nueſt*ro, |⁴ et de don Johan de S*a*ncta Cruç, p*r*ior de Ciella, *z* de don Joha*n* ¹⁰ Loreç, almoſn*er*o *z* prior de Nauaſal, por nos *z* por todos los ho*m*nes de las ditas villas, p*r*eſentes *z* qui[ſon por uenir, femos h*er*mandat *z* adunamiento con vos don Garçeton, alcalde de Anſſo, *z* don Garçia Aznar mayor, Gar|⁵cia Sancheç, procuradores de la vniuerſſidat de la val de Anſſo, de Fago, de Ornat, de Açonar *z* de Araguas..... dios ¹⁵ estas conuinenças : q*ue* los ho*m*nes de las ditas villas de la val |⁶ de Anſſo ualgan *z* ajuden a los ho*m*nes delas ditas villas d*e* Sa*n*t Joha*n z* a los p*r*iores de Ciella *z* de Nauaſal, ſobre fiança d*e* dreyto, ſalua la ſe del ſeynnor rey dAragon; *z* los ho*m*nes de las ditas villas de ſa*n*t Johan q*ue* ualgan *z* ajuden a los ho*m*nes de las ditas villas de la val de Anſſo..... ²⁰ |⁷ *z* los de la val de Anſſo q*ue* paſcan con lures ganados en los t*er*minos de las d*i*tas villas de ſant Johan, ſaluo boalares; *z* por aquella miſma man*er*a los d*e* las ditas villas de ſant |⁸ Joha*n*, paſcan en los t*er*minos de las ditas villas de la val de Anſſo; *z* quando puyaran a puerto los de las ditas villas de la val de Anſſo con lures ganados, los de ²⁵ las ditas villas de ſa*n*t Joha*n* q*ue* vayan con ellos con lur ganado ſi q*u*ieren, *z* ſi non q*u*ieren q*ue* no*n* ſian deſtreytos; *z* deſpues quando que|⁹rran, q*ue* puedan puyar al puerto a paxer con lures ganados; *z* ſi non hyuan a puerto q*ue* ſe ſufra cada uno conſu t*er*mino de ſant Johan

adeuant con ouellyas entro a fant Gil; mas con otros ganados, exiendo 30
z tornando a la villa on fera quifcun dia, que pafcan on coffegyr poran;
pero laurando con bueyes |¹⁰ o con otras veftias, puedan paxer z traf-
nuytar con aquellas cerca aquellos lugares on laurarán. Demas en quara
fue atorgado de los ditos homnes de las ditas villas de la val de Anffo,
que todo ganado que fia proprio del abbat z de los monges z del mo- 35
nafterio de fant Johan de la Penna, que puedan |¹¹ puyar al puerto a
paxer quando querran, menos de erbage z quitament de todas cofas;
z los homnes de la val de Anffo que fian tenidos a buena fe, lealment,
fienes enganno, de ayudar z defender z enparar el ganado de fant Johan
de todo mal, bien afi como el fuyo mifmo. |¹² Demas plazie z atorgado 40
fue de amas las partes que los de Ciella puedan laurar como el Couilar
tallya entro a la carrera de Venies, que fe ajufta con la carrera de Ver-
dun, z del Couilar en jofo como laf lauradas muaftran, entro la era de
Manchyo Fuert, z de la era |¹³ de Manchyo Fuert entro la era del Pe-
llillero, como las pennas z las lauradas muaftran, z dalli ajufo entro a 45
Veral; z fi fediendo ganado de los homnes de las ditas villas de Sant
Johan nel puerto, efcadia homicidio, que ayuden los homnes de la villa
on fera el ganado por fu razon; z los |¹⁴ de las ditas villas de fant Johan
tallen fufta de maeftria z leynna pora lures cafas don la trobaran; z fi
por auentura ninguno de la ermandat tallyaua fufta nin leynna pora 50
reuender, que paguen por pena .x. foldos, fi manifiefto fuere, de los
quales la meytat fian de los jurados de Anffo z la mey|¹⁵tat de la villa
don efto deuerra; ..... z si el abbat de Sant Johan z los de las ditas
villas querian fer forteças ho melloramientos en los ditos lugares, que
los de la val de Anfo leffyan ajudadores z valedores a toda fuerça por 55
deffer aquel |¹⁶ las forteças ho melloramientos; z los de la val de Anffo
que hayan retorno z defendemiento en aquellas forteças con cuerpos
z con aueres, z que trueben conpra con lures dineros de lo que fera
en las ditas villas; ..... |¹⁹ que los homnes de..... la val de Anffo no
puedan ningun tienpo fer hermandat con otros ningunos ni collir en 60
hermandat en los terminos de las ditas villas de fant Johan, antes fi en
los tiempos paffados encullyeron algunos por qual quiere manera z
razon, |²⁰ los reuoquen z los engeten al mas ante que ellos poran,
..... z los homnes de las ditas villas de fant Johan que den |²¹ de la ca-
banna nel puerto vn carnero por meffiones, fi fueren de .ccc. afufo 65
enfemble andando..... |²⁵ Demas eftablieron que de forteça que fia feyta

daquiade |²⁶ lant en las ditas villas de ſant Johan nin de la val de Anſſo, mal nin danno non uienga a los de la val de Anſſo, ... z de la val de Anſſo mal nin danno non uienga al monaſterio de ſant Johan de la Penna ni a |²⁷ las ſuyas villas..... |²⁹ Feyto fue eſto .III. idus nouembre. E.ª M.ª CCC.ª XXX.ª septima. |³⁰ Ejo Pere Aldeger, publigo notario de Jacca, en todas las ditas coſas preſent fue z apregaria de los ſobreditos eſta carta ſcriuie, z por letras la partie, z eſt fig-(●)-nal y fiç. |₇₀

A. P. de Ansó, perg. núm. 1.

76

Año **1300,** 15 de marzo. — Santa Cruz, part. de Jaca. — Not.: García Sánchez.

El monasterio de Santa Cruz da en arrendamiento varias casas y tierras a Esteban de Seta.

Manjfieſta coſa ſia atodoſ como noſ donna Sancha Marrtineç, por la graçia de Dios abbadeſa del moneſterio de Santa Cruç, con atorgamjento de donna Gracia Xemeneç, priora, z de don Vraca Pereç, en ffermarera, z de donna ..... Xemeneç, |² ſagriſtana, z de donna Mayor Martineç, almoſnera, z de todo el conuento del dito moneſterio, eſtando preſen- ₅ teſ z atorganteſ, de çierta çiencia, z conſillada z çertifficada de todo nueſtro dreycto z del dito moneſterio, damoſ z atorgamoſ, |³ z luego de preſent, liuramoſ atreudo, auoſ Eſteuan de Seta z auaſtra muller dona Sancha, veçinoſ dUeſca, todo aquel heredamjento, el qual noſ z el moneſterio auemoſ en la Ujtimna, el qual conpromoſ de Pedro de Salaſ ₁₀ z de donOria Lopeç, |⁴ muller ſuya; del qual dito heredamjento afruan- ta: laſ caſaſ con caſaſ del dito Eſteuan, z en ſecunda part con lademna de don Pero Xemeneç, de Ayuar, mayor domne del dito moneſterio, z en terçera part con lacarera que ua adAlber de juſu; el primer canpo |⁵ afruanta (con), en primera part, en canpo de don Gil de Pebroſt, z ₁₅ con canpo de ffilloſ de Adam de Barluanga; eotro canpo en la Ujtimna, que afruanta con canpo de Juhan de Sieſſo, z con canpo de fillos de Juhan Andreo; eotro canpo en la Vitemna, afruanta con canpo |⁶ de Mjgel de Mayoral, z en canpo del dito don Gil; eotro canpo en la Vi- temna, afruanta con canpo del dito don Gil, z con canpo de Martin ₂₀

Xemeneç; eotro canpo en la Vitemna, afruanta con canpo de Monta-
ragon, z con canpo de Marrtin Xemeneç; eotro canpo |[7] en la Uitemna,
afruanta con canpo de Martin Xemeneç, z con láſ pennaſ de la carera
deAlber de ſuſu; eotro canpo en laUitemna, afruanta con canpo del
dito don Gil, econ canpo de fillos de Gil dAſpoſſa; eotro canpo en la 25
Vitemna, afruanta con canpo de Monta|[8]ragon, z en via puplica; eotro
canpo en la Vitemna, afruanta con canpo de Montaragon, z con canpo
de Martin Xemeneç; eotro canpo en la Vitemna, que yeſ enaçaqui,
afruanta nel rigo de Flumen de doſ parteſ, z con canpo de Marrtin
Xemeneç; eotro canpo |[9] en la Vitemna, que yeſ en açaqui, afruanta 30
con el rigo de Flumen, z en canpo de Martin Xemeneç; eafruanta el
primer canpo dela Moça con canpo de njetoſ de Garçia dAlbero, z con
canpo de Montaragon, z con canpo de Mjgel de Sieſſo; eotro canpo en
la Moça, que |[10] afruanta con canpo del dito don Gil, z con canpo de
Montaragon; eotro canpo en la Moça, afruanta con canpo de Montara- 35
gon, z con canpo de Juhan de Mayral; eotro canpo en la Moça, afruanta
con canpo de Mjgel de Sieſſo, z con canpo de Juhan de Mayoral; eotro
canpo |[11] en la Moça, que afruanta con canpo del dito don Gil, z con
canpo de Juhan de Sieſſo; eotro canpo en la Moça, afruanta en la dita
tore, z con canpo de Juhan de Sieſſo; eotro canpo en la Moça, afruanta 40
con canpo de Montaragon, en canpo de Juhan de Sieſſo. Aſi como |[12] laſ
ditas afrontacioneſ delaſ ditaſ caſaſ z del dito heredamjento circundan
z enſaran z demuaſtran de todaſ parteſ, aſi damoſ auoſ aquel dito
heredamjento, tot en tegra ment, que yeſ en la dita villa dela Vitemna
z en ſoſ terminoſ, yermoſ z poblados, con entradaſ |[13] z con exidaſ, 45
aguaſ, dreyctoſ, z pertenençiaſ ſuyaſ, laſ qualeſ li pertanyen njn per-
tanyer li deuen al dito heredamjento, de çiello en tro atiera, por qual
quiere manera z raçon, yeſ aſaber: de toda la vuaſtra vida dentramoſ
marido z muller, z de quatro otraſ |[14] perſonaſ dexendienteſ de uoſ, de
mayor en mayor, o como uoſ ala vuaſtra vuluntat lo queredeſ ordenar 50
z. lixar; en cara en tal manera z condiçion, que uoſ oqui el dito heredamjento, con todoſ z cadaunoſ dreyctoſ suyoſ conexidos z por cone-
xer, que al dito hereda|[15]mjento conujene z conuenjr deue, en la dita
villa oen qualles quiere otroſ lugareſ poſedira, que dedeſ z pagedeſ
anoſ z alaſ nuaſtraſ suſçeſoreſ del dito moneſterio, de treudo, .VIII. kafi- 55
çes, la mjtat de trigo z la mjtat dordio, meſura dUeſca, |[16] por la fieſta
de Santa Maria, mjdianta goſto, en cada un ano, atodoſ los ditoſ tien-

poſ, aduecta la dita çeuera z treudo en laſ nuaſtraſ canbraſ, en laçiudat dUeſca, auaſtra meſion; et cara queremoſ que tengadeſ laſ ditaſ caſaſ con el dito heredamjen|[17]to, bien laurado z bien adobado de todaſ laſ 60 lauores; z laſ caſaſ bien adobadaſ z bien engiſadaſ, ſeneſ gotaſ z de eſcalloneſ, z todo amjllorado z non apiorado; et en cara queremoſ que uoſ njn loſ vueſtroſ herederoſ, ſegunt que dito yeſ, non partadeſ njn vendadeſ |[18] njn en peynedeſ el dito heredamjento anjngunaſ perſonaſ de njnguna ley, ant aquel ſia todo en tegra ment. E uos eſto façiendo 65 z cunpliendo, queremoſ z atorgamos firme ment que uoſ dito Eſteuan, euaſtra muller donna Sancha, z laſ quatro perſonas, ſegunt que dito |[19] yeſ, ayadeſ, tengadeſ, poſidadeſ, herededeſ laſ ditaſ caſaſ con el dito heredamjento, ſalua ment z ſegura, ſeneſ todo pleycto nueſtro z del dito moneſterio; et en lafin de uoſ ante dito Eſteuan, z de yuaſtra muller 70 donna Sancha, z delaſ ditaſ quatro otraſ perſonaſ, en |[20] pueſ uoſ, noſ onuaſtraſ ſuſçeſoreſ del dito moneſterio, noſ podamoſ enparar delaſ ditaſ caſaſ z del dito heredamjento, ſalua ment z ſegura, ſeneſ todo judiçio, ſentençia de juſtiçia, z de toda ſoblemnjdat de fuero z de dreycto, por nuaſtra propria actoridat, |[21] como nueſtro proprio heredamjento, con 75 todoſ mjlloramjentoſ que uoſ y aureç ffeyctoſ, e ſeneſ toda garga z obligaçion de deudoſ, por uoſ z por loſ vueſtroſ ffeycta. Et en cara queremoſ que ſi uoſ dito Eſteuan, z vuaſtra muler donna Sancha, z laſ ditaſ quartro otraſ per|[22]ſonaſ, non pagauaç, onon pagauan el dito treudo al dito plaço, noſ onuaſtraſ ſuſçeſoreſ, por nuaſtra ahctoridat, 80 noſ podamoſ en parar del dito heredamjento. E yo dito Eſteuan, por mj z por mj muller, que non yeſ de preſent, el dito heredamjento atreudo re|[23]çebemoſ, con todaſ z cadaunaſ condiçioneſ de ſuſ ditaſ, de uoſ dita ſenyora abbadeſa z de todo el conuento, con muyctaſ graçiaſ; z conujengo de atener z de obſeruar aquellaſ, bien z lyal ment, ſegunt 85 que de ſuſu maſ ffirme yeſ dito. E noſ donna Sancha Marrtineç, abbadeſa, |[24] eſta carta lodamoſ z confirmamoſ, z eſt ſig-(●)-nal y ffemoſ; z yo donna Graçia Xemeneç, priora, por mj z por todo el conuento, eſta carta lodo z confirmo, z eſt ſig-(●)-nal y ffago; eyo don Vraca Pereç, en ffermarera, eſta carta lodo z |[25] confirmo, z eſt ſig-(●)-nal 90 y ffago; z yo donna Maria Xemeneç, ſagriſtana, eſta carta lodo z confirmo z eſt ſig-(●)-nal y ffago; eyo dona Mayor Marrtineç, almoſnera, eſta carta lodo z confirmo, z eſt ſig-(●)-nal y ffago. Teſtimunjaſ |[26] ffueron deſto don Pero Xemeneç, de Ayuar, mayor domne dela

dita abbadeſa, z don Garçia Coffyon, clerigo, veçino de Santa Cruç. 95
Eſto fue feycto jdus marrcij, era M.ª CCC.ª XXX.ª VIII.ª. Yo Garçia
Sancheç, pupligo notarrio de Santa Cruç, por mandamjento dela |²⁷ ſobre
dita ſenyora abbadeſa z de donna Gracia Xemeneç, priora, z de todo
el conuento del moneſterio, eſta carta ſcriuie, z eſt ſigna-(●)-al y fiçie,
z por letraſ la partie.　　100

A. H., Benedictinas de Santa Cruz de Jaca, *P*-143. — Línea 4, hay una palabra borrada. — Se ha considerado ociosa la tilde que aparece sobre las palabras
siguientes: línea 12, *ademna;* 13, 94, *domne;* 21, 88, 91, 94, 98, *Xemeneç;* 52, *conexidos, conexer;* 44, 65, *entegra;* 86, *Marrtineç;* 97, *Sancheç. - a.b.c.* partido en línea
recta al margen inferior.

77

Año **1300**, 10 de noviembre. — Liesa, part. de Huesca. — Not.: Juan de Castejón.

*El lugarteniente del juntero de Ibieca da posesión al procurador de San
Pedro el Viejo de Huesca de unas heredades, cuyos arrendatarios no cum-
plian las condiciones a que estaban obligados.*

Sepan todos que dia juues, .x. dias andados del mes de nouienbre,
era M.ª CCC.ª XXX.ª VIII.ª, |² ante mi, notario, z de las teſtimonias de
jus eſcriptas, fo enlla uilla de Baſcuas don Per Eſcafre, |³ prior de ſant
Urbeç z monge de ſan Ponç de Tomeras z procurador del ſeynor abat
z del con|⁴uent de ſan Ponç de Tomeras z del prior de ſan Pero el　5
Vyeyllo dUaſca, z preſento dos car|⁵tas a Migel Sancheç de Sant Ola-
ria, tenient logar enlla junta dJuieca, por Bernart |⁶ de Corniylana,
juntero de las juntas de Salas z dJuieca, la tenor damas las cartas, |⁷ del
conpeçamiento, es tal: — Al amado Bernart de Corniylana, tenient logar
de ſobre |⁸ juntero en las juntas de Salas z dJuieca, por londrado do　10
Alfonso de Caſtellnou, |⁹ ho a ſu lugar tenient; — z finant: dadas en
Uaſca, .xii. kalendas nouenbre, anno Domini M.º |¹⁰ CCC.º. — Et el dito
Migel Sancheç, por autoridat de las ditas cartas, luego de pre|¹¹ſent
metiet en poſeſſion al dito procurador del prior de ſan Ponç en lere-
damiento que es treuu|¹²dero al dito ſan Pero dUaſca, el qual eſ enlla　15
uilla z termino de Baſcuas; el qual dito heredamiento |¹³ tienent Exi-
men de Pueyo z Johan Pereç de Latras, eſcoderos; z primamment

8

me|[14]tiello en poſeſſion dunos caſales q*ue* foron cabo maſſo d*e*l dito heredamie*n*to, q*ue* ſon çerca |[15] labadia de Baſcuas, q*ue* afronta*n*t de primera *z* de ſecu*n*da part en caſas de Montaragon *z* en caſas de don   20 |[16] Pero Coniylo, d*e* terçia *z* d*e* cuarta part en adepna don Pero don Oria; *z* en la carera .I. era |[17] con el paylar enſenble q*ue* ſi tienet, q*ue* afronta*n*t todo enſenble, d*e* primera part *z* de la ſecu*n*da en ortal |[18] de Montaragon..... |[50] Et ſegunt q*ue* enllas ditas dos cartas ſe contene- xet, ſon ca|[51]ydos en contumaçio los ditos Eximeno d*e* Pueyo *z* Johan   25 Pereç de Latras, de .VI. k*aſices* de trigo |[52] *z* .VI. k*aſices* dordio *z* .XVIII. ſoldos d*e* dineros jaqueſes, *z* por treuudo fallido *z* por |[53] las miſſio*n*s; *z* por raçon deſt dito treuudo fallido *z* por las miſſio*n*s el dito Mi|[51]g*e*l Sancheç metio enpoſeſſion al dito procurador en tot eſt ſobre d*i*to eredamiento a|[55]bintegrament, cauſſa reſſeruandi..... |[56] *E* yo Johan   30 de Caſtillon, |[57] publico eſcriuano de Lieſa, q*ue* en el dia *z* el era ſobre d*i*ta eſta carta eſcriuie *z* mi |[58] ſig-(●)-nal y fiç.

A. M. de Huesca, perg. núm. 289. — Línea 24, sigue deslindando campos y repitiendo muchas veces *afrontat* y *afrontant*.

78

Año **1301**, 26 de mayo. — SÁDABA, part. de Sos, Cinco Villas . — Not.: Pedro.

Arrendamiento de unos campos del monasterio de Summo Portu a Per Aznárez.

Sepan todos qua*n*tos qui eſta carta vera*n*, como nos don Garcia, por la gr*aci*a de Dios prior de ſa*n*ta Chriſtina *z* pro*cu*rador del ſobre- d*i*to |[2] conuje*n*to, dela qual procuracion la tenor es a tal : Nov*er*int vniu*er*ſi q*u*od nos frat*er* Raymu*n*d*us*..... |[29] Ond nos ſobred*i*to prior, por nos *z* por el d*i*to |[30] conue*n*to de ſanta Chriſtina, damos a uos   5 Per Aznarez, cl*er*igo *z* racionero de ſant Mig*ue*l de Biota a treuuto, vn ca*n*po nueſtro ſitiado en t*er*mino |[31] de Biota, en los Zaraollares; el qual ca*n*po ha affrontaçio*n*es la ceq*u*ia uezinal, *z* de la ſecu*n*da part la carrera publica, *z* dela t*er*cera part |[32] ca*n*po de nos d*i*to prior; aſſi commo las aua*n*ditas affrontaçiones el aua*n*dito ca*n*po enſſarran, ſines   10 de ni*n*gu*n* retenemje*n*to *z* ſin ni*n*guna mala uoz, |[33] co*n* ſus entradas, co*n* ſus exidas, co*n* ſus aguas *z* co*n* todos ſus dreytos como adel

pertenexe*n*; *z* q*ue* lo ayades el aua*n*d*i*to ca*n*po adheredar, por dar,
|[34] vend*er*, all*i*enar, camiar *z* fer end daq*ue*l atodas u*ue/*tras p*ro*p*ri*as
volu*n*tades por *fec*u*la cu*n*cta; de jus tal forma, q*ue* uos oq*u*al q*ui*ere 15
q*ue* el d*i*to ca*n*po heredara dedes |[35] a nos o n*ue/*tros *fu/*ce*ff*ores cada
un an*n*o por todos tie*n*pos dotze din*er*os de jaq*ue/*es en la fie*f*ta de
Todos Santos, *z*la diezma *z* la p*re*micia q*ue* Dios dara en |[36] el d*i*to
ca*n*po en cada un an*n*o dedes anos o al*os* n*ue/*tros, com*m*o dito es,
bie*n* *z* lealme*n*t en*f*u tie*n*po. Et yo Per Aznares *f*obred*i*to, otorgo q*ue* 20
recibo de |[37] uos, d*i*to prior, el d*i*to ca*n*po por el d*i*to treuuto; *z* p*ro*-
meto *z* co*n*uie*n*go de pagar auos o au*ue/*tros *fu/*ce*ff*ores cadayn*n*o el
d*i*to treuuto en el d*i*to dia de |[38] [Todos Santos *z* en]cara la diezma *z* \
la p*re*micia q*ue* Dios dara en el d*i*to [canpo] cadayn*n*o q*ue* uos pague
bie*n* *z* lealme*n*t. En *f*estimo*n*io dela qual co*f*a yo *f*obred*i*to |[39] ..... en e*f*ta 25
carta mio *f*iello pendie*n*t. Son *f*estimo*n*ias de todas las *f*obred*i*tas co*f*as
do*n* Domi*n*go Johan, rector dela egli*f*ia de Quinto, |[40] ..... de Viota,
cl*e*rigo, *z* Exeme*n* Perez de Lerda, vezino de Sadaua. Feyto fue e*f*to
viernes po*f*trem*er*o del mes de mayo. Era M.ª CCC.ª XXX.ª |[41] VIIII.ª.
E yo Pedro, *fc*riuano publico *z* jurado del concello de Sadaua, por 30
ma*n*damie*n*to del d*i*to *f*enn*or* prior *z* Per Aznarez *z* los otros *f*obre-
|[42]d*i*tos, e*f*ta carta e*fc*riuie *z* e*f*te *f*ig-(●)-nal y*f*iz *z* por letras la partie.

A. H., Summo Portu, *E*-49. — *a.b.c.* partido al margen inferior. — Línea 4,
Raymundus; sigue en latín la autorización del procurador. — 14, *allienar* está escrito *allenar,* pero tiene una tilde horizontal encima, como la que lleva, en la
línea 3, *procuracon* por *procuración.* — 19, *anos,* tilde sobre la *n,* como en *anno,*
de·la misma línea. — 25, al principio de las líneas 39 y 40 del documento hay
dos o tres palàbras borradas por la humedad. — 27, tilde sobre *egli/ia.* — 29, el
último viernes de mayo de 1301 fué el día 26 (Max Latrie, col. 345).

79

Año **1302,** 21 de marzo. — JACA. — Not.: Nicolao de Avena.

*Testimonio notarial de cómo don García Sánchez, en nombre del prior
de San Pedro de Jaca, dió posesión de un campo a fray Brun López, monje
de Summu Portu.*

An*n*o Domi*n*i mile*f*imo trecente*f*imo secu*n*do, dia joues do*ç*e calen-
das aprilis, enpre*f*encia demi, notari deius e*fc*riutos, enla villa de Soma-
*n*es, fue |[2] per*f*onalme*n*t Garcia Sanyche*z*, tene*n*t lugar de*f*obre ju*n*tero

porlonrado efauio do*n* Juch*a*n Perez dArbe, fobre ju[*n*]tero de Jacca ede Eycea edelas |³ mo*n*ta*n*yas, por el fenyor rey; e fue prefentada ael vna letra delonrado do Migel deMuro, prior mayor defan Per de Jacca etene*n*t lugar de |⁴ ofecial, dela qual la tenor eftal: Venerabili *z* dif-cr*e*to fupr*a*uicario Jacce..... |¹² Elafobre dita carta moftrada eleyta de-na*n*t el fobre dito Garcia Sanych*ez*, por autoridat dela fobredita letra eque|¹³riendo ufar delo ofiçio ael acomen*n*dado aproueyto delagie*n*tes *z* aferuicio d*e*l fenyor rey, adiefo enco*n*tine*n*t mifo encorporal pofefion |¹⁴ adofrayre Bru*n* Lopez, efpitalero de f*an*ta Chri*f*tina, enel campo de lapadul de Palyo*n*s, fegont q*ue* fecontenexe enla fob*re* dita letra, q*ue*s enter|¹⁵mi*n*o dela dita uilla deSoma*n*es. El d*i*to do*n*frayre Bru*n*, efpi-talero, req*ue*rio ami notario de iuf efcr*i*pto q*ue* delas fobre ditas cofas lin|¹⁶fecies efta publica carta enteftimo*n*io deBlafco Macho *z* dAznar Galle, vecinos de Exauier agay.

|¹⁷ Eyo Nicholau dAuena, publico notario dela ciudat de Jacca, en todas las fobr*e*ditas cofas prefent fue *z* areq*ue*ficion d*e*l dito frayre |¹⁸ Bru*n*, efpital*e*ro, efta carta efcriuie, eft fig-(●)-nal i fiz enlan*n*o *z* dia fob*re* dito.

A. H., Summo P*u*rtu. *E*-56.—L*í*nea 5, *Eycea* lleva tilde encima, y la *e* es muy semejante a la *c*, pudiendo también leerse *Eyccea*. — Hay tilde asimismo sobre *dito,* línea 9, *Macho,* 16, y *Auena,* 18.

80

Año **1304,** 26 de febrero. — Ansó, part. de Jaca. — Not.: Domingo Sánchez.

Carta de hermandad entre las villas de Ciella y Ansó respecto al apro-vechamiento de sus pastos.

Atodof fea ma*n*ifefto como nof don Garçeto*n*, alcal de Anfo, et Garçeto*n* Galbarra, Garcia Merino, Data Garçeto*n*, et Garçeto*n* Jal-uochç, jurados, et toda la |² vnjuer*f*jtat, vecinof et habita*n*tes d*e*la val de Anfo, cridat et aplegat conçello do coftupnado hemof, todof con cordable et amjgable volu*n*tat, d*e*la |³ vna p*a*rt; et Mich*e*ll de Clau*e*ra, Mich*e*ll de Pafcual et G*i*ll de Ferrando, jurados, et toda la vnjuer*f*jtat, veçinos et habita*n*tes d*e*la villa d*e* Çiella, d*e*la otr*a* |⁴ p*a*rt; et nof amaf fobred*i*taf p*a*rtidaf, nj*n* forçadof nj*n* enganaf, maf con amjgable vo-

luntat, feyta vnidat et germandat, con carta publica |⁵ feyta por mano
de Per Aldeguer, efcriuano de Jaca, non entendiendo de venjr contra 10
njngunaf coffaf que en la dita carta fe contenexe, |⁶ maf entendiendo
de catar et de obferuar entodaf coffaf la dita hermandat, maf por ne-
gligencia et por neçeffitat de amjllorar de |⁷ algunaf coffaf por anueftrof
negociof enla dita hermandat, et por defallimjento de labor que an
mefter la dita hermandat dela vnjuerfjtat |⁸ dela villa de Çiella, et ad 15
jnftancia et voluntat de don Pedro, por la gracia de Dios, abbat del
monefterio de San Johan de la Penna, et de don |⁹ Johan de Santa
Cruç, prior dela dita villa de Çiella, femos abenjença et conpofficion
ental manera, que quando la dita vnjuerfjtat dela val de Anfo |¹⁰ que-
rran bedar njn bedaran el termjno de Forcalla, de pafcua de mayo 20
adelant, que jnbien mandado alof vecinof de Çiella; et ellof que |¹¹ vie-
dan el termjno de Bubal, entro aque los vecinos dAnffo lo fueltan
entro afan Martin; et quando lo fue[l]tan de fan Martin adelant |¹² que
fagan mandado alof de Çiella que lo fueltan al dito termjno de Bubal,
et que pafcan todof enfenble pacificament; et quando feran |¹³ bedadof 25
Forcalla et Bubal que las ouellas de Çiella que pafcan de Beral en fufo
paco paco de Bubal, como talla el rigo, entro al |¹⁴ vallado et el rigo
dela caffa de Lilia enta aca, enta aÇiella part; et las crabaf et los bueyes
que pafcan fegund la carta dela |¹⁵ hermandat; et encara damos liçencia
alof vecinof de Çiella et afuf fuçefforef, que labren et que puefcan 30
labrar quantia enel |¹⁶ termjno de Bubal, enel logar que el clamado
Pinar, como talla el viero que entra enta al rigo de Bubal, viero viero,
entro al |¹⁷ caxico dela yedra que efta fobre el viero, et del caxico ade-
lant ad otro caxico dela yedra que efta adreytas, et de ali adellant
|¹⁸ adreytas entro al boço mayor que efta enel fonos del follano dela 35
fierra, dela caffa de Lilia enta aca, enta aÇiella, et de ali |¹⁹ afufo adreyto
alaf labradaf; et afi como las ditas [bouas] et viero et los caxicos tallan
et de parten aderredor acada |²⁰ part, afi que puedan laurar et efcaliar
perpetualment por fecula cunta pacificament, fienf contrariedat. Et nof
ditos juradof |²¹ et la vnjuerfjtat dela villa de Çiella, juramof perfonal- 40
ment, prometemof et obligamof, que nof non podamof maf labrar njn
|²² efcaliar fienef liçencia et uoluntat dela vnjuerfjtat dela val de Anfo.
Et fi por auentura eftando vedado Forcalla et ²³ Bubal yeran trobadof
njngun ganado, que puefcan carnarar lof de Anfo et lof de Çiella fegund
que an coftu|²⁴pnado. Et defto foron teftimonjaf Sancho Martineç et 45

do*n* Bartolomeo el Piquero, habita*n*t en Onduef, et |²⁵ Garcia Fuert et Domj*n*go Monçin, vecinof dAffo. Et feyta carta .iiij.ᵒʳ k*all*en*d*af de março, era d*e* mil |²⁶ CCC.ᵒᶠ quara*n*ta et IJ.º. Jo Domj*n*go Sancheç, ef-cri*u*a*n*o d*e*la val d*e* Anffo, pr*e*ffent fue por pregariaf et mandamj*en*to |²⁷ de todof lof aua*n*d*i*tof, efta carta efc*r*iuje et mj fig-(●)-nal coftup-nado y fiç.   ₅₀

A. H., San Juàn de la Peña, *P*-660. — *a.b.c.* partido al margen superior.—El documento 661 de la colección diplomática de San Juan de la Peña es la pareja del presente, y ofrece las siguientes variantes: Línea 8, *enganadof* por *enganaf*.— 14, *defalimjento* por *defallimjento*.—19, *querra* por *querran*.—21, en lugar de *ellof* repite: *et lof vecinof de Çiella*..... — 26, *en fufo por el paco paco* en lugar de *en fufo paco paco*. — 27, *uallato* por *vallado*. — 31, *que es clamado* por *que el clamado*. — 35, *boço* y *fonos* se hallan en ambos documentos. - 36, *Lillia* por *Lilia; adreytas* por *adreyto*.—39, *fienes* por *fienf*.—Coinciden ambos documentos en poner tilde sobre *mano*, línea 9, y en escribir, líneas 3, 6, etc., *vnjvjtat*, con tilde encima. — La forma *viedan*, línea 21, se halla en los dos documentos.—Línea 37, [*bouas*] falta en el 660 por estar roto en este sitio, y se toma del 661.

81

Año **1304**, 21 de marzo. — Huesca. — Not.: Juan de Latorre.

Presentación de cartas de concordia entre el prior de San Pedro el Viejo y el comendador de San Vicente el Nuevo de Huesca.

E*r*a M.ª CCC.ª LX.ª segunda, dia fabato, xi dias en la fin del mes de |² março, en prefencia de mi notario *z* de las teftimonias dioffo fcriptas, en la cafa de fan Per el Vyllo dOfca, don Gilabert Xaxet, prior de fan Per |³ el Vyllo dOfca, di*e*u a don Domingo de Barba, co-mendador de la cafa de fan Vicient el no*e*uo dOfca, vna carta del synor   ₅ abat de San Poç |⁴ de Tomeras *z* del co*n*vent, fiellada condos fiellos pendientes, la u*n*o del fynor abat de fan Ponç *z* el atro del co*n*vent dali, d*e* atorgamiento de confirma|⁵miento de los conuenios *z* de las auinie*n*ças que yeran feydas del prior del dito fan Per que yera naquel tienpo *z* del comendador de fan Vicient el nue|⁶uo que yera otrofi na-   ₁₀ quel tienpo, fegunt que fe manifieftan por las cartas horiginales feytas por ma*n*o de Miguel de Igries, not*ar*io d*e* Huefca; otrofi |⁷ di*e*u don Domingo de Barba, comendador de la dita caffa de fan Vicient el nueuo dOſca, vna carta publiga, ſeyta por ma*n*o de Gil de |⁸ Fraga, notario d*e* Hueſca, de ſu mayor ſiellada con ſiello pendient, al dito don |⁵ Gilabert de Xaxet, prior de ſan Per el Vyllo dOſca, de atorgamiento *z* de |⁹ confirmamiento de los conuenios de las auinienças que yeran ſey-das entrel dito prior de San Per naquel tienpo *z* del comendador de ſan Vicient |¹⁰ daquel tienpo, de las quales cartas yes la tenor, de la del synor abat de San Ponç aqueſta: ..... |¹² Otroſi yes la tenor aqueſta de |²⁰ la carta que di*e*u don Domingo de Barba, comendador de san Vicient, al dito prior de ſan |¹³ Per: ..... |¹⁸ Esto fu*e* ſeyto el an*n*o *z* el dia ſobre-ditos. Sig-(•)-nal de Joha*n* de Latorre, publico notario de Hueſca, qui por |¹⁹ mandamiento del dito prior *z* del dito comendador eſtas cartas eſcriuie e por letras diueſas las partie. |²⁵

A. M. de Huesca, perg. núm. 306. — Carta partida por *a b.c.* — Línea 5, *noeuo,* escrito *nōuo,* con tilde encima, como *diū,* en las líneas 12 y 21, y *fū* en la línea 22, transcritos *dieu, fue.*—Sobre la forma *Vyllo,* líneas 3, 4 y 16, no hay en ningún caso una verdadera tilde; solamente la *y* lleva un punto encima, como en *yeran, sey-das, yes, ſeyto,* etc. -- Líneas 20 y 22, omito las cartas insertas en latín.

82

Año **1304,** 20 de abril. — HUESCA. — Not.: Jordán de la Xafarra.

Sentencia arbitral sobre la propiedad de un huerto que se disputaban el prior de San Pedro el Viejo y el comendador de la Casa del Temple, en Huesca.

Sepan todos que como co*n*prometudo fues en nos don Arnalt Garcia de Laçano, canonge *z* oficial dUeſca, *z* don Michel P*e*rez Romeu, entre los ho*n*rados don Gilabert Saxet, p*r*ior de la gleſia de San Per el Viellyo |² dUeſca, de la una part, *z* don ſray Bernard de Montoliu, comendador de la caſa del Tenple dUeſca, de la otra, sobre demanda |⁵ q*ue* ſe ſazia*n* de treuudo de vn vuerto aſentado en Oſca, que yes al mercado de las |³ beſtias, el qual yes clamado el vuerto del Moreno, que afronta en el d*i*to mercado de las beſtias *z* en carrera publica que *u*a a las Canal*e*s de Santa María d*e* Fuera, que claman el varrio del Al-gorrin, *z* en vuerto del |⁴ viſpe dUeſca, dizientes cadauna de las d*i*tas |¹⁰ partes q*ue* auia*n* treuudo *z* deuia*n* auer en el d*i*to vuerto; yes aſaber: el dito comendador que la cafa del Temple ante dita hy deuia auer dos morabetinos, et el dito prior |⁵ de San Per que la fagriftia del dito San Per hy deuia auer .v. foldos, dineros jaccefes; por los quales .v. foldos, que nol eran feudos pagados, dezia el dito prior quel yera jutgado el dito vuerto por fentencia, la qual mandaua el fe|⁶nyor rey feer feguida, fegunt que dezia el dito prior; sobre las quales demandas fue conprometudo en nos ditos arbitros, fegunt ques manifiefta por la carta del conpromis, fcripta por mano de Jurdan de la |⁷ Xafarra, publico notario dUefca; ont nos..... oydas las demandas dadas a nos por las ditas partes z las defenfiones propueftas por cadauna |⁸ dellas, viftas z entendidas todas z cadaunas mueftras z cartas que cadauna de las ditas partes adozir z moftrar querieron z todas las razones que quifon allegar ante nos, auido confeyllo de fa|⁹uios fobre aquellas, z Dios auiendo tan folament ante nueftros vuellyos, porque trobamos por cartas publicas quel dito vuerto fue dado porla glefia del dito fan Per a treuudo, z quel fue jutgado por el |¹⁰ dito treuudo fallido por loficial dUefca, la qual fentencia trobamos que fue muytas uegadas por el feynor rey dAragon que fues leuada a exfecución contra vn moro dUefca qui dezian el Moreno, z |¹¹ no trobemos que la dita cafa del Tenple; auies enel dito vuerto el dito treuudo por cartas nengunas, fi no tan folament por poffeffion, por efto fentenciando..... mandamos, |¹² fotz la pena en el dito conpromis poffada, quel dito prior de san Per de z pague al dito comendador z a la cafa del Tenple dUefca cient z sixanta foldos dineros jaccefes |¹³ ..... et por efto pofamos |¹⁴ al dito comendador z afuccefores fuyos perpetuo filencio fobrel dito treuudo del dito vuerto, mandantes fentencialment, fotz la dita pena, al dito comendador que nuncha el ni fuccefores fuyos demanda ni quef|¹⁵tion ninguna mueuan daquienant fobrel treuudo del dito vuerto, el qual treuudo con todo fu dreyto z pertinencias declarando pronunciamos que pertenex z deue pertenir a la fagriftia del dito fan Per, de la qual |¹⁶ yes el dreyto z la propriedat del dito vuerto; mandantes fotz la dita pena al dito comendador que a la çaguera paga que aura de los ditos dineros aduga al dito prior z de carta de ratificacion |¹⁷ del mayeftre del Tenple .... Dada fue efta fentencia en el pala|¹⁸cio del fenyor vifpe dUefca, dia lunes, .xx. dias andados del mes de abril, anno Domini M.º CCC.º quarto. Prefentes teftimonias defto don Per Atares z don Guzbert de Fenes, clerigos dUefca; |¹⁹ la qual fentencia amas las partes recebieron.

|²⁰ Sig-(•)-nyal de mi Jurdan de la Xafarra, publico notario dUefca qui de mandamiento de los ditos arbit[r]os efta fentencia fcriuie z por 50 letras la partie.

A. M. de Huesca, perg. núm. 225.

83

Año **1304,** 27 de junio. — JACA. — Not.: Bartolomé de Espierlo.

El procurador del monasterio de San Juan de la Peña presenta al administrador del alfolí de la sal de Naval un privilegio de dicho monasterio.

Anno Dominj millefimo CCC.° quarto, dja fabado, çagero del mef de juynno, .v.° kalendaf jullij. En la çiudat de Jacca, |² nel pallaço de Fanlo. Sepan quantof efta carta veran, que en prefençia de mj, notario, et delof teftimonjof |³ de jus efcriptos, fue perfonalment don Johan de Santa Cruç, monge del monefterjo de fant Johan della Penna, |⁴ prior 5 de çiella et procurador delabat et del conuent del dito monefterjo, et preffento et fiço leyr hun |⁵ priujllegjo del muyt alto et poderoffo feynnor don Jayme, por la gracia de Dieus, rey de Aragon, fiellado |⁶ con fu fiello pendient, ante londrado et faujo don fray Sancho de Boyll, tenedor et miniftrador del |⁷ algorj della sal de Nabal por el dito 10 feynnor rey, la tenor del dito priujllegjo comjença de jus efta |⁸ forma: Nouerint vnjuerfi huius cartæ paginam jnfpecturj..... |¹³ Et prefentado, vifto et leydo el dito priujllegjo, el dito don Johan, monge et procurador qui de fus, dixo et |¹⁴ requerieu al dito don fray Sancho de Boyll, miniftrador del dito algorj de Naual, que el teneffe et obferua|¹⁵ffe el 15 mandamjento del feynnor rey, fegont que fe contenja nel dito pri- ujllegjo del feynnor rey; et el |¹⁶ dito don fray Sancho de Boyll preffent, dixo et refpondieu que era apareyllado de obedir et feruar el |¹⁷ manda- mjento del feynnor rey, fegont que fe contenja nel dito priujllegjo. Son defto teftimonjos qui fueron |¹⁸ prefentef nel lugar don Tomaf Guyon, 20 veçino de Jacca, et Ferrer de Burnau, veçino dUafca. Feyto |¹⁹ fue efto anno et dja et lugar fobre ditof. Yo Bertholomeu dEfpierlo, publico notario de Jacca, atodas |²⁰ laf fobre ditaf coffaf preffent fue, et arre-

quiſſiçjo*n* delloſ ſobreditoſ eſta carta eſc*r*iuje, et eſt |²¹ sig-(●)-nall
hy façie.   25

A. H., San Juan de la Peña, *P*-663. — La *p* y la *f* en *pallaço*, línea *2*; *sepan*, *3*;
fue, *4*; *forma*, *11*, y en algunos otros casos, constan de dos trazos verticales que
aparentan ser *pp* y *ff*.—Líneas 4 y 11, *jus*, escrito *juꝗ*.—8, *Dieus*, escrito *dieuꝗ*.—
12, *huius*, escrito *huiuꝗ*.—14, *requerieu*, escrito *reꝗriu*; comp. *respondiũ*, línea 18,
y *Bertholomũ*, 22. — Línea 25, *façie*, después de la *e* hay un círculo semejante al
de una *o*, formado por dos trazos un poco separados; no he leído *facieo*, a pesar
del *requerieu* y del *respondieu* anteriores, porque la *o* del documento es siempre
cerrada, y sobre todo porque me ha parecido que ese círculo, junto con un
trazo curvo que le sigue, debe ser algún signo como los que en otros documentos se encuentran indicando el fin de la escritura.

84

Año **1304**, 15 de octubre. — Jaca. — Not.: Sancho de Beniés.

El abad del monasterio de San Juan de la Peña denuncia ante el jus-
ticia de Jaca a Sancho Jiménez, Alfonso de Castelnou y otros, por haber
asaltado y saqueado una villa del señorío de dicho monasterio.

Anno Do*m*inj M.º CCC.º quarto. Conofcan todoſ q*ue* en p*r*eſencia
demj notario *z* deloſ teſtimonioſ de yuſo ſcriptoſ, dia joueſ, jd*us* ogto-
br*e*, parexie el hondrado *z* religioſo |² ſeyn*n*or don Pedro, por la gra*ci*a
de Dios abbat del moneſterio de Sant Joh*a*n dela Pen*n*a, ante don Pontz
Tayllador, tenie*n*t lugar de juſtiçia en la çiudat de Jacca, *z* p*r*eſe³|ntole   5
z ſiço leyr vn p*r*iuilegio del seyn*n*or rey con ſu ſayello pendient ſaye-
llado, del qual latenor eſatal: Nou*e*rint vniu*e*rſſi quod noſ Jacob*us* rex.....
|¹⁸ E p*r*eſentado *z* leydo el d*i*to p*r*iuilegio dixo |¹⁹ el d*i*to ſeyn*n*or abbat
q*ue* como el et el conue*n*to de Sant Joh*a*n dela Penna *z* loſ logareſ del
d*i*to monaſterio fueſſen enguarda *z* en protecç*i*on ſpeçial del |²⁰ ſeyn*n*or   10
rey, que don Alfonſſo de Caſtelnou, ſobreiu*n*tero de Vueſcca *z* de
Jacca por el ſeyn*n*or rey, *z* Sancho Xemenez de Vaylo, tenie*n*t lugar
de merino, |²¹ et Frances Daler co*n* otros, diero*n* ſalto enla villa ſuya
de Acomuer *z* en ſuſ terminoſ *z* que*n*t auian leuado en qua*n*tidat de
.iiij. mil oueyllas *z* en qua*n*tidat |²² de-.cl. beſtiaſ mayoreſ, *z* dela villa   15
ropaſ *z* oſtiyllas, queſos *z* muytaſ otraſ coſaſ, *z* crebantaro*n* ſu orrio,
z enq*u*ara ho*m*neſ preſoſ, *z* fiçonloſ de rredemer; la |²³ qual coſa ſer

non deuian, ante lo fiçon contra fuero z rraçon; ont requeria al dito
juftiçia que el por fu ofiçio mandaſ tornar z fatiſſer al dito don Alfon-
ſſo |²⁴ todo aquello que leuado ni preſo ent auian, z mandaſ obſeruar ₂₀
el dito priuilegio. Eſſinenguna quereylla elloſ ni nenguna hotra perſſona
auian del dito abbat |²⁵ ni del dito monefterio nin dela vniuerffidat dela
villa de Acomuer, non culpanteſ, ni del lugar de Acomuer, queel z el
dito monaſterio eran apareylladoſ |²⁶ de fer dreyto alli dou deyan z
como deyan, z aloſ homnes dela dita vniuerffidat faccar adreyto ante ₂₅
el juſtiçia de Jacca ho ante el juſtiçia de Aragon |²⁷ ho ante el feynnor
rey. Et afobrabaſtant que dauan fiançaſ de dreyto don Alfonſſo de
Fanllo, cauero, z Coſtantin donChiccot, z Pere Coſtantin, vezinos
|²⁸ de Jacca, loſ qualeſ preſenteſ ſe atorgaron por taleſ fiançaſ. Et el
dito don Pontz Tayllador, tenient lugar de juſtiçia, dixo que era apa- ₃₀
reyllado |²⁹ de obedir z obferuar el priuilegio z mandamiento del
feynnor rey, e de feri aquello que fer y deuieſſe. Errequerieron amj
notario deius efcriuto, |³⁰ quent ficieſ eſta publicca carta. Fueron defto
teſtimoniaſ Montalban deMiramont z Coſtantin, fiyllo don Coſtantin
don Chiccot, vezinos de |³¹ Jacca.   ₃₅

|³² Sancho de Benieſ, notario publicco de Jacca, eſta carta eſcriuje
z eſt ſig-(●)-ynal y fiz enlanno z dia de ſuſo contenido.

A. H., San Juan de la Peña, *P-664.* — Línea 7, sigue el privilegio en latín. —
37, *ſig-ynal* lleva una tilde que cruza el palo de la *l.* — La *ſ* en este documento
conſta siempre de dos trazos verticales.

85

Año **1305,** 8 de noviembre. — SAN VICTORIÁN. — Not.: Pedro López.

*El monasterio de San Victorián accede a la súplica de los vecinos de
Griebal, dispensándoles del pago de algunos de los tributos a que le estaban obligados.*

Manifieſta [coſa] ſia como nos don fray Rodrigo, por la gracia de
Dios abbat del monaſterio de sant Vitorian, z yo don fray Domingo
de Grados, prior de clauſtra, z yo don ffray Guillen de Puar|²tolas,
sagriſtan, z yo don ffray Domingo dela Groſſa, almoſnero, z yo don
ffray Sanxo de la Barta, enfermarero, z tot el conuent delos monges del ₅
dito monaſterio, aplegados en el dito monaſterio |³ en capitol, don yes

coftumnado de plegar, fueron alli prefentes en el dito capitol don Pedro
la Tallyada, abbat de Griaual, z Bertolomeu de Sant Pietro z Marco
Mafcaron veçinos |⁴ del dito Griaual, clamando merce anos dito abbat
z al conuent delos monges fobreditos que aueffemos merce aellos z al   10
concellyo de Griaual, que no podian fofrir todos aquellos hu|⁵fos que
el dito concello auian coftumnado de fer anos ditos abbat z conuent
del dito monafterio; et nos ditos abbat z todo el conuent, plegados en
el dito capitol, auido expreffo |⁶ confellyo entre nos z reconexiendo
el proueyto nueftro z del monafterio z recoffirando la pobreça delos   15
homnes de Griaual, por nos z por todos los fucceffores nueftros lexa-
mos al dito |⁷ concello de Griaual algunos daquellos hufos que uos yera-
des tenidos de fer a nos, ço yes afaber: todas foffaderas, tr[e]hudos,
cenas, peytas, pregueras, quiftias, gallinas, hua|⁸uos z todos hotros
trehudos que uos foliades fer anos, faluo nouena de pan z de vino z de   20
carne z de laneuirio; encara lexamos auos delos teftones que uos folia-
des pa|⁹gar que non paguedes el juuo fino dos quartales coferos, mitat
trigo mitat meftura, z el feparo vn quartal cofero, mitat trigo meftura,
z el axadero medyo quartal daquela mefura, mi|¹⁰tat trigo mitat mef-
tura; enperò queremos que de uida de don Jordan de Sant Aroman   25
bayle del dito logar, que paguedes los ditos teftones fegund auedes
coftumnado de |¹¹ pagar al dito don Jordan, z apref dela uida del dito
don Jordan non fiades tenidos de pagar fino fegund que dito yes defufo.
En tal condicion lexamos auos z alos uueftros |¹² los ditos vfos, que
uos z los uueftros prefentes z los que fon por uenir, paguedes cada   30
anno anos fobreditos abbat z conuent z alos fucceffores nueftros do-
çientos fueldof |¹³ de dineros jacce/es, los .c. fueldof enla fiefta de Santa
Cruç de mayo, z los hotros .c. fueldof enla fiefta de Sant Miguel del
mes de fetienbre. E uos fobreditos, | ⁴ los homnes z las femanas abitan-
tes en el dito Griaual, conpliendo anos fobreditos abbat z conuento   35
z alos fucceffores nueftros los ditos .cc. fueldof, |¹⁵ cada hun anno, z la
dita nouena delas fobreditas cofas, fegund que dito yes defufo, que nos
ditos abbat z conuent nin los fucceffores nueftros, nunqua (po) |¹⁶ po-
damos demandar alos homnes nialas femnas abitantes enla dita uilla
de Griaual, alos qui agora fon prefentes nin alos que fon por uenir los   40
|¹⁷ ditos hufos, ni non podamos demandar otra peyta ni otros hufos
nengunos ni crexer otra peyta nenguna nin demandar auos ni alos
uueftros z to|¹⁸da demanda que nos feffemof, que ualor no aueffe en

cort ni*n* fuara d*e* cort ni en judicio ne*n*guno, eccle*f*ia*f*tico ni*n* *f*eglar, agora ni en ne*n*gun tie*n*po, |[19] *f*egu*n*d q*ue* dito yes de*f*u*f*o. Te*f*timonios 45 *f*on de*f*to do*n* ffray Sa*n*xo d*e*la Barta, en fermarero, *z* Garcia d*e* M*u*ro, e*f*cudero, *z* do*n* Johan de Be*ff*ahurre, |[20] clergo. Feyto fue e*f*to .VII. id*us* d*e* nouie*n*bre, an*n*o D*omi*nj M.° CCC.° V.°. Pero Lopeç dAra*f*antç, publico *n*ot*ari*o d*e*la honor d*e* sa*n*t Vitoria*n* *z* de M*u*ro T*i*e*r*rantona, q*ue* |[21] e*f*ta carta, por ma*n*damie*n*to d*e*los *f*obred*i*tos, por letras p*ar*tidas 50 e*f*criuia *z* *f*o senyal hy-(●)-*f*açia.

A. H., San Victorián, *P*-298. — *a.b.c.* partido al margen superior. — Línea 22, *coferos* lleva tilde horizontal sobre las dos primeras letras, además de la tilde correspondiente a la abreviatura de *er*. — La *f*, según va en la transcripción, unas veces es doble y otras sencilla.

86

Año **1306**, 6 de abril. — HUESCA. — Not.: Miguel de Igriés.

Deslindamiento de una viña de San Pedro el Viejo de Huesca.

A*n*no D*om*ini mille*f*imo CCC.° sexto, dia mierchoLes, .VI. dias entrados de abril, en pre*f*encia de mi not*ari*o *z* de los te*f*timo*n*ios diyu*f*o *f*criptos, Johan de Ja*ff*a, alcayd de Montflorit *z* *f*ub*f*tituydo p*ro*cu*r*ador de Gar|[2]cia Lopeç de Ja*ff*a..... |[3] *z* Pero P*er*eç de Riglos..... |[5] fuero*n*, por mandamiento feyto por don Arnalt Gaxia d*e*l Byano, canonge *z* oficial de Hue*f*ca, al te*r*mi*n*o de Balbarbo, *z* me|[6]tieron buegas en v*n*a vignya q*ue* es de *f*ant Per el Viellyo de Hue*f*ca que tiene la d*i*ta dona Maria de Cama*n*o, *z* por raçon de v*n*a cequia por la q*ua*l manda el d*i*to oficial que pa*f*as el agua del |[7] rio de Flumen por regar a Montflorit *z* B*e*le*f*tar *z* Alborge; la qual vignya fue pa*ff*iada, *z* ha de las buegas 10 ent*r*o a la margenya *f*u*f*ana d*e* la longueça d*e* la d*i*ta |[8] vignya dela part de Mo*n*taragon cie*n*t *z* tre[*n*]ta pa*ff*adas, *z* ha d*e* la ot*r*a part enta B*e*le*f*tar cient *z* vint *z* hueyto pa*ff*adas; *z* asi fueron las buegas |[9] ficadas en tal man*e*ra que daquellas a*f*u*f*o no pueye la d*i*ta cequia ni *f*ia exa*n*plada *f*ienes licençia *z* amor del p*r*ior de *f*ant Per q*u*i es o q*u*i por 15 tie*n*po fera, |[10] del qual es la p*ro*p*r*iedat dela d*i*ta vignya, *z* de las buegas en ju*f*o que fiq*ue* *z* *f*ia de la d*i*ta ceq*u*ia ent*r*o al rio Flume*n*, pora los *f*enyores de los d*i*tos logares de Montflorit, |[11] de B*e*le*f*tar *z* de Alborge. Et e*f*t pediamiento que la vignya fue a*ff*i pa*ff*iada fue feyto

con voluntat z atorgamiento de las d*i*tas p*a*rtes, los quales requerier*on* 20
a mi not*a*r*i*o |[12] diyu*f*o *f*c*r*ipto que fiçies carta publica. Te*f*timonios ad
e*f*to fueron pre*f*entes z clamados Gil de Pueyo z Martin P*e*reç de
Pueyo, *f*cuderos, z Pelegrin de Gerre, notario, |[13] z Veui*an* de Millye-
ra, veçinos de Ponçano. Feyto fue e*f*to el an*n*o dia z logar *f*obred*i*tos.
E yo Mig*e*l de Igr*i*ès, publico notario de Hue*f*ca, a todas e*f*tas |[14] co*f*as 25
pre*f*ent fue z a requerimiento de los *f*obred*i*tos procuradores e*f*ta carta
*f*criuie z por letras la partie, z e*f*t mi sig-(●)-nyal y fiç.

A. M. de Huesca, perg. núm. 83. — Línea 4, siguen los nombres de otras varias personas. — 1 1, *margenya,* las cuatro últimas letras de esta palabra no están
completamente claras.

87

Año **1306,** 29 de junio. — Valle de Sarrablo, part. de Boltaña. — Not.: Juan
Pérez de Antillón.

*Requerimiento hecho por el procurador del prior de San Urbez al lugar-
teniente de sobrejuntero de Guarga, contra unos vecinos que tenían posesio-
nes de dicho prior.*

Era M.ª CCC.ª XL.ª z quatro, dia mi*e*rcoles, dos dias en exida del
mes de jun*n*o, ante mi notario z delas te*f*timo*n*ias dios e*f*c*r*iptas, *f*obre
requer*i*mie*n*to que Gonçalbo Gara*ff*a, p*r*ocu*r*ador de don Ramon Mat-
fre, prior de *f*ant Urbeç, auia *f*e*i*to a Sanc dAyneto, tenient |[2] logar de
*f*obrejunt*e*ro en la junta de Gue*r*ga, *f*obre crebantamie*n*to de po*ff*e*f*io- 5
nes q*u*e auia*n* *f*e*i*to Domi*n*go Balarin z los de ca*f*a de Johan de Balarin
z los de ca*ff*a don Johan de la Puerta z los de ca*f*a don Domingo don
Sancho, los quales torba|[3]uan *f*us po*ff*e*f*iones al d*i*to prior z hu*f*auan
en aquellas en perjudiçio del d*i*to don Ramon Matfre, p*r*ior de Sant
Urbeç; hont requeriua el d*i*to Gonçalbo, procurador del d*i*to p*r*ior, al 10
d*i*to tenient logar de *f*obre juntero, por el fue*ff*e pue|[4]*f*to en po*ff*e*f*ion,
en uoç z en no*m*pne del d*i*to p*r*ior en aquellas po*ff*e*f*iones, enlas quales
los *f*obred*i*tos Domingo Balarin z Johan de Balarin z los otros auian
crebantat al d*i*to p*r*ior, z fue*f*en pindrados a pagar la calo|[5]nia *f*egunt
fu*e*ro. Et el d*i*to Sanc dAyneto, tenient logar de sobrejunt*e*ro, feita la 15
requi*f*içion quell d*i*to Gonçalbo auia feita ad aell como de cabo, noue-
llament torno el d*i*to tenient logar de *f*obrejuntero al d*i*to Gonçalbo,

en voç |[6] z en nompne del dito prior, en aquellas mifmas poffefiones do los fobreditos Domingo Balarin z los otros crebantaron, z como primerament fueffe puefto el dito prior por el dito tenient logar de [20] fobre juntero z fe contenexe por |[7] vna carta efcripta por mano de Johan Pereç, notario dios efcripto, z pindro a elos por las calonias, por racon del crebantamiento. Et como de cabo aquell dia mifmo trobo el dito Gonçalbo, procurador del dito prior, la cafa |[8] de Domingo Bal[a]-rin crebantada z abierta de como el lauia ferada, z los de cafa que [25] entrauan z exiuan; z requirie al dito Sanc dAyneto, tenient logar de fobre juntero, que por el fueffe tornado en la poffefion, z el dito Domingo Ballarin, |[9] por la calonia del crebantamiento, pindrado; z el dito tenient logar de fobre juntero torno en la poffefion al dito Gonçalbo z pindro al dito Domingo Balarin por la calonia. E mando el dito [30] tenient logar de fobre juntero a los fobre|[10]ditos Domingo Ballarin z Johan de Balarin z a los otros qui fon, de part del fenyor rey, que non turbaffen en ren al dito prior de fant Urbeç nin afu procurador, en ren de sus poffefiones, foç la pena del fuero. Efto fue feito en |[11] teftimonio de Garçia Lopeç dOfieto, veçino dOfieto, z Garçia Lopeç, [35] eftant en Yefpolla. Efto fue feito en lanno z en el mes z en el dia fobre dito. E yo Johan Pereç dAntillon, publico notario de la junta de Sarraullo, qui |[12] efta carta efcriuie, z en la primera reglla fobre efcriuie ut diçe: pindrado, z mi fig-(●)-nal y fiç.

A. M. de Huesca, perg. núm. 216.—Línea 32, *part*, escrito *pat*, con un trazo horizontal que cruza el palo de la *p*, y sin tilde encima para la *r*.

88

Año **1306**, 28 de octubre. — HUESCA. — Not.: Miguel de Igriés.

Autorización concedida por el prior de la iglesia de San Pedro el Viejo de Huesca a un vecino de esta misma ciudad para que pudiese construir una sepultura en el claustro de dicha iglesia.

Manifiefta cofa fia a todos como nos don Gilabert Saxet, prior z fagriftan de fant Per el Viellyo de Huefca, por muytos z agradables feruicios z hondras que uos don Sanc dOros, veçino de Huefca, |[2] z por uueftra natura fon feydos feytos ala cafa del dito fant Per, ont por efto

damos *z* afignamos a uos logar en la profefion de la d*i*ta ecl*e/*ia d*e*l d*i*to 5
fant Per a fer fep*u*lt*u*ra vualta |³ *z* fu carnal de p*a*rt diyufo, entre el
portal d*e* la capiella de fant B*e*rtholom*e*o *z* la puarta d*e* la eclefia hont
hom*n*e yexe a la profeffion; la qual fep*u*lt*u*ra fagad*e*s *z* podades |⁴ fer
luego que auos plaçra *z* uos querredes, *z* uos podades enterrar ally uos
z qui uos querredes de u*u*e/t*r*a natura. *E* yo d*i*to Sa*n*c dOros con gran- 10
d*e*s grac*i*as recebo |⁵ de uos d*i*to don Gilab*e*rt p*r*ior ż fagriftan fobre-
d*i*to el d*i*to..... que uos auedes afignado a mi por fer la dita fepult*u*ra,
z prometo *z* co*n*uiengo a uos obrar *z* fer obrar aq*u*ella; |⁶ *z* por raçon
de la grac*i*a que uos feytes a mi *z* en remifion de mis pecados *z* de
mis anteceffores do *z* luego de prefent liuro a pura donacion entre uiuos 15
a uos |⁷ *z* ala ecl*e/*ia *z* p*r*iorado del d*i*to fant Per vn ca*n*po mio que
yo he *z* deuo auer en Huefca, en termino de Huata*n*te di yufo.....
|¹¹ Ental manera do el dito ca*n*po a uos *z* a la eclefia *z* p*r*iorado del
d*i*to fant Per que uos *z* todo ot*r*o p*r*ior *z* fagriftan qui en la |¹² cafa
del d*i*to fant Per f*er*a, fagades el d*i*to aniuerfario por el a*n*ima del d*i*to 20
padre mio encadaun an*n*o, fegunt que auedes coftu*n*pnado, *z* encara
que fagades |¹³ otro aniuerfario por el anima de dona Vrracha Marti-
neç, madre mia que fue, todos tie*n*pos en cadaun an*n*o por tal kalenda
c*o*mo la d*i*ta dona Vrracha Mar|¹⁴tineç, madre mia que fue, morieo; et
uos *z* u*u*e/tros fucefores façiendo *z* cu*n*pliendo bien *z* lialment los ditos 25
aniuerfarios, fegunt que ordenados fon de part de fufo, | ⁵ quiero *z*
atorgo quel dito ca*n*po fia de la ecl*e/*ia *z* p*r*iorado del dito fant Per
fegunt que d*i*to ef de part de fufo.....

Feyto fue efto |²² .iiii. dias en la fin de octobre, era M.ª CCC.ª XL.ª
quarta. *E* yo Mig*e*l de Igries, publico not*a*rio de Huefca, |²³ efta carta 30
fcr*i*uie *z* por let*r*as la partie *z* eft mi sig-(●)-nyal y fiç.

A. M. de Huesca, perg. núm. 98. — Línea 12, en el lugar de los puntos hay
una palabra borrada.

89

Año 1306. — SANTA CILIA, ayunt. de Panzano, part. de Huesca. — Not.: Domingo Ferrer.

Testamento de Dominga, vecina de Santa Cilia.

Porque ningun homne que poffado fia in carne no puede..... |² de la muert, hont por efto yo Domenia..... poffada hen grant henferme- |²dat, mas hen mi buen fefo z con mi propria loguera, fago mi teftament depoftero |³ con efta carta publiga pora fienpre valedera. Primerament lexo mi curpo |⁴ que fia henterado nel ciminterio de Santa Ce- ⁵ cilia, honradament; z mis feyete dias, |⁵ que fian feytos hondradament; z lexo hun canpo z hun celero, por almario que fia fey|⁶ta huna vegada nel anyo, a hun clerigo con feis efcolanos, pan, vino z car|⁷ne conplidament; z lexo a Sanja, fila mia, dos leçtos de ropa ante part; z todo |⁸ el alre que partan María z Sanja, fillas mias, caffas, caffalles, huertos, ¹⁰ hortalles, |⁹ canpos z viynas; z el dito por almario que lo tinga Sanja, filla mia, mientras byua |¹⁰ fera, z apres de fos dias que torne alla natura. E el dito cellero afruenta in calliço |¹¹ de la fobre dita Domenja, por dos partes, z en hortal de los del Biuar; z el dito canpo hyes in logar que |¹² diçen Iorondella, z afruenta in viero dAlgulyfa z in canpo de ¹⁵ fillos de Sanjo Çam..... |¹³ hen. Afi quemo eftas ditas afrontaciones includen z demueftran los ditos |¹⁴ logarcs, afi los tinga Sanja, filla mia, faciendo z conplyendo todo el que fobre dito |¹⁵ hyes. E lexo .III. fueldos al uicario de Santa Cilia. Teftimonias fon defto Joan dEfchel |¹⁶..... Domingo Glorienta, vecinos de Santa Cilia. Efto fue feyto enel ²⁰ |¹⁷..... dias entrados del mes, era M.ª CCC.ª XL.ª IIII.ª. Henla |¹⁸..... fobre efcripto, ob dice por do parte. Domin|¹⁹go Ferrer, publigo notario de Santa Cecilia, efta carta efcriuie z eft synal hy |²⁰ -(●)- façie.

A. M. de Huesca, perg. núm. 84.— En varias líneas hay algunas palabras tan borradas que resultan ilegibles. — Línea 3, *loguera,* el trazo de la abreviatura es el que corresponde corrientemente a *er.*— 9, *leçtos,* la *ç* que aparece en esta palabra es idéntica por su forma a la que aparece en *calliço,* línea 13, y en otras palabras de este documento.

90

Año **1307,** 24 de octubre. — Aínsa. — Not.: Ramón de Alagón.

Los procuradores del monasterio de San Victorián toman posesión de unos molinos situados en Aínsa.

Conoſcan todoſ que dia marteſ, .ix. kalendas noujembre, anno Dominj M.º CCC.º septimo, empreſencia de don Gujllem de |² Caſtel nou, sobrejuntero de Ribagorça, de Sobrarb z dellaſ valleſ, et de mj, ſcriuano, z de loſ teſtimonjoſ dioſo ſcriptoſ, |³ don fray Domjngo dela Gruaſa, almoſnero del moneſterio de ſan Victorian, z don fray Sancho dela Barta, çellarer del dito |⁴ moneſterio, fueron enla villa de Aynſa, ala puarta deloſ molinoſ que ſon clamadoſ del rey, z preſentaron z leyr facieron |⁵ ante la preſençia de Gujllem Delſon z de Johan Oliua, bayleſ de Aynſa, z ante Caſtayn de Caſtillon, tenedor deloſ ditoſ |⁶ molinoſ, vna letra del ſeynor rey, dela qual latenor eſ atal: Jacobus Dei gratia rex..... |²³ La qual letra preſentada z leyda loſ ditoſ bayleſ z Caſtayn de Caſtillan dixon que obedian |²⁴ en todaſ coſaſ el mandamjento del ſeynor rey, z luego de preſent, en nompne del ſeynor abbat z del conuent de ſan |²⁵ Victorian, miſon empoſſeſſion aloſ ditoſ don fray Domjngo, almoſnero, z a don fray Sancho, çellarer, metiendo loſ por |²⁶ la mano en el dito molino, de reçeber loſ ditoſ sixanta ſueldoſ anualeſ, loſ qualeſ el ſeynor rey ha cadaun anno enloſ ditos |²⁷ molinoſ; z que eran apareylladoſ daqui adeuant, cadaun anno de reſponder o fer reſponder aloſ ditoſ abbat z conuent o aqui elloſ |²⁸ [querran] deloſ ditoſ sixanta ſueldoſ jacceſeſ, aſſi como al ſeynor rey eſ coſtumpnado de reſponder. Et de todo eſto fue mandado |²⁹..... [fi]cieſ carta publica en teſtimonjo de Boneton dOrgel z de don Pero Banaſto, veçinoſ dAynſa |³¹..... qui arequerimjento deloſ ditoſ mongeſ eſta carta ſcriuje z mj |³².....do hi facie.

A. H., San Victorián, *P*-300. — Le falta al documento un trozo en el ángulo inferior izquierdo, por lo cual resultan incompletas sus últimas líneas. El nombre del notario debía estar en la parte desaparecida. Puede asegurarse, sin embargo, a juzgar por la letra, por las abreviaturas, por los trazos y tildes y por otros varios detalles, que este documento es de la misma mano que el número 309 de esta misma procedencia (núm. 93 de la presente colección), hecho por Ramón de Alagón, notario de Aínsa.

91

Año **1307,** 28 de octubre. — Huesca. — Not.: Guillén de Buil.

El prior de San Pedro el Viejo embarga un huerto a Miguel de Igriés, vecino de Huesca.

Anno Domini M.º CCC.º septimo, dia sabado .iiii. dias en fin doctobre; en prefencia de mi notario z delos teftimonios dios efcriptos |² lonrrado don Gilaber Sacxet, prior de glefia z cafa de fant Per el Viellyo dOfca, fue perfonalment a vn huerto que la dita |³ cafa de fant Per a en Ofca, fueras la puerta dAljoçar, que afronta en uia publica z 5 en huerto de Saluador dAlbarraçin z en |⁴ cequia vecinal, dicient el dito prior que como Miguel dIgries, notario dOfca, tenies aquel huerto a treuudo de la dita cafa |⁵ de fant Per por .x. annos, del qual huertu deuia fer z pagar el dito Miguel a la dita cafa de fant Per .xxiii. folidos jaccefes de tre|⁶uudo cada un anno; et como el dito Miguel nin otri porel 10 non ouiefe pagado el dito treuudo fallido, z por las otras con|⁷diciones contenidas en la carta de la donacion non obferuadas, el dito huerto fuefle caydo en comiffo; por efto el dito |⁸ prior senparaua del dito huerto z se metia tantoft en pofifion daquel como cofa apropriada a la dita cafa de fant Per, |⁹ por raçon del treudo ceffado z las condiciones 15 non obferuadas, fegunt que dito es, tocando z enpenniendo la puerta el dito |¹⁰ prior con fus proprias manos, z non podiendo abrirla nin entrar dentro, porque era çarrada la puerta z non avia la clau, |¹¹ dicient que bien afi fe lo enparaua z fe metia en pofifion daquel, endefallimiento de clau tocando la puerta, co|¹²mo fi dentro entras. Et de todo efto el 20 dito prior requerieu a mi notario quen fiçies carta publica. Feyto fue efto |¹³ ellano z dia de fus ditos. Teftimonios ad efto prefentes fueron don Domingo Vidal de Ceruera, clerigo, z Tomas de |¹⁴ Lauata, notario, veçino dOfca. Sig-(●)-nal de Guillem de Boyl, notario publico dOfca, qui efta carta fcriuie. 25

A. M. de Huesca, perg. núm. 311.

92

Año **1309,** 23 de mayo. — TORRUELLOLA DE LA PLANA, ayunt. de Secorún, partido de Boltaña. — Not.: Juan de Gueusa.

Deslindamiento de las casas y campos que pertenecian a San Juan de la Peña en la villa de Torruellola de la Plana.

Era M.ª CCC.ª XLVIJ.ª, dia bierneſ que fue .x. kalendaſ junij, enla uilla de Torreyllola plana, enpreſençia de Domjngo Ferrando, eſtant en Torrey|²llola, uice baylle delaſ Torreyllolas, porlo honrado z ſauio Martjn Royç, ſeynor dela honor delaſ Torreyllolaſ por elſeynor rey, z ſeynor de |³ Colungo, z enpreſençia demj notario z delaſ teſtimonjaſ   5 dioſo ſcriptaſ, afrontaron loſ homneſ del ſeynor rey delaſ Torreyllolaſ, afrontaron lo palaçio |⁴ de ſant Johan delaPenna que yes en Torreyllola plana, z todoſ loſ heredamjentos que perteneçen z pertjnir deuen al dito palacio de ſant Johan dela |⁵ Penna en Torreyllola plana z entodoſ ſoſterminoſ. Primerament afruanta el palaçio enla era del Toriello, z 10 enhuerto del ſeynor rey, depart |⁶ de occident, z encaſaſ de fillos de Miguel z en hortals de ſant Johan delaPenna. Item loſ hortalſ que afruantan encampo dela Cloſa que yeſ del |⁷ ſeynor rey, z enuia publjca que ua entala fuant, z enla era del Toriello, z en el palaçio deſant Johan dela Penna, z en hortal de don Garcia Caſtella|⁸çuelo. Item .ı.ª faxa dioſo 15 la uia dela fuant, que afruanta enla dita uia z en campo dela Cloſa, que yeſ del ſeynor rey. Item .ı. campo alaspluca, que afruan|⁹ta en campo del ſeynor rey z enuia publjca. Item .ı. campo ala ual de ſancta Engracia, que afruanta de doſ parteſ en campoſ del ſeynor rey. Item .ı. campo |¹⁰ al junccar, que afruanta en canpos de Petro Sanç de dos partes. Item 20 .ı. campo açema deloſ lenaços, que afruanta enuia publjca z encampo de Pero |¹¹ Sanç. Item .ı. ljnar alos ljnaſ, que afruanta en ljnar de Sancho Uita z en uia publjca. Item .ı. cannamar aloſ cannamaſ, que afruanta en canna|¹²mar de Petro Sanç z enel moljnar dePetro Sanç. Item el campo dela Sierra, que afruanta en campo de Petro Sanç z en termjno 25 de ſant |¹³ Johan Caſtiello z en campoſ de Petro Sanç. Item el campo dela era dedona Munna, que afruanta de doſ parteſ en uia publjca z en |¹⁴ campo de filloſ qui fueron de don Portoleſ. Segunt quel dito palaçio z los ditos heredamjentoſ ſon en eſta preſent carta nompnadoſ z afron-

|¹⁵tados *z* det*er*mjnado*s*, a*ss*i lo*s* hom*n*e*s* d*e*l *s*eynor rey d*e*la*s* d*i*tas To- ₃₀
rreyllola*s*, por mandamj*en*to d*e*l d*i*to baylle d*e*las Torreyllola*s* *z* req*u*iri-
|¹⁶mj*en*to, no*m*pnor*on z* afrontor*on* el d*i*to pala*ç*io de *s*a*n*t Johan dela
Pen*n*a *z* lo*s* h*e*redamj*en*to*s* q*ue* ello*s* *s*abian nj podian *s*aber, *s*egu*n*t q*ue*
ellos di|¹⁷*ç*ian q*ue* p*er*tjnjan a *s*a*n*t Johan d*e*la Pen*n*a *z* ald*i*to pala*ç*io
de *s*a*n*t Johan d*e*la Pen*n*a; *z* mandor*on z* p*r*egor*on* amj not*ario* dio*s*o ₃₅
*s*cripto *z* req*u*irier*on* |¹⁸ por mj oficio d*e*la *s*criuanja, q*ue* yo mete*ss*e en
forma publica lo*s* d*i*tos h*e*redamj*en*to*s* *z* pala*ç*io, *s*egu*n*t q*ue* ello*s* lo*s*
afrontauan amj en pr*e*fencia |¹⁹ del d*i*to baylle. Te*s*timonia*s* fuer*on* ae*s*to
pr*e*fente*s* clamado*s* don Gar*ç*ia Sa*n*t Arroman, e*s*ta*n*t en Alba*s*, *z* Jur-
dan e*s*tant en Torrey|²⁰llola plana. Feyto fue e*s*to enel dia *z* enla era *z* ₄₀
kalenda*s* de *s*u*s*o *s*criptas. Johan de Geu*s*a, not*ario* publico d*e*la*s* ju*n*ctas
de Sarraulo *z* de |²¹ Guarga, pr*e*fent entoda*s* la*s* co*s*a*s* *s*obre d*i*tas, por
mandamj*en*to *z* req*u*irimj*en*to d*e*l d*i*to Domi*n*go Ferrando, baylle d*e*la*s*
Torreyllola*s* *z* |²² d*e*lo*s* hom*n*e*s* de *s*eynor rey d*e*la*s* Torreyllola*s*, e*s*ta
carta *s*cr*i*uie *z* e*s*te *s*ig-(●)-nal y fa*ç*ie. ₄₅

A. H., San Juan de la Peña, *P*-674.

93

Año **1310**, 19 de noviembre. — Aínsa. — Not.: Ramón de Alagón.

*Presentación de un privilegio del monasterio de San Victorián al baile
general de Sobrarbe y Ribagorza.*

Cono*s*can todo*s* q*ue* dia juaue*s*, .xiii. k*al*enda*s* deciembr*e*, an*n*o D*o*-
mi*n*j M.º CCC.º decimo, |² en pr*e*fencia d*e* mj, *s*cr*i*uano, *z* d*e*lo*s* te*s*ti-
monjo*s* dio*s*o *s*criptos, el onrado *z* religioso don |³ fray Rodrigo, por
la *grac*ia de Die*us* abbat d*e*l mone*s*terio d*e* *s*an Victoria*n*, fue ante la
⁴ pr*e*fencia d*e* do*n* Domj*n*go dona Gracia, bayle gen*er*al d*e* Ribagor*ç*a, ₅
d*e* Sobrarb *z* dela*s* |⁵ valle*s*, por el *s*eynor rey *z* mo*n*ftro *z* pr*e*fento al
d*i*to bayle gen*er*al una letra d*e*l d*i*to *s*eynor |⁶ rey, co*n* *s*o *s*iello real en
el do*s*o *s*iellada, *z* aquella leir fico, d*e*la qual la tenor *s*e *s*iege |⁷ en e*s*ta
man*er*a: Jacob*us* Dei g*r*at*i*a rex..... La qual pr*e*fenta|²¹da, dixo el d*i*to
abbat al d*i*to bay!e gen*er*al q*ue* como el, por *s*o officio prende*s* *z* leua*s* ₁₀
|²² en Ribagor*ç*a la*s* calonja*s* d*e*lo*s* omjcidio*s* porel *s*eynor rey, *z* el [*z*]

el moneſterio |²³ de ſan Victorian haueſen villaſ z lugareſ z muytoſ honmeſ ſuyoſ proprioſ por loſ |²⁴ lugareſ de Ribagorça, quelo requeria que en feyto deloſ ditoſ omjcidioſ compliſ et |²⁵ obediſ el mandamjento dela dita letra del ſeynor rey, z que mandaſ aſoſ lugareſ |²⁶ tenienteſ en ₁₅ Ribagorça, con una letra ſuya quel dito mandamjento compliſen z obſer- ua |²⁷ ſen ſegunt quel ſeynor rey manda. El dito bayle general dixo que era apareyllado |²⁸ de obſeruar z co[m]plir el mandamjento del ſeynor rey, z que obediua la dita letra |²⁹ z mandamjento ſuyo en todaſ coſaſ. Et de todo eſto fue mandado amj |³⁰ ſcriuano dioſo ſcripto, por el dito ₂₀ abbat, quen ficieſ carta publica en teſtimo |³¹ njo de Gujllem Delſon z de Domjngo Oliua, veçinoſ dAynsa. Feyto eſto el dia |³² z anno que deſuſo. |³³ Yo Ramon de Alagon, publico notario dAynſa, que alaſ coſaſ ſobre ditaſ preſent fue et |³⁴ a requerimjento del dito abbat, eſta carta ſcriuje z mi sig-(●)-nal |³⁵ acoſtupnado hi facie. ₂₅

A. H., San Victorián, *P*-309. - Línea 4, *Dieus,* escrito *dieg.* - 9, *rex,* sigue el privilegio en latín. — La forma *ſeynor,* líneas 7, 15, 17 y 18, lleva siempre tilde sobre *yn.*

94

Año **1311,** 11 de noviembre. — SAN VICTORIÁN. — Not.: Pero López.

Donación del monasterio de San Victorián a Ramón de la Pardina, vecino de Griebal, de una heredad situada en el término de este pueblo.

Sepan todos como nos don ffray Rodrigo, por la gracia de Dios abbat del monaſterio de sant Victorian, z yo ffray Pere de Torre ſeyta, prior de clauſtra, z |² nos tot el conuent delos monges del dito monaſ- terio, plegado capitol en la clauſtra del dito monaſterio, dou yes coſ- tumnado de plegar, auido expreſſo con |³ ſellyo entre nos ſcientment z ₅ degrado, damos z atorgamos z enpreſent liuramos z en corporal poſſe- ſſion metemos, auos Ramon dela Par |⁴dina z auueſtra mollyer Maria, veçinos de Griaual, z atoda generaçion z poſteridat uueſtra un here- damiento nueſtro z del nueſtro monaſterio ſobredito, que yes ſe |⁵ tiado en termino de Griaual, con ſo molinar; el qual heredamiento z molinar ₁₀ yes clamado lo heredamiento de Gamiça; lo qual heredamiento z |⁶ mo- linar con todos dreytos z pertinimientos ſuyos uniuerſos damos z ator- gamos auos z los uueſtros por muytos agradables ſeruicios z |⁷ honras que uos auedes feytos anos z nueſtro monaſterio z faredes daquia

dala*n*t, D*i*os q*u*eriendo; enpor e*f*to damos *z* atorgamos auos *z* los [15]
|[8] u*ue/t*ros el d*i*to heredamie*n*to *z* molinar, en tal man*e*ra, que uos *z*
q*u*i el d*i*to her*e*damie*n*to *z* molinar te*n*ra o po*f*fedira dedes *z* pague-
|[9] des todos tie*n*pos, por quada an*n*o, en la fie*f*ta de sa*n*t Migu*e*l d*e*l mes
d*e* setie*n*bre, por raço*n* d*e* treudo, ala pita*n*çaria n*ue/t*ra del n*ue/t*ro
mo|[10] na*f*ter*i*o o aqualq*u*iere pita*n*cero q*u*e por tie*n*po *f*era en el d*i*to [20]
mona*f*terio, tres gallinas buanas *z* obtimas; *z* el d*i*to heredamie*n*to no
poda|[11] des vender ni alienar en man*e*ra ne*n*guna, nj no lo podades
p*a*rtir ni diuidir por p*a*rtes, antestodos tie*n*pos finq*ue* entegro *z* jn-
|[12] diui*f*o, *z* el *f*enyor *f*ia vno, *z* no podades met*e*r ni e*f*lijr otro *f*enyor
ni dominjo o patro*n* *f*obre aq*u*el *f*i no nos *z* el n*ue/t*ro mona*f*terio [25]
|[13] *f*obr*e*d*i*to; *z* uos *z* los u*ue/t*ros paga*n*do el d*i*to treudo, segu*n*d q*u*e
d*i*to yes, *z* tenie*n*do *z* co*n*plie*n*do *z* firmem*e*nt ob*f*erua*n*do todas *z*
|[14] quadaunas co*f*as *f*obred*i*tas, *z* el d*i*to heredamie*n*to *z* el d*i*to moli-
nar, ayades fra*n*came*n*t, q*u*itame*n*t *z* podero*f*ame*n*t, *f*iene*f* re|[15] tini-
mie*n*to ne*n*guno *z* *contr*a d*i*ccio*n* *z* p*e*rturbacio*n* *z* mala uoç d*e* nos *z* [30]
d*e* n*ue/t*ros *f*ucce*f*ores *z* *f*ienes todo otro cens *z* *f*eruitut, |[16] *z* podades
hedificar *z* co*n/t*ruir molino por afarina *z* por amallyos en el d*i*to mo-
linar, co*n* mualas *z* fu*f*tas *z* cequias, agua|[17] ductos *z* aguatornos *z* todas
otras co*f*as nece*f*farias al d*i*to molino; *z* p*r*ometemos a uos *f*eer leyals
defendedors *z* guarientes |[18] (tes) *contr*a todas p*e*r*f*onas remouie*n*tes o [35]
*contr*adiçie*n*tes o reuoca*n*tes la d*i*ta donacio*n*, toda ni partida d*e* aq*u*e*l*la.
*E*t yo d*i*to Ramo*n*, la |[19] d*i*ta donacio*n* por mi *z* la d*i*ta mollyer mia,
d*e* *u*os d*i*tos senyores abb*a*t *z* *con*ve*n*t recebo, dios la forma *z* las *con*-
diciones |[20] *f*obred*i*tas, *z* p*r*ometo por mi *z* la d*i*ta mollyer mia *z* todos
mis *f*ucce*f*fores aq*u*e*l*las tener *z* firmem*e*nt ob*f*eruar por todos tie*n*|[21] pos, [40]
dios obligacio*n* d*e* todos mis bienes. Feyto fue e*f*to .III. jd*u*s d*e* nouie*n*-
bre, an*n*o Domi*n*j M. CCC. XI. Te*f*timonios *f*on de*f*to |[22] fray P*e*re d*e*
More*n*ces, mo*n*ge d*e*l d*i*to mona*f*ter*i*o, *z* do*n* Domi*n*go d*e* Gerb, clergo
z donado d*e* aq*u*el mo*n*a*f*terio.

   |[23] P*e*ro Lope*ç* d*e* Ara*f*a*n*tç, not*ari*o d*e*la honor d*e* sa*n*t Victoria*n* [45.]
z d*e* Muro T*e*rrantona, e*f*to *f*criuie *z* *f*o seyn-(●)-al hy fiço.

A. H., San Victorián, *P*-310. — Línea 35, *defendedors*, el notario olvidó la *r*,
añadiéndola después sobre *os;* en *guarientes* es dudosa, por hallarse casi borrada,
la *s* final; *(tes),* con la *t* enmendada, debe ser repetición de la última sílaba de
la línea anterior. — En *reuocantes,* línea 36, olvidóse la *o* y se añadió después en
letra más pequeña entre la *u* y la *c.*

95

Año **1312,** 12 de marzo. — JACA. — Not.: Juan de Esa.

Venta de un censo, hecha por Pere Beltrán al cabildo de Jaca.

Conofcan todos hom*n*es como nos Pe*r*e don Beltra*n*, *z* mi muyll*e*r Bernarda, veçinos de Jacca, non forçados ni enganados ni de n*ue/t*ros entendemie*n*tos en ren menos sabie*n*tes, |² antes uolentaro*ff*ame*n*t, de çiertas çiençias *z* de agradables uolu*n*tades, vendemos avos ho*n*rados don Mig*ue*l de Muro, dean, *z* el capitol de la eccle*f*ia de Sant P*e*re de   5 Jacca, hue|³ycto fol*idos* de jacq*ue/e*s de t*r*eudo que nos emos en tres vin*n*as n*ue/t*ras, las qual*e*s nos diemos a t*r*eudo agen*e*racion a B*e*rnart de Marcharia *z* a*f*u muyll*e*r do*n* Oria, co*n* todo el de*r*eycto que nos e|⁴mos nas d*i*tas vin*n*as. La p*r*imera vin*n*a yes en t*e*rmino de Jacca fetiada al paco de Arago*n*, afronta con vin*n*a del d*i*to B*e*rnart de Mar-   10 charia, *z* del otra p*a*rt con vin*n*a de Pontz dAuay qui fue, *z* ti|⁵ene dela d*i*ta vin*n*a de Pontz dA*u*ay ent*r*o al cami*n*o p*u*blico. Las dos vin*n*as fon en t*e*rmi*n*o de Larbo*ff*a, fetiadas a Codiellolas; la vna afro*n*ta de dos p*a*rtes co*n* vin*n*a de Gar*f*ia Arnalt Cor|⁶tes; lotra vin*n*a yes ali mi*f*mo, afronta con vin*n*a d*e*l d*i*to Gar*f*ia Arnalt, *z* del otra p*a*rt co*n* vin*n*a de   15 *d*on Gil Defcuer qui fue. El dito t*r*eudo con todo el de*r*eycto q*ue* nos emos nas *d*itas vin*n*as |⁷ vendemos nos d*i*tos vendedores auos d*i*tos co*n*pradores, fra*n*co, q*u*itio de todas per*f*onas, fego*n*t fu*e*ro de Arago*n*, *z* que lo ayades *z* lo po*ff*idades agora *z* fie*n*pre, uos *z* todos u*ue/t*ros |⁸ fubce*ff*ores por dar *z* vender, enpeynar, camiar, alienar, por fer ne   20 atodas u*ue/t*ras prop*r*ias uolu*n*tades, a*ff*i como de eredades *z* co*ff*as u*ue/t*ras prop*r*ias. *E* fue precio placible que nos |⁹ d*i*tos vendedores recebiemos de uos d*i*tos co*n*pradores, por raçon de los d*i*tos .VIII. foli- *dos* de t*r*eudo d*e*l dereyto que nos emos nas d*i*tas uin*n*as, cie*n*t dietz fol*idos* de jacq*ue/e*s, los |¹⁰ qual*e*s nos emos auidos *z* recebidos en n*ue/*-   25 *t*ro poder, ond bie*n* pagados nos teniemos el dia que efta carta fue feycta, porq*ue* renu*n*ciamos a eçepçio*n* de no au*e*r contados *z* recebi- dos los d*i*tos |¹¹ din*e*ros en n*ue/t*ro pod*e*r, *z* a eçepçio*n* de todo engaño, *z* renu*n*ciamos efpre*ff*ament *z* de çiertas cienças ada*que*l dereycto q*ue* focorre a los decebidos ultra la mitat d*e*l dreycturero pre|¹²çio. *E* por   30

mayor u*ueftra* feguridat damos auos fiança de faluedat q*ui* auos falue
z faluar uos faga la d*i*ta vendicio*n* de todas perfonas, fego*nt* fue*r*o
de Aragon, a Ad[am d*e* Atos], |[13] capatero, veçi*no* de Jacca. *E*yo
d*i*to Adam d*e* Atos, p*re*fe*nt*, por tal fiança me atorgo. Aliala pagada,
.xii. din*e*ros jacq*ue*f*e*s; *z* nos d*i*tos do*n* Migu*e*l de Muro, dean, *z* el 35
capitol..... |[14] de fant P*e*r*e* de Jacca_reconexemos que la d*i*ta conpra q*ue*
nos emos feycta que la emos feycta por raço*n* de vn aniuerfario de
.viii. fol*idos* de jacq*ue*f*e*s q*ue* dona Sa*n*cha muyll*er*..... |[15] et d*e* Oruy-
lach lexo anos; los quales .viii. fol*idos* del d*i*to aniv*er*fario, don Ruy
Xemenetz de Nauzaytz afigno anos fobre vnas cafas en Jacca, fetiadas 40
na carniçaria...... |[16] nos emos vendidas, *z* de los din*e*ros que de las
d*i*tas cafas auiemos emos co*n*prado los fobred*i*tos .viii. sol*idos* de t*r*eudo,
por la qual raçon q*ue*remos que la conpra de los fobred*i*tos |[17] .viii. sol*i*-
dos fia por al d*i*to aniu*er*fario. Teftimo*ni*os fuero*n* defto don Pedro de
Les *z* don Gyllem d*e* Pi*n*tan, cl*e*rigos de Jacca. Feycto fue efto .iiii. idus 45
marci, era |[18] M.ª CCC.ª qui*n*quazeffima.

|[19] Johan de Efa, p*u*blico not*ario* d*e* Jacca, efta carta fc*ri*uie *z* eft
fig-(●)-nal hy fitz.

A. C. de Jaca, perg. núm. 19. — Al final de las líneas 12, 13, 14 y 15 del original hay unas palabras destruídas por la humedad.—Línea 20, *enpeynar,* hay una
tilde horizontal sobre *yn.*

96

Año **1313,** 8 de mayo. — Huesca. — Not.: Juan de la Torre.

Autorización dada por el procurador de San Pedro el Viejo a Guillén
de Moneyen para construir una sepultura en el claustro de dicha iglesia.

Manifiefta cofa fia atodos como yo don Johan de Barlue*n*ga, cl*e*rigo
z racio*n*ero de fan Per el Vyllo d*e* Huefca *z* procurador |[2] del ho*n*-
rado don Per Efcafre, p*r*ior de la d*i*ta caffa, por aytoridat ami dada en
la procuracion *z* en p*re*fencia de don Pero Noualles *z* don Jayme
|[3] dExieya *z* de Domingo dAqumuer, racio*n*eros de la d*i*ta caffa de 5
fan Per, por muytos agradables feruicios q*ue* uos do*n* Guyll*e*m de Mo-
*n*eyen, |[4] mercader, *z* do*n*a Ferrera, muyll*er* u*ue*ftra, aued*e*s feytos a
la gllefia *z* a la caffa de fan Per, *z* queriendo Dios au*n* fared*e*s, do

adief de prefent *z* afigno a uos |⁵ otros perpetual ment *z* a u*ue∫t*ra natura *z* tódos los u*ue∫t*ros vna fepolt*u*ra dentro en la clau*∫*tra de la 10 gllefia de fan Per, dentro en luerto de la d*i*ta clau|⁶ *∫*tra, ali deua*n*t do*n*dies laur*e*l del p*i*llar del canton de la clau*∫*tra datro en lotro p*i*llar, *z* que podades fer alli vuelta de piedra p*i*cada *z* fer ca|⁷rnal *z* meter vafo de piedra o toma pora uos *z* u*ue∫t*ra natura qual uos mas querre- des, *z* uos podades enterrar alli uos *z* todos los u*ue∫t*ros. |⁸ *E* yo d*i*to 15 don Joha*n* de Barlu*n*ga prometo *z* conuiengo a uos d*i*to don Guyll*e*m *z* a uos d*i*ta doñ*a* Fer*r*era de fer la auer firme e*∫*ta donacio*n* de |⁹ mi feyta auos, al d*i*to don Per E*∫*cafre, p*r*ior de fan Per, por ara *z* todos tienpos. *E* nos d*i*tos don Guyllem *z* do*n*a Ferrera, con muytas gracias, |¹⁰ prendemos *z* recebemos de uos d*i*to don Johan de Barlu*n*ga la d*i*ta 20 fepoltura; *z* por razon de la d*i*ta fepoltura afignamos *z* damos adies de pref|¹¹ent a la d*i*ta glefia del d*i*to fan Per el Vyllo d*e* Hue*∫*ca *z* al prior que ara yes *z* adaquel que por tienpo fera alli, *z* a los racio*n*eros dalli, cinco fol*i*do*s* de |¹² dineros jachefes por niuefaryo a todos tienpos mas; el qual niuefaryo que fe pague *z* fe faga por el mes de mayo por 25 qui*∫*cun an*n*o, *z* que*∫* co*n*|¹³pi*ç*e de pagar tan to*∫*t como ni*n*guna per- fona de n*ue∫t*ra natura *∫*enter*r*ara naqu*e*lla fepoltura n*ue∫*tra..... |¹⁶ E*∫*to queremos *z* atorgamos *z* e*∫*taplimos que feya afi por ara *z* todos tien- pos mas..... |¹⁷ E*∫*to fu*e* feyto .viii. dias entrados del mes de mayo, era |¹⁸ M. CCC. cinquanta vno. Sig-(●)-nal de Johan de la |¹⁹ Torre, pu- 30 blico notario de Hue*∫*ca, qui e*∫*tas cartas e*∫*criuie *z* por letras las partie.

A. M. de Huesca, perg. núm. 307. — Línea 26, *conpiçe*, escrito *cōpçe* con un pequeño trazo vertical, como una *i*, puesto sobre la palabra entre *pç*; la misma abreviatura aparece en *pillar*, línea 12, y *picada*, línea 13.

97

Año **1314,** 3 de julio. — Huesca. — Not.: Juan de la Torre.

Fundación de un aniversario en la iglesia de San Pedro el Viejo de Huesca por Guillén Per de San Jaime.

Manifie*∫*ta cofa fia a todos como e*∫*t yes tra*∫*lat bien *z* fielme*n*t treyto du*n* codeçillo qu*e* Guyllem P*e*r de San Jayme fiço *z* hordeno, publigo feyto por ma*n*o de Joha*n* dela Torre, not*a*rio publigo de |² Huesca,

du*n*a claufula, la qual yes efta *z* co*n*pieza afi: It*em*, eftaplefco *z* hordeno
perpetual ment un niuefaryo en la gllefia de sanPer el Uyllo d*e* Huefca,   5
de cinco fol*i*dos de dineros jachefes, los qua|³lles fe den *z* fe paguen
por quifqu*n* an*n*o por tal dia *z* por tal tie*n*po como yo finare al p*r*ior
z los monges *z* racio*n*eros de fan Per q*u*i [ara] fon o por tienpo feran
alli, *z* ellos q*ue* yefcan *z* fuelten por |⁴ q*ui*fqu*n* an*n*o la mi fuefa, d*i*ta
la mifa naqueft tie*n*po afignado. *E* a los quales .v. fol*i*dos de niuefaryo   10
do *z* afigno adies de p*r*efent que feyan *z* yefcan dalli *z* los demanden
fobre vn ca*n*po que yo he en Hue|⁵fca, del Salob*r*ar, que afru*n*ta con
ca*n*po de Marti*n* dAguas *z* con ca*n*po de Pero dAlbarraçin *z* con
car*r*era publiga; el qual d*i*to ca*n*po tienga *z* efplleyte Guyllamot, fillo
mio, d*e* uida fuya *z* de *z* pague |⁶ el d*i*to niuefaryo en quifqun an*n*o a   15
los fob*r*e d*i*tos p*r*ior *z* racioneros de fan Per, *z* apres dias fuyos los
mas cercanos de grado en grado como uenran. Efto quiero *z* mando
que feya conpllido fegunt que yo lo he |⁷ ordenado. *E* yo d*i*ta Sancha,
muller del d*i*to Guyll*em* P*er* de San Jayme, atorgo *z* lodo *z* confirmo
a uos d*i*to marido mio per ara *z* todos tie*n*pos todo aque*f*to que uos   20
auedes hordenado naq*ue*ft codeçillo, *z* p*r*ometo |⁸ *z* co*n*uiengo de no*n*
reuocar ni qua*n*tra dezir aque*f*to agora ni en ningun tie*n*po. Teftimo*n*ios
fon defto don Jayme d*E*xieya, cll*e*rigo, *z* don Jayme de Uinue, çaba-
tero, ueçi*n*os d*e* Huefca. Efto fue feyto .iii. dias |⁹ andados del mes de
julyo. E*r*a M.ª CCC.ª cinquanta dos. Sig-(●)-nal de Johan de la Tor*r*e,   25
publico not*ar*io de Huefca, q*u*i efto efc*r*iuie.

A. M. de Huesca, perg. núm. 122. — Línea 8, después de *qui* hay unas letras
borradas; supongo *ara.*—16, *racioneros,* escrito *raciones* con tilde encima.—Llevan también tilde sobre sus grupos de consonantes *claufula,* línea 4; *gllesia,* 5;
publiga, 14; y asimismo *cinquanta* sobre *nq,* línea 25.

98

Año **1317,** 21 de abril. — JACA. — Not.: Gil de Ipas.

*Que*r*ella de los monjes del convento de Summo Portu contra el hospitalero de dicho convento.*

An*n*o Dom*i*nj mill*e*fimo CCC.º XVII.º. En p*r*efencia dem*j* not*ar*io *z*
delof teftimonjof de juf efcriptof, dia jueuef, que fue .xi°. kalenda*f* ma-
dij, p*r*efentaro*n* los freyref [de fanta] Chr*i*ftina vn efcripto en pap*er*

adon Exemeno, por lagracia |² de Dioſ humil prior de ſanta Chriſtina;
eſ aſaber : don frayre Bernart dEſpinaça, ſotz prior de ſanta Chriſtina, 5
z don frayre Pes de Chau, enfermero, z frayre Pes de Colun de Bergar-
ber, z frayre Pes de Mju ſenz, ſacriſtan, |³ z frayre Guallart de Domj,
comendador de Secutor, z frayre Miguel Perez de Caſtiello, z don frayre
Ramon Sanz, z frayre Gyllem, comendador de Gauaſ, z don frayre
Juhan, comendador de Mey fayet, z |⁴ frayre Ramon, capellan de Gauaſ, 10
z frayre Pes de Nogueraſ, z frayre Gaſſia Bon, z frayre Pes de Sobre
ſenz, frayreſ de ſanta Chriſtina, la tenor dela eſtal : Seyñor prior. Noſ
todoſ loſ frayreſ de ſanta Chriſtina, |⁵ queryllando, ſignjficamoſ avoſ
como el eſpitalero tienga lacaſa de ſanta Chriſtina de Jacca, z aya apro-
uedir loſ freyreſ reſidenteſ en ſanta Chriſtina z loſ pan yaguadoſ, z en 15
cara el auieſe areſer laſ caſaſ |⁶ z loſ molinoſ, z aquitar de todaſ cargaſ
de deudoſ la dita caſa: el de todo eſto non cunple nj aya conplido nada.
Et sepades, seynor, que el anoſ ſalljdo de nueſtra proujçion, por que noſ
non emoſ vida, njn ſepuede fer |⁷ nenguna almoſna en ſanta Chriſtina;
z eſto ſeynor eſ grant danno anoſ z ala orden z grant vergueça z endi- 20
famamjento. Item, ſepadeſ, seynor, queloſ molinoſ ſon muyt danjficadoſ,
z laſ caſas, ſegunt |⁸ que uoſ veredeſ, que .i. pallar que era cubierto
adeſcubierto, z afeyto pallar dela bodega. Item, seynor, ſepadeſ que la
caſa en lugar de quitar ha feyto muytas deudaſ, et, seynor, aquello que
auja aquj|⁹tar non da quitado ren del mundo entro agora. Item, sey- 25
ñor, quereyllamoſ noſ auoſ como el aya ſacado de caſa .ii. caliçes z
.ii. breujarioſ, z loſ aya en peynadoſ : aquelloſ que ſian tornadoſ ala
orden. Item, seynor, |¹⁰ como el recebieſſe vna mulla z .ii. rocines dela
orden, aqueloſ ſian tornadoſ ala orden. Item, seynor, quando el recebio
lacaſa fincaron en el colxas z traueſſeroſ z linçueloſ z toallaſ z barradoſ 30
z otraſ |¹¹ ropaſ aquantia de .v. leytoſ en ſuſſo, z agora non dia ren :
clamamoſ voſ merçe que aquella ropa ſia tornada acaſa. Item, seynor,
como en la dita caſa havieſſe .i. caldero z vna caldera z vna hola de
cobre z .i. |¹² quartariço z .i. acerre z otraſ ferramje[n]taſ dela coçina,
z aquellaſ aya en peynadaſ, que aquellaſ ſian tornadaſ a caſa. Item, 35
seynor, como el ſe priſſieſe doſ bueyeſ deloſ Araynoneſ z aquelloſ ben-
die aJuhan Loriç, z ao|¹³tro cabo, que ſe priſſo .xii. cabeças de baccaſ
de ſanta Chriſtina, z aquellaſ ſe vendio, z de aquellaſ que de conto
como ſedeſpendieron. Item, ſeynor, algunoſ priujlegioſ z cartaſ que el
tiene de caſa, aquelloſ ſian tornadoſ acaſa. |¹⁴ Item, seynor, como voſ 40

noſ ſignjficaſedeſ gracia z merce de .xv. kaficeſ de trigo, meſura de
Çaragoça, z aquell aya el recebida, ſia vueſtra merce que aquello noſ
ſia tornado luego, que el ya lo a recebido. Item, seynor, como el noſ
aya |[15] adar en cada carga .i. rouo de trigo de maſ, por ordinacion
uueſtra z del viſpo, z aquello no noſ aya conplido, que ſia la vueſtra 45
merce que aquello noſ ſia ſatiſſeyto. Item, seynor, como el noſ aya falli-
do de nueſtra proujçion en el tien|[16]po paſſado de .xxv. cargaſ en
ſuſſo, que voſ clamamos merce que aquellas noſ ſia ſatiſſeytas, z que
non moramoſ de famen. Seynor, pidimos voſ por merce z requerimoſ
voſ por amor de Jheſu Chriſto que noſ trobemoſ en |[17] voſ juſticia, z 50
que non queradeſ que la caſa ſia deſtruyta z diſſipada, que ſia deſto
non metedeſ remedio lacaſſa yeſ deſtruyta z diſſipada; que, seynor, que
ſien voſ non trobamoſ juſticia queryllar noſ emoſ auiſpo dUeſ|[18]ca
oali ordreyto podamoſ alcançar. Et, ſeynor, eſto no podemoſ maſ ſofrir,
pueſ que la vida noſ tuelle, z no auemoſ aquello que deuemoſ auer, z 55
aque veemoſ lacaſa deſtruyta z diſſipada. Item, seynor, querylla|[19]moſ
noſ auoſ que como el dito hoſpitalero z frayre Guallart ſe perdieſen en
Tudela .xxxv. ljuras de ſangeteſ, aquelloſ ſian rendidoſ ala orden, pueſ
don Juhan de Bearne morie. Item, aotro cabo, el dito hoſpitalero que
recebie |[20] mil ſueldoſ en Caltayu, z .dc. ſueldoſ de Sandara, aquelloſ 60
ſian rendidoſ ala orden. Item, seynor, mandedeſ acomendador de Gauaſ
que torne el reponſero acaſa o a ſanta Chriſtina. Item, seynor, quando
el ſagriſtan morie, el dito ſpita[lero] |[21] recebie laſ claueſ delaſ arcaſ del
treſſoro eaquellaſ arcaſ el abrieſſe laſ ditaſ arcaſ menoſ de mandamjen-
to uueſtro z del conuento, z dalli ſacaſſe el quatro calljçes z doſ encen- 65
ſeroſ z doſ candeleroſ, z eſto [to]do de ar|[22]gent; z .vi. ljbros, z el
ynuentario, z el no tornaſſe acaſſa ſino .ii. calljçeſ z .ii. encenſeroſ z
.ii. candeleroſ, z finca que hatornar .ii. caljçeſ z loſ .vi. libroſ, z tiene
por aquitar eſto .clv. ſueldoſ, z .vii. z m.ª que el que |[23] avia pueſto en
la defunſion del ſacriſtan quj Dioſ perdone; z eſto que ſia tornado a la 70
orden. Item, como el dito hoſpitaler recebieſſe .dxl. ſueldoſ en Tudela,
z .xxviii. kaficeſ de trigo en la judaria, que de conto que loſ fiço. Item,
|[24] seynor, como el dito hoſpitalero vendieſſe vn corral en Çaragoça
Tieneſ de licencia vueſtra z del conuento, encara que bendio o dio vna
archa quj era neceſſaria acaſſa, todo eſto voſ requerimoſ que ſia torna- 75
do z re|[25]ſtituydo acaſa. Item, seynor, sepadeſ que adanno z agrant
menoſcabo de caſa, el dito hoſpitalero aya dado canpoſ z vynnas z

huertoſ atreudo por tienpo duna perſona z de doſ z de treſ, menoſ de licencia del prior |²⁶ z del conuento, z aquello que ſia reſtituydo acaſa. Et, ſeynor, por que la dita caſa no ſe pueda danjficar nj deſtroyr daqui 80 adelant z noſ podamoſ nueſtra vida pacificament como auer la deve-moſ, z lalmoſ|²⁷na ſe pueda fer a loſ clamanteſ de Jheſu Chriſto, que mandedeſ z conſtregadeſ al dito eſpitalero, ſegunt laſ coſtituciones dela orden z ſegunt laſ conujnjenças queſon en la carta del arrendamjento, que todaſ eſtas co|²⁸ſaſ ſian torn[ad]aſ z reſtituydaſ a la orden, z fer 85 aquellaſ en mjendaſ que el fer deue. Requerimoſ voſ por merce que uoſ ladita caſa queradeſ enparar z retener en voſ, z en cara que ſian enparadaſ por voſ todaſ ſuſ ren|²⁹(ren)daſ, z queradeſ fer correccion en ſu perſona, z ſegurat voſ del tanto z tan lue[n]gament daqui el aya ſeyto ſatiſſacion de todaſ laſ ſobre ditaſ coſaſ; que, seynor, cierto yeſ a 90 Dioſ que todaſ ſuſ rendaſ dela ſpi|³⁰talaria no conplirian atodo eſto. Et ſiaeſto no noſ metedeſ remedio auer loemoſ a queryllar al seynor viſpo de Hueſca. Item, yo ſrayre Pes de Colum de Bergarber, querello e clamo auoſ, seynor, quel dito ſpitaler me de|³¹ue dar daqueſt anno paſſado .xxi. ſueldoſ de jaqueſes. Item, .v. ſueldoſ que pague por el en 95 Camfranh, que li tenjan laſ beſtiaſ pindradaſ. Item, noſ ditos fray-res ſignjficamoſ, seynor, quel dito ſpitalero ſe prendie de ſetanta puer-|³²coſ aſuſſo z de .c. ajuſſo, loſ qualeſ clamamoſ merçe auoſ, seynor, que ſagadeſ tornar loſ puercoſ acaſa. Et el dito seynor de prior dixo que el era aparyllado deſer y lo que deuja z como deuja z alli..... |³³ a 100 eſto fueron preſenteſ z clamadoſ teſtimonioſ don Sancho Spinel, vicino de Barbaſtro, z don Garcia Perez Donat, vicino dExea. Feyto fue eſto en lanno z dia de ſuſſo contenjdo.

|³⁴ Et yo Gyl dYpas, publico notario dela ciudat de Jacca, a re-queſicion deloſ ſobre ditoſ freyreſ eſta carta eſcriuje z eſt sig-(●)-nal 105 y ficie.

A. H., Summo Portu, E-70.— Línea 5, Eſpinaça, dada la semejanza que apa-rece en el original entre la n, y la u podría leerse igualmente Eſpiuaça.— 10, ca-pellan, la p con trazo doble.— 18 y 47, prou)çion, la ç parece rehecha sobre una g.— 30, colxas, la x lleva encima en este caso un punto que no aparece en dixo, línea 99, Exea, 102, etc.; la x en este documento es siempre bastante semejante a la y, pero esta semejanza es en la forma colxas aún mayor que en los demás casos, pudiendo dudarse entre leer colxas o colyas; la y tampoco lleva punto encima en otras palabras. — 31, non dia ren, o más bien non dra ren. — 54, ordreyto, tam-bién aquí la r está bastante clara para que no pueda leerse on, ou ni ninguna otra cosa; *sofrir,* o más bien, *sofrirr.* —69, *m.ª,* es acaso abreviatura de *mialla.* — 89, *daqui,* se enmendó algo sobre la *q.* — 93, *querello,* el documento sólo presenta aquí una *q* con un trazo curvo que cruza el palo vertical y una tilde horizontal encima, como en la abreviatura ordinaria de la forma *quondam.* - 100, *alli...* faltan dos palabras por haberse roto el pergamino. — Hay tilde sobre *yn* en *en peynadaſ,* línea 35, y *Araynoneſ,* 36.

99

Año **1318,** 19 de junio. — VALLE DE TENA, part. de Jaca. — Not.: Pero Verg.

Donación de una casa situada en la villa de Hoz al monasterio de San Juan de la Peña.

Conoſcan todoſ como yo Sancho don Açnar *z* yo donna Maria, muller del, *z* yo Domingo *z* yo Açnar *z* yo Pedro |² *z* yo Clauera, filloſ ſuyoſ, veçinos dOç, todos enſenble de buen coraçon *z* de buana voluntat *z* de çiarta çiençia, |³ no forçadoſ nj enganados nj por nenguna manera decebudoſ, damos *z* de preſent liuramos *z* con eſta pre|⁴ſent   5 carta luego de preſent en corporal poſeſion metemos auos don Pedro, por la graçia de Dius abat del |⁵ moneſterio de ſant Johan de la Pena, *z* auos don Pero Migel, prior, *z* atodo el convent del dito moneſterio, eſ aſaber, |⁶ vna nuaſtra caſa que nos avemos enla villa dOç, que afruanta con caſa de Garçia Blaſco, *z* con canpo de Gyllem |⁷ de Sandel abat;   10 como eſtas afrontaçionſ enſarranla, ſila damos *z* la liuramos auos la dita caſa, franca, quitia, ſualta, |⁸ ſieneſ de nenguna mala voç, con toç ſus dereç *z* mylloramianç, pertinianç, con ſuſtaſ, con goteraſ, con piadraſ, con fonda|⁹mjantos, con entradas *z* exidaſ ſuyaſ, por dar, vender, camiar, enpeynar, alianar, ferne atodaſ uuaſtraſ propriaſ |¹⁰ voluntaç,   15 vos *z* todo el moneſterjo por aſecula cunta; *z* por mayor uuaſtra ſecuridat damos auos |¹¹ fiança de ſalbedat *z* qui auos *z* alos uueſtros preſenteſ *z* por venjr ſalbe *z* ſalbar faga la dita caſa, ſegunt |¹² fuero dAragon, eſaſaber, a Migel don Açnar, veçino dOç; *z* yo dito Migel, eſtando preſent, por tal fiança me a|¹³torgo como de ſus eſ dito. Teſtimo-   20 njaſ ſon deſto Domjngo Dardo *z* Lop dAlbira, veçinos dOç. |¹⁴ Feyto fue eſto xix° diaſ entrados del meſ dejuyno; *era* M.ª CCC.ª LVI.ª. Enel deçeno |¹⁵ reglon radie, enmende, ont diç el moneſterio.

|¹⁶ Eyo Pero Uerg notario, publico notario dela val de Tena por el

seynor rey, q*ui* eſta carta reçebida ꝛ eſc*r*ipta |[17] por mano de Pet*r*o de Pueyo, publjco not*ario* dela d*i*ta val, co*n* eſt mj ſig-(●)-nal |[18] acoſtu*n*pnado la enſarre.

A. H., San Juan de la Peña, *P*-697. — Línea 7, *Dius,* escrito *diuꝯ.*

100

Año **1321,** 23 de octubre.—Panzano, part. de Huesca.—Not.: García Panzano.

Albarán de pago dado por el prior de San Pedro el Viejo de Huesca a la abadesa del monasterio de Casbas.

Manifyeſta coſa ſia a todoſ como noſ do*n* Bernart de Palares, pryhor de la ecleſia ꝛ caſa de ſant Per |[2] el Viello dUaſca, atorgamoſ ſer pagado ꝛ auer auido ꝛ reçbydo de vos nobll*e* Synora dona Eluira Sanxeç dAn|[3]tillo*n,* por la graçia de Dyoſ abadeſa d*e*l moneſterio d*e* Caſuuas, aſy abſent como preſent, doſ k*afiçes* de çiuera, |[4] mitat t*r*igo ꝛ mitat or*dio* ꝛ treſ ſol*idoſ* d*e* dineros jacheſeſ, quall çiuera ꝛ dineroſ auiades adar anoſ d*e* trehudo, por fi|[5]eſta Santa Maria dagoſto q*ue* agora paſo deſt*e* ano preſent, por raço*n* de vn eredamiento q*ue* fuye d*e* do*n* Examen d*e* |[6] Buyeyo, cauero, ꝛ d*e* do*n* Joha*n* Pereç de Latras, en la uilla ꝛ terminoſ d*e* Baſcuaſ; ꝛ con eſta atorgamoſ noſ ſ*er* pagado de uoſ |[7] d*i*ta abadeſa d*e* todo el treudo d*e*l d*i*to eredamiento, detodo elltie*n*po paſſado entro a eſt preſent dia que eſt albar*a* |[8] es feçto, ꝛ p*ro*metemoſ uoſ en ſed*er* de manifyeſto a todoſ tie*n*poſ; enpero proteſtamoſ q*ue* por eſt recybymiento q*ue* |[9] noſ femoſ del d*i*to trehudo no entendemoſ renunçyar ell dereçto q*ue* auemoſ en loſ d*i*toſ eredamientoſ, por raçon |[10] d*e* co*n*dicioneſ ſalidaſ, continidaſ en laſ cartaſ originalleſ de laſ donaçioneſ feçtaſ por n*ueſt*roſ anteçeſoreſ de los |[11] d*i*tos eredamientos. Teſtimonioſ ſon deſto do*n* Jayme Nauaro, clerigo, veçino dUaſca, ꝛ don Martin de la Ruana, vy|[12]cario d*e* ſanta Çecillia. Feyto fuye eſto dia viernex .ix. diaſ na xida del meſ d*e* oçtobr*e,* e*ra* M.ª CCC.ª LIX.ª. Sig-|[13](●)-nall d*e* Garçia Pançano, publigo notario del d*i*to logar ꝛ d*e* la honor de..... por lonrado do Artal dAdlor |[14] quy eſtaſ cartaſ eſcriuye ꝛ por leçtras partidas.

A. M. de Huesca, perg. núm. 69.—Línea 4, *Caſuuas;* al dorso del documento, en letra coetánea, se lee *Treut de Casuas.* — La *ç* en las formas *feçto, dereçto, feç-*

tas, oçtobre y *leçtras* es igual a la que el mismo documento presenta en *çiuera, veçino,* etc., sin que pueda confundirse con la *c* de *cosa, como,* ni con la *y* de *Dyoſ, fuye,* etc. La *c* de *clerigo* tiene también la forma de una *ç.* — Línea 19, *Feyto,* la *y* está muy borrosa, pero puede leerse *Feyto* más bien que *Feçto.* - *22, de.....,* hay una palabra ilegible.

101

Año **1325,** 15 de junio.—Abiego, part. de Barbastro. - Not.: Domingo Moreu.

Donación de Gil Melero a Santa María de Alquézar, de un censo anual de tres dineros jaqueses.

Manifiaſta coſa ſia a todos como yo Gil Melero z yo Jayma, muller del, ueçinos dAuiego, amos enſenble, de cierta ſciencia z expreſa |[2] volunptat aſignamos a Dios z a la ecleſia de ſanta Maria de Alqueçar z al comun de los clerigos z racioneros de aquella por a totos tianpos |[3] perpetualment, huna uegada lanno por el mes dabril, .iii. dineros de jaque-   5
ſes de trehudo ſobre hun canpo que nos aue|[4]mos en termino de Alqueçar, en lugar que ye dito canpo Adimas, el qual ye afruntado en canpo de Domingo Uenteruylyon z en canpo de |[5] Johan de las Eras z en uia publica; el qual trehudo yera ante ſobre huna viynya nueſtra en la huarta de Buara; z por que el dito |[6] treudo poria uenir atianpo   10
endefalimiento, por eſto queremos que el dito comun de los ditos clerigos ayan z reciban en cada|[7]no, por el dito mes dAbril, los ditos tres dineros de trehudo; z ſi por auentura nos o generacion nueſtra o qui quiere que el |[8] dito canpo terra no pagariamos el dito trehudo segunt que dito yes, queremos que el prior z los clerigos racioneros   15
dela he|[9]gleſia de Alqueçar ayan pleno poder z licencia de enparar el dito canpo, no atendida ſentencia ni mandamiento de ningun |[10] judge. Teſtimonios fueron preſentes deſto Johan de Colungo z Bertolomeu de Lauata, ueçinos dAuiego. Feyta fue |[11] eſta carta dia ſabado, .xv. dias andados del mes de juynyo. Era M.ª CCC.ª LXIII.ª. Yo Domingo Mo-   20
reu, |[12] notario publico dAuiego, eſta carta eſcriuie z fiç mi sig-(●)-nal.

A. P. de Alquézar, signatura cronológica.

102

Año **1326,** 14 de marzo. — Huesca. — Not. : Jaime de Anzano.

Procuración de Domingo del Son, vecino de Aínsa, en defensa de los intereses de su villa.

Anno Domini Milleſimo CCC.º XX.º VI.º dia viernes, .ɪɪ. idus marcii, Domingo del Son, procurador del conçellyo dAinſa eſtablido açiertas coſas en la procuracion contenidas, apparexe ante los honrrados Pero Ortiz de Piſſa, ſobrejun|²tero de Sobrarp ɀ de las valles, et don Jayme Bernart, qui ſe deçia conexedor ɀ taxador de las meſiones 5 feytas por la defenſion del lugar del Real; et enpreſencia dellos ɀ de mi, notario, ɀ de los |³ teſtimonios diuſo ſcriptos dixo ɀ proteſto que no aparexia ante ellos por citacion ni aſignacion alguna feyta por ellos ho alguno dellos, por si ni por otri, als ditos homnes ho concellyo de Aynſa, |⁴ por ſubjugarlos a alguna taxacion, et ante ellos asi como 10 ante honrradas perſonas moſtro ɀ leyr fiço vn traſlat publico, el qual deçia ſeer ſaccado de hun priuilegio original del senyor |⁵ rey don Jayme, de clara memoria..... *E* dixo que por el dito traſlat del |²³ priuilegio ɀ por la dita letra del ſenyor rey ſe manifieſta que los homnes de Aynſa han priuilegio que no ſon tenidos alguna coſſa dar ho pagar 15 por peyta ni por redenpcion de huaſt, |²⁴ ni por alguna otra exaccion real ſino quando los homnes de Jacca darian ho pagarian et por aquella raçon por que ellos; et moſtraſſe quel ſenyor rey, al qual de Dios vida con ſalut, |²⁵ es de entendemiento de obſeruar a los ditos homnes de Aynſa el dito priuilegio; et dixo enquara que muytos otros priui- 20 legios ɀ franqueças ɀ libertades ɀ huſſos buenos auian los di|²⁶tos homnes de Aynſa, que no ſon tenidos de fer alguna coſa ſino como las ciudades priuilegiadas del regno; et dixo que como la ciudat de Jacca, que yes cerca del dito lugar del Real, no haya |²⁷ pagado ni pague alguna coſſa en las ditas meſſiones feytas por defender el dito lugar, muyto 25 menos deuen pagar los homnes de la villa de Aynſa que es muyt redrada del dito lugar..... |²⁹ porque el senyor rey ɀ el ſenyor infant en ſpecial no lo mandarian ni les crebantarian ſo priuile|³⁰gio ni ſos franqueças, antes las les obſeruarian, ſegunt que ſe manifieſta de feyto por la dita letra del ſenyor rey..... |³¹ Dixo encara el dito procurador que 30 los homnes de Aynſa no yeran de juncta ni ſeguiuan la juncta aſi como homnes de junct|³²a ni pagoron en algun tieɴpo ſalario a algun ſobrejuntero..... Et requerie humilment a los *d*itos Pero Ortiz ⁊ a don Jayme Bernart que no quieran meſclar a los |³⁹ homnes de Aynſa priuilegiados con los otros homnes de juncta..... |⁴⁰ et enotra manera, ſi contra ₃₅ aqueſto facian, tenia ſe por agreugado, ⁊ apellaua |⁴¹ del greuge ſeyto ⁊ facedero al ſenyor rey..... |⁴² *E* el *d*ito ſobrejuntero ⁊ juge demandaron copia delas ſobred*i*tas coſſas..... |⁴³ Et el *d*ito don Jayme Bernart, juge, interrogo el honrrado Per Ortiz de Piſſa, ſobrejuntero de Sobrarbe ⁊ de las valles, qui preſent era, ſi los *d*itos homnes de Aynſa ſon de ₄₀ juncta ⁊ han coſtuɴpnado de an|⁴⁴dar en juncta, el qual dixo ⁊ reſpuſſo que los *d*itos homnes de Aynſa no han coſtuɴpnado de ir en juncta ni ſon de juncta ni pagan a el cena por raçon de la ſobrejuntaria, mas algunas vegadas, quan|⁴⁵do algunos mocoſſos ſe eſcayen en aquella comarca, ſi meſter ha el *d*ito ſobrejuntero ⁊ les demanda conpanya, aco- ₄₅ ren le de .x. ho de .xx. homnes. Et el *d*ito juge, viſto el *d*ito priuilegio moſtrado, |⁴⁶ ⁊ la reſpueſta ⁊ relacion ſeyta por el *d*ito ſobrejuntero, porque no trobo los homnes de la *d*ita vniuerſidat ſeer de juncta |⁴⁷ ⁊ que ellos no ſon tenidos de contribuir en nenguna coſa ſino como los de la ciudat de Jacca, et como los homnes de las ciudades ſian exceptos ₅₀ de juncta, por eſto declaro los *d*itos homnes |⁴⁸ dAynſa ⁊ el procurador daquellos no ſeer tenidos ajurar ſobre el numero de los *d*itos homnes de la *d*ita villa.....

|⁵² Sig-(●)-no de Jayme dAnçano, publico notario dUeſca..... que eſta carta |⁵³ eſcriuir fiç ⁊ aquella ſielle con el ſiello del *d*ito don Jayme ₅₅ Bernart.....

A. M. de Aínsa, perg. núm. 1.—Línea 13, *memoria*......, sigue el privilegio real en latín. — 37, *demandaron,* se ve con claridad que primeramente se escribió *demandoron* y que después se corrigió. — 44, *mocoſſos*, con *m* mayúscula.

103

Año **1327**, 26 de marzo. — ALBERUELA DE LA LIENA, part. de Barbastro. — Not.: Domingo Pérez de Barbastro.

Deslindamiento de dominios entre los términos de Alquézar y Alberuela.

Sepan todos que dia ſabato, .vi. dias en laxida del mes dabril, en lera de mill ⁊ CCC. ⁊ LXV, fueron ajuſtados los homnes buenos de

Alqueçar |² z de Albaruela por partir contienta z baraylas fobre las
limitacio[ne]s que fon entre el termino de Alqueçar z de Albaruela. Pri-
merament fue don fray Ramon de Bon|³dia, comendador de San Migel 5
de Foçes z de Albaruela, z Domingo Bafcaras..... |⁸ Nos todos enfenble,
certefigados de todo nueſtro dereyto, confeyladament z acordament a
coler z a re|⁹mouer..... pleytos z contiendas ho baraylas fobre las lemita-
cio[ne]s que fon entre el termino de Albaruela z de Alqueçar, plegados
z a|¹⁰juſtados..... a la buega ques en cabo de las bas de Bure. E horde- 10
namos por fienpre perpetualment z declaramos que todos los herede-
ros |¹¹ de Albaruela..... que auran canpos..... en las buegas que enpieçan
primerament en cabo de Somodouil z dexen|¹²de de fiyta a fiyta entro
al farato de Puylopero, z de lo farato de Puylopero como dexiende de
fiyta a fiyta entro a las bas de Reras, aquelos canpos..... |¹³ peyten fien- 15
pre ad Albaruela, con decimas z con premicias.....; |¹⁴ z aquelo mifmo
las heredades de Alqueçar z de fos aldegas..... que entren del termino
de Alque|¹⁵çar al termino de Albaruela, que aquelas heredades peyten
fienpre ad Alqueçar.....; |¹⁷ aquelo mismo los herederos de Alqueçar |¹⁸ z
de fos aldegas que daquia deiant auran heredades de dentro las buegas 20
a part de Albaruela clarament, que peyten ad Albaruela con decimas
z premiçias, |¹⁹ fegunt que dito hes de fufo. E nos todos fobre ditos
queremos que la dita ordenacion z declaracion, que fia por fienpre
perpetualment |²⁰ fyrme z valedera, fos pena de cien marauedis, a la
qual pena a pagar oblicamos nos z cada unos de nos..... |²¹ todos nueſtros 25
bienes..... |²³ Feyto fue efto el dia z el anno de fufo efcripto. Seyg-(●)-nal
de mi Domingo Pereçs de Barbaſtro, publico notario de Albaruela que
efto efcriuij z por letras |²⁴ lo partiy.

A. M. de Alquézar, signatura cronológica. — Línea 6, *Bafcaras*....., siguen varios nombres de jurados. —4 y 9, *limitaci*[*ne*]*s*, escrito sin tilde. — 15, *de Reras,*
escrito *deras,* con tilde sobre la *r.*

104

Año **1329,** 28 de enero. – JACA. — Not.: Gil Sánchez de Tolsana.

*Doña María Gil y sus hijos Gil, Toda y Sancho, vecinos de Banaguas,
hacen donación de todos sus bienes a Dominga, su hija y hermana respec-
tivamente.*

Sepan todos homnes, los prefentes elos quj fon por venjr, como
nos donna Maria Gjl, muyller de Per Açnar que fue z Gjl Xemeneç,

eToda eSancho, fillyos fuyos, veçinos deBanahuas, todos enfenble z
cadauno denos por fi, |² non forçados nj enganados nj porninguna
manera deçebidos, antes de grado, decierta fciençia, con efta prefent   5
publica carta pora todos tienpos valedera enon enalguna coffa reuoca-
dera, por muytos agradables plaçeres queuos |³ Domenga, muyller de
Garcia Pintano efillya demj dita donna Maria Gjl, veçina de Jacca,
anof hauedes feyto z cada dia non çefades de fer, et hemos fofpeyta
que faredes daquja delant, enprefençia debuenos homnes damos |⁴ elue-   10
go de prefent liuramos enpura donacion feyta inter viuos, auof dita
Domenga, todos nueftros bienes mobles efedientes quenos hauemos
enla villa deBanahuas, enfus termjnos, enla villa dAuay, enfus termj-
nos, fpeçial|⁵ment vnas caffas z hun caffal enla villa deBanahuas, que
affruenta con caffas de Petro Çerron, edela otra part con carrera pu-   15
blica econ huerto de Martina Parda, con todas las oftillyas que dentro
enlas ditas caffas fon, de fuft, de |⁶ fierro, de lana, delino darapne z
demetal. Item affruenta el dito caffal con carrera publica z dela otra
part con huertos de fan Johan dela Penna. Item dieç canpos z vna
vinya edos huertos entermjno deBanahuas. Item vna vinya |⁷ entermino   20
dArrafiella, perteneçientes al dito palacio. Item .vii. canpos entermjno
dAuay, z vnas caffas enla villa dAuay. Item affruentan las ditas caffas
dAuay con caffas de fillyos de ‘Garcia Larbeffa, que fue, z dela otra
part con carrera |⁸ publica. El primer canpo delof dAuay alas eras
dios, que affruenta con canpo de Johan Martineç de Benies, edela otra   25
part con carrera publica; item el fegundo canpo abia Mallyuels, que
affruenta con canpo don Gyllem Deçça, que fue, z con carrera |⁹ publi-
ca; item el terçer canpo naNaua, que affruenta con vinya dAçnar Macro
econ canpo don Gyllem Deçça; item el quarto canpo aFenarol, que
affruenta con canpo de fillyos de Garcia Larbeffa econ canpo del fagrif-   30
tan de fan Johan dela Penna; item el qujnto canpo |¹⁰ aFfocillyo, que
affruenta con canpo de fan Per de Jacca e con la Padul; item el fexto
canpo fobre fanta Coloma, que affruenta con canpo del dean de Jacca;
item el feten canpo enla fierra dAuay, que affruenta con canpo don
Ponç Tallyador, que fue, econ canpo de Johan de No|¹¹ues. Item quatro   35
vinyas etres vuertos entermjno dAuay edos eras. Item la primera vinya
alaBoruenya, que affruenta con vinya de Johan dAuay, que fue; item
la fegunda vinya naCorona, que affruenta con vinya de Sancho Tallya-
dor, que fue, econ vinya de Gjl |¹² Açnareç, que fue; item laterçera vin-

ya naCorona dAuay, que affruenta con vinya de Garcia Larbeſſa econ 40
vinya deMartin Adobador, que fueron; item la quarta vinya naquel
miſſmo lugar, que affruenta con vinya de Garcia Larbeſſa z con vinya
dela caridat dAuay. Item |13 los ditos huertos ſon enelarrial de Auay.
El primer canpo deloſ de Banahuas ye alrio dios, que affruenta con
canpo dela coffraria de Banahues z con canpo de Pelegrina; item el ſe- 45
gundo canpo alMont Alto, que afruenta con Domjngo dEnego z con
canpo de |14 Domingo Çerron; item el terçer canpo nabia dAuay, que
affruenta con carrera publica z con canpo Domjngo Açnar; item el
quarto canpo naUallyellya mayor, que affruenta con canpo Domjngo
Açnar z dela otra part con canpo de Maria SanBartalomeo; item el 50
qujnto |15 canpo naquel mjſmo lugar, que affruenta con canpo Do-
mjngo Açnar z con canpo de Martina Parda; item el ſexto canpo enlE-
ſelato, que affruenta con carrera publica econ canpo Domjngo Açnar;
item el ſeten canpo naCorona drAllyacar, que affruenta con Domjngo
|16 Açnar econ canpo de Maria SanBartalomeo; item el .viii°. canpo 55
naUallellya menor, que affruenta con canpo Domjngo Açnar econ
canpo de Gjl Sançheç; item el nouen canpo en..... iel, que affruenta con
canpo don Gyllem Deçça econ canpo del ſagri|17ſtan de ſan Johan dela
Penna; item el .x°. canpo traſ el Pueyo, que affruenta con canpos don
Gyllem Deçça, que fue. Item la dita vinya nAllyacar, que affruenta con 60
vinya de Sancho..... z con vinya de Johan de Caraſtue. Item affruenta el
primer huerto |18 con caſſas don Gyllem Deçça econ caſſas de Petro la
Canbra; item el ſegundo huerto affruenta con huertos de Martina Parda.
Item affruenta la dita vinya dArraſiella con vinya don Gyllem Deçça
z con vinya Domjngo dOruen. Encara vos |19 damos ſiet houellyas z 65
vna gegua, pello negra, z hun polltro, pello bermellyo, z dos roçines,
launo pello negro, laotro pello bermellyo; item dos bacas, pello bermellyas. Aſſi como eſtas auant ditaſ affrontaciones enſarran edeparten
ademjron las ditaſ caſas, caſſal, canpos, vinyas z huertos, aſſi aquelloſ
vos damos todos |20 entegrament con fuſta, liena, paretes, fundamjen- 70
tos, eſpuendas, vites, arboles, entradas ehexidas, z con todos ſus dreytos, perteneçientes z pertenjr deujentes alaſ ditas caſſas, caſſal, can-
pos, vinyas, huertos, por qual|21qujere manera o raçon. Las ditas
caſſas, caſſal, canpos, vinyas, huertos etodas las otras coſſas deſuſſo
contenjdas damos auos todas entegrament, jus tal condicion queuos 75
fagades delas ditas caſſas dAuay ecanpos z delas |22 tres vinyas z huer-

tos detrehudo encadaun anno aldean de san Per de Jacca seççe dineros zmeallya z dieç quartales meftadencos detrigo z deceuada, mefura
coffera. Encara queuos dedes epaguedes detrehudo enca|²³daun anno
delas ditas dos vinyas dela Boruenya edArrafiella aFortaner Cuyteller, 80
veçino de Jacca, dieç folidos de jaqueffes. Efendo el dito trehudo encadaun anno, como dito yes, ayades las ditas caffas, caffal, canpos, vi-
nyas, |²⁴ huertos, oftillyas, beftias, ouellyas etodas las otras coffas de
fuffo contenjdas, detodos otros trehudos francas, qujtias, menos de tot
otro trehudo z de çens. Hont queremos z atorgamos pornos epor los 85
nueftros |²⁵ que daquiadelant ayades z poffidadef, expleytedes vueftra
propria heredat, las ditas caffas, caffal, canpos, vinyas, huertos etodas
las otras coffas defufo contenjdas, por dar, vender, enpenyar, camjar,
allyenar, epor |²⁶ fer atodas vueftras proprias voluntades, vos etoda
vueftra generacion epofteriedad vueftra, portodos tienpos, segunt dona- 90
çion mellyor z mas fanament puede feer dito z entendido, apro z
abien efaluamjento vueftro edelos vneftros. |²⁷ Eamayor vueftra fegu-
ridad damos avos fianças de faluedat delas ditas caffas, caffal, canpos,
vinyas, huertos, oftillyas, ouellyas z beftias, fegunt fuero dAragon, a
Johan de Guafillyo z aMaria, muyller fuya, veçinos de Gua|²⁸fillyo, ad 95
amos enfenble z cadauno dellos por fi, enos mifmos con ellos enfenble. Enos ditos Johan eMaria, prefentes, portalles fianças, nos atorga-
mos de faluedat como dito yes deffufo, jus obligacion detodos |²⁹ nuef-
tros bienes. Teftimonjos fueron defto Aymar dAtes z Johan deLo-
gronyo, veçinos de Jacca. Feyto fue efto quatro dias naxida del mes de 100
janero, era millefima CCC.ª LX.ª feptima.

|³⁰ Eyo Gjl Sançheç de Tolfana, por actoridat del fenyor rey no-
tario publico portodo el merinado de Jacca, efta carta fcripuie z con
aqueft mi acoftupnado fig-(●)-no lan farre, e fobre fcripuie enel .xix°.
|³¹ renglon dou diçe dos roçines, launo pello negro, laotro pello ber- 105
mellyo, item dos bacas pello bermellyas.

A. H., Franciscanos de Jaca, *P*-4. — Líneas 57 y 61, hay un roto que ha des-
truído cuatro o cinco letras en cada línea. — 77, *seççe,* rehecho sobre *doççe.* —
La palabra *vinya* lleva siempre encima una tilde horizontal. La *f* y la *ſ* iniciales
de palabra van generalmente escritas con trazo vertical doble.

105

Año **1331,** 11 de junio. — JACA. — Not.: Francés de Bonsón.

Sentencia arbitral sobre el pleito mantenido por el monasterio de Summo Portu contra los pueblos del valle de Aísa respecto a la propiedad de un puerto del Pirineo.

Eſt yes tranſlat bien ɀ ſydelment ſacado de una carta publica de ſentencia, de palaura apalaura, de la qual el tenor es atal: Anno Domini M.° CCC.° [XXX.°] primo, dia lunes, terçio idus junij enel capitol dela ecleſia de ſan Per de la ciudad de Jacca, do eran conſtituydos peſſonalment los honorables ²| Pere Vaylo, ſauyo endreyto, ɀ Miguel Lopez dUncaſtiello, veçiɲos de Jacca, los quales ſon arbitros electos entre los pleytos ɀ queſtiones que eran oſperauan de ſeer entre el prior ɀ conuento del moneſterio de Saɲta Chriſtina de la una part ɀ los homɲes ɀ vniuerſidat de la vylla de Ayſa dela otra part; |³ ɀ los ditos arbitros hauieſen çitado ɀ mandado ɀ aſignado a las ditas partes quel preſent dia pareĺcieſſen ante ellos aoyr ſu ſentencia, la qual ellos entendian dar..... ɀ como los ditos homnes dAyſa no..... |⁴ querieſſen pareſcer ante ellos a oyr ſu ſentencia, maguer muytas vegadas por ellos ɀ por letras ſuyas requeridos, fray Bernart de Les, procurador de los ditos prior ɀ conuento de Santa Chriſtina, eſtando preſent..... |⁵ los ditos arbitros pronunciaron ɀ dieron ſu ſentencia..... en la forma ſegyent..... |⁶ Como pleytos o queſtiones que eran..... entre las ditas partes..... |⁷ ſobre la propriedat ɀ la poſeſſion del puerto clamado Ca[n]pdalchun, ɀ encara ſobre el uſo de paſçer, tayllar, abeurar, acabanyar..... |¹⁴ ɀ hauido ſobre aquellas conſeyllo de ſauyos, Dios tanſolament hauiendo ante nueſtros hueyllos, como cierto ſia anos..... |¹⁵ [las ditas partes] auer ygual dreyto en la poſſeſſion del dito termino..... |¹⁶ diçimos ɀ mandamos que..... |¹⁶ paſcan ɀ puedan paſcer en el dito puerto..... |²⁴ ɀ porque coſtupnada coſa yes de tanto tienpo ha entaca que memoria de homɲes no yes en contrario, que los ganados grandes que entrauan a paſcer en el termino |²⁵ o puerto de Caɲpdalchuɲ por los ditos prior ɀ conuento, entrauan cruçados ɀ ſynalados, por eſto ſentenciando..... mandamos que |²⁶ cruçen ɀ ſian tenidos cruçar todo el ganado, yes a ſaber, vaccas, yeguas que metran a paſcer..... ɀ ſeynalen el menudo con alfena o como

querran, afi q*ue* |²⁷ fe mueftren fynalados..... |⁴¹ *z* que los homnés d*e* la 30
villa dAyfa *z* los d*i*tos prior *z* conue*n*to, enfenble o cadauno por fi,
acarnaleen o puedan acarnalar |⁴² *z* pindrar *z* getar todo ganado eftra-
nio del d*i*to termino o puerto de Ca*n*pdalchun..... *z* el carnal fea d*e*
aquellos q*u*i lo auran acarnalado..... |⁵² It*em* por los hermanos d*e*los
|⁵³ hom*n*es d*e*la vniuerfidat dela vylla dAyfa entendemos los homnes 35
d*e*la villa de Synuas *z* de la vylla dAfpofa *z* de la vylla dAraguas del
Solano. It*em* como a nos fia çierto los ditos homnes dAyfa auer prefo
d*e* las vaccas, oueyllas *z* puercos d*e*l d*i*to prior *z* de fray|⁵⁴res d*e*l d*i*to
monefterio, prendiendo *z* matando aquellas *z* leuandofelas confi no
juftament, las quales los d*i*tos homnes fon tenidos *z* deuan reftituyr *z* 40
enmendar al d*i*to prior, por efto..... |⁵⁵ mandamos q*ue* los homnes dAyfa
den *z* pagen cient *z* çinquanta fo*l*ido*s* d*e* jaquefes al d*i*to prior.....
|⁵⁹ Dada *z* leyda fue efta fentencia por los d*i*tos arbitros en el capitol
d*e*la eglefia d*e* fan Per d*e* Jacca en el an*n*o *z* dia q*u*i d*e* fufo..... |⁶¹ *E* yo
Nicolau de Lafcar, notario publico de Jaca..... efta carta efcriuye. |⁶⁵ *E* yo 45
Françes de Bonfom, notario publico d*e* la ciudat d*e* Jacca, eft traflat
de fu original faque de palaura a palaura, con letras fobre fcriptas en
lo .xx°. renglon *z* en lo .xviii°. y en lo .xxiii°.

A. M. de Aísa, perg. núm. 4. — Traslado coetáneo de la escritura original.

106

Año **1336,** 22 de octubre. — E*na, part. de Jaca. — Not.: Ponz de Zoprat.

Acta notarial sobre la construcción de una casa en la villa de Santa Cruz.

A*nn*o D*om*ini mille*f*imo CCC.° XXX.° VI.°, dia mart*e*s, .xxii. dia*f*
a*n*dados d*e*l me*f* doctob*r*e, en pre*ff*encia d*e* mj, not*ario*, *z* d*e*lo*f* tefti-
mo*n*ios d*e* jufo fcriptos, |² co*n*ftituydo do*n* Lop dEccho, rector d*e*la
eglefia de Pat*e*rnue baytll*e*s en la vila d*e* Sa*n*cta Cruz, ant*e* la puerta d*e*
fufcafas, l*a*s quales ha |³ en la dita vila d*e* Sa*n*cta Cruz, la*f* qual*e*s affruen- 5
ta*n* co*n* el cafal q*u*e ef dito d*e* Vaqu*e*ra, *z* co*n* carrera publica, *z* co*n*
huerto o corral de |⁴ Joha*n* de Tena; et p*r*opufo *z* dixo el dito do*n*
Lop, *z* jnterrogo a B*e*rtholomeu d*e* Vaqu*e*ra, a Guill*e*m d*e* Sa*n*t Vi-
çie*n*t, a Blafco Efporret, *z* |⁵ a do*n* Joha*n* de Migu*e*ll, *z* a Gill d*e*la Sora,

a Johan dIeſt, ʒ a Bertran de Veral, ʒ a don Sancho dArbuas, vicario 10
de Sant Crabaſ, vezinos ʒ habitantes |⁶ en Sancta Cruz, que eyllos ſiſa-
bian quanto tiempo hauia que el dito don Lop auia començado de ſer
ediſficar ʒ obrar las ditas caſſas, |⁷ loſ quales dixieron que loſ ſemeylaua
que laſ auia compeçado de obrar en la exida del mes de mayo, primero
paſado. Item enterrogo el |⁸ dito don Lop dEccho ʒ demando a loſ ſo- 15
bre ditoſ..... que ſi ſabian eyllos o loſ acordaua quanto tiempo auia que
eyl auia feytos ʒ leuan|¹⁰tados los portales en las ditaſ caſas, loſ quales
dixieron que loſ ſemeylaua que los portales hj eran feytos por la fieſta
de ſant Johan |¹¹ Babtiſta, primera paſada. Item demando ʒ jnterrogo el
dito don Lop alos ſobre ditos....., que ſi ſabian eyllos, o ſi loſ |¹³ acor- 20
daua, quanto tiempo auia que eyl auia cubierto o feyto cobrir el primer
cobierto o terrado en las ditas caſas, loſ quales dixieron que |¹⁴ loſ
ſemeylaua que por la fieſta de ſancta Maria dagoſto, primera paſſada,
que ya era cubierto et feyto el primer terrado o cubjerto. Item |¹⁵ de-
mando ʒ jnterrogo el dito don Lop dEccho alos ſobre ditos....., que 25
eyllos ſi ſabian olos acordaua quanto tiempo auia que eyl auia cubjerto
o feyto cubrir el terra|¹⁷do mas alto delas ditas caſſas, loſ quales dixie-
ron que los ſemeylaua que auia compeçado de leuar el dito terrado maſ
alto |¹⁸ en la exida del meſ de ſetiembre, primero paſſado. Et de todas
las ſobre ditas coſſas el dito don Lop dEccho requerio a mj, notario, 30
|¹⁹ que len fezieſ carta publica aconſeruacion de ſu dreyto. Feyto dia ʒ
anno vt ſupra. Teſtimonios fueron preſſentes en el |²⁰ lugar, clamados
ʒ pregados, Garçia Nencos ʒ Domingo Aquilue, vezinos de Sancta Cruz.
Jo, Ponç deZoprat, notario |²¹ publico de Ena ʒ dela honor del moneſ-
terio de ſant Johan dela Penya, ʒ dela honor del moneſterio de Sancta 35
Cruz, ʒ dela junta |²² dela vayl dAtares, eſta carta ſcriuje ʒ eſt mi
ſing-(●)-nal acoſtupnado yfaçie.

A. H., Benedictinas de Santa Cruz, *P*-138.—La *f* y la ſ iniciales llevan generalmente doble trazo vertical. La *s* final unas veces es larga y otras redonda.—
Líneas 3, 15 y 30, *Eccho*, la *c* y la *t* son tan semejantes en todo este documento, que no se puede saber con seguridad si en este caso se debe leer *Eccho* o
Etcho.

107

Año **1337,** 2 de junio. — BARBASTRO. — Not.: Domingo Amargos.

Presentación de un privilegio del monasterio de San Juan de la Peña a Gillén Pérez, administrador de las salinas de Naval.

Sepan todos, quod anno Dominj, M.º CCC.º XXX.º septimo, dia lunes, .IIII.º nonas de juyno, enla ciudat de Barbaſtro, ante lonrado Guillem Pereç de |² Sixena, miniſtrador delas ſalinas de Nabal por el ſenynor rey, enlas caſas del dito Gillem Pereç fue perſonalment eſtablido don Lop |³ dUnoç, clauero mayor de ſant Johan dela Penna et ante mj 5 notario z los teſtimonjos dioſ eſcriptos preſento al dito Gillem Pereç, et por mj |⁴ dito notario leyr fiço vna carta ſcripta en paper delmuyt excellent ſenynor rey don Pedro, ſeyllada enel dos conſu ſiello de cera vermey|⁵la, dela qual la tenor es ſegunt que ſe ſeguex: Petrus Dei gratia rex..... |²⁵ La qual preſentada z leyda requerjeu el dito don Lop, cla- 10 uero, al dito Guillem Pereç, miniſtrador, que ſeguis z |²⁶ conplis el mandamiento del dito ſenynor rey et obſeruaſe z obſeruar ficieſe no reuocablement al dito abbat et conuento loſ |²⁷ ditos priuilegios, juxta las tenores daquellos, et encara liuraſe oliurar ficieſe et reſtituyr luego franchament las pendras o |²⁸ quales quiere otras coſas que por la raçon 15 ſobredita feytas opreſas fueron por el dito Guillem Pereç o por ſus lugares tenien|²⁹teſ, juxta el mandamiento del dito ſenynor rey. Et delas coſas ſobreditas, de todas z cadaunas requerjeu el dito don Lop, |³⁰ clauero, amj notario dios eſcripto que dela preſentacion dela dita carta et dela dita requiſſicion le ficies carta en forma publica. Et |³¹ el dito Gui- 20 llem Pereç, adminiſtrador, dixo que el recebia la carta del dito ſenynor rey con grant reuerencia z honor et era |³² prieſto et pareyllado ſer enlas ſobreditas coſas aquello que deuieſ; et demando traſlat dela carta del dito ſenynor rey ael ſeer |³³ dado en forma publica. Preſentes deſtimonjos, aeſto ſpecialment nopnados, Exemeno Duea, vecino de Barbaſ- 25 tro, et Sancho |³⁴ del Hueſo, vecino de Nabal. Yo, Domingo Amargos, notario publico dela ciudat de Barbaſtro, et de actorjdat del ſenynor rey |³⁵ por todo el regno dAragon, qui atodas las coſas deſus ditas

pre∫ent fue et arequirjmien̄to del dito don Lop, clauero, e∫ta car|³⁶ta
∫crjuie |³⁷ et fiç mi aco∫tupnado sig-(●)-no.

30

A. H., San Juan de la Peña, *P*-739. — Tilde horizontal sobre *pn* en *nopnados,*
línea 25, y *aco∫tupnado,* 30. — Línea 25, *Duea,* la *e* es segura; no puede leerse
Duca.

108

Año **1338.** 8 de junio. — Perarrúa, part. de Benabarre. — Not.: Ramón del
Agullero.

Venta de una olivera de María Laclosa a Sancha Biscara.

Sepan̄ todo∫ como yo Marja de Laclo∫a, beçjna de laujlla de Pera-
rua, por mj z por todo∫ mjo∫, conaque∫ta pre∫ent publjha |² carta, por
todo∫ tjnpo∫ ∫ermament baledera, bendo z depre∫ent ljuro auo∫ na
Sanxa Bj∫cara, abitan̄t en |³ lo ca∫tel de Perarua, auo∫ ealo∫ vo∫tres por
todos tjnpos de gama∫, e∫a∫aber huna holjuera que yo e en hun̄ canpo   5
|⁴ mjo que yo e en lo termen de Perarua, logar on e∫dito ala∫ Fontja-
lla∫, que con∫[r]onta lo dit canpo, por do∫ parte∫, en bj|⁵as publjhas, z
por laterçera pa[r]t en torent. En tal manera z condicjon ben̄do yo
avos la ∫obre dita holj|⁶uera, que uo∫ pu∫cas tener z los uo∫t[r]es en lodit
canpo açella, tanto deten̄pe∫ qanto auo∫ benbjsto ∫era, |⁷ e aqella pu∫- 10
cade∫ cauar z co∫todir ben z gen̄t adarredor, z colir z plegar la∫ holj-
ua∫ que daqella exiran, qando |⁸ auo∫ eallos uo∫t[r]es benbj∫to ∫era;
eaxi bendo auo∫ aqella ∫obredita holjuera conlacondicjon ∫ob[r]edita,
|⁹ per preu z per alifarara que entremj z uo∫ amjgablement compo∫an,
e∫a∫aber per .ii. ∫olido∫ z mjg de diner∫ jaqe∫ |¹⁰ es de bona moneda; 15
lo∫ qual∫ .ii. ∫olido∫z mjg, de uo∫ en mj poder de uo∫ berdadera ment
eaujdo∫ z reçebjdo|¹¹∫, renucjant atota eçepcjon de f[r]au z dengano,
de no auer aujdo∫ z recebjdo∫ de uo∫, en mj poder, lo∫o|¹²bredit preu;
eaxi quiero eatorgo que la dita holjuera, conlaconditjon ∫obredita, ay[a]-
de∫, con entrada∫ z con[e]|¹³xida∫, adar obender, cocamjar oaljanar z ∫er   20
atota∫ uo∫tra∫ propria∫ boluntade∫, per todo∫ tjenpo∫, ∫ego|¹⁴nt que de
∫u∫ ditoe∫; z portal que ma∫ ∫egura en ∫iade∫ de ladita holjuera z con-
dicion ∫obredita, que a uo∫ |¹⁵ ∫aga (∫aga) tener z po∫edir, dono uo∫
nefiança de saluedat z de ∫egurjdat, e∫a∫aber Ramon del Aguylle|¹⁶ro,
notarjo daual e∫c[r]ipto qui fiança ∫atorga. Feyto ∫ue∫to .vi. jdus de juyn,   25

delan de Noſtre |¹⁷ Sinor M.º CCC.º XXXVIII.º. Teſtimonjoſ foren pre-
ſentes deſto, nErmengol de la Salla, eſcuder, abitant en·|¹⁸ lo caſtel de
Perarua, z Pere Feſtuc, abitant en lodit lohoc. Yo Ramon del Aguylle-
ro, notarj publiho de |¹⁹ laujlla de Perarua, que aqeſta carta partje z
mj ſy-(●)-nal aqui poſe.   30

A. H., Benedictinas de Santa Cruz, *P*-174.—La *c* en *como*, *Lacloſa*, línea 1; *carta*, 2; *Bjſcara*, *caſtel*, 4; *canpo*, 5; *confronta*, 7; *condicjon*, 8; *puſcas*, 9; *puſcadeſ*, 10,
y en los demás casos análogos tiene la forma de una *ç*, como la que aparece en
terçera, 8; *eçepcjón*, 17, y *fiança*, 24; *lohoc*, 28, lleva también esa misma *ç*; es, en cambio, *c* sin cedilla la segunda de *condicjon*, 8, 13, y de *eçepcjon*, 17, así como también
la de *renucjant*, 17, y *eſcripto*, 25; la *ç* aparece en *reçebjdoſ*, 17, y la *c* en *recebjdoſ*, 18.
Hay tilde ociosa sobre *gamaſ*, 5; *canpo*, 7; *tener*, 9; *ben*, *plegar*, 11; *compoſan*, 14; *co-
camjar*, 20, y en otros muchos casos. Esta tilde, que es generalmente una rayita
delgada, horizontal, sobre las palabras, aparece igualmente sobre *tjnpos*, 3, 5, y
sobre *tjenpoſ*, 21; prescindo de ella en ambas formas y la interpreto como *n*
en *tenpeſ*, 10. En *vostreſ*, 4; *uoſtraſ*, 21, la he interpretado como *r*, y en *puſcas*, 9,
como *ſ*, aun cuando acaso sólo se trate aquí de olvidos de letras.

109

Año **1340**, 25 de septiembre. — JACA. — Not.: García Pérez de Asieso.

*Concordia entre el procurador del Cabildo de la catedral de Jaca y Ber-
nart Ramón Ballester, sobre el derecho de éste a hacer ciertas obras junto a
una capilla de dicha catedral.*

Sepan todos que como contencion fues z ſperaſſe ſeer entre maeſtre Bernart de Salanaua, procurador del honrado z ſauio don Bernart
de Barriera, dean de Jacca, de vna part, z Bernart Ramon Balleſter z
ſu muyller Narbona vezinos de Jacca, de otra, ſobre eſto, es aſaber: que
como |² los ditos [Bernart Ra]mon z sụ muyller hayan vn caſal en la   5
ciudat de Jacca, delant San Per, que faze de trehudo al dean de Jacca
tres ſolidos jaqueſeſ, que afronta de vna part con la capiella de Sant
Espirit, z conel eſpital de la almoſna, z de la otra conel cimenterio,
z con carrera publica |³ de otra; [en la qual] hauian enpeçado de obrar,
z ellos dixieſſen que pudian z deuian leuantar caſas en aquell caſal   10
quanto querieſſen, z cargar en la paret que es entre la dita capiella z
el dito caſal, z getar la aguas de la dita capiella z del eſpital, quanto el
dito caſal ſuyo tenia, auna |⁴ gota [enta la carrera] de los Baynos, ma-

yormer*n*t como ellos hauieſſe*n* pagada la mitat de la miſſion que la d*i*ta
p*a*ret hauia coſtado de ſer. Et el d*i*to maeſtro Bernart, p*ro*cu*r*ador del   15
d*i*to dean, dizia *z* afirmaua que uerdat era q*ue* el d*i*to Bernart Ramo*n*
z ſu muyll*e*r pudian car|⁵gar en la paret q*ue* es ent*r*e la d*i*ta capiella
z el d*i*to caſal, mas q*ue* no pudian ni deuian mas leua*n*tar caſas enel
d*i*to caſal q*ue* agora eran de preſent alli ſeytas, como ſues gra*n*t periudicio d*e*la capiella ſi toda lagua ſe hauia abeſſar a vna part. *E* aſſi q*ue*-   20
riendo cada |⁶ una delas d*i*tas p*a*rte*s* euitar miſſione*s* *z* trebayllos, en
preſencia d*e*l honrado en Jheſu Chr*i*ſto padre *z* ſeynor don fray Bernart, por la gr*a*c*i*a d*e* Dios viſpo dUeſca, *z* de los honrados *z* ſauios
don Migu*e*l de Roſanas, tenient lugar de dean, *z* d*e*l capitol dela gleſia
d*e* Jacca, *z* con |⁷ voluntat *z* expreſſo conſentimiento ſuyo ueniero*n* a   25
conpoſicio*n* dela d*i*ta queſtio*n* o contencion en aqueſta manera: Quiſo
el d*i*to maeſtro Bernart, p*ro*cu*r*ador del d*i*to dean *z* expreſſament con-
ſentie *z* otorgo q*ue* los d*i*tos Bernart Ramo*n* *z* ſu muyll*e*r *z* los ſuyos
puedan leua*n*tar las caſas |⁸ q*ue* ſazen o entienden aſer en*e*l d*i*to caſal
ta*n*to qua*n*to ellos q*ue*rran, *z* q*ue* puedan cargar enla d*i*ta p*a*ret q*ue*   30
es ent*r*e la d*i*ta capieylla *z* el d*i*to caſal, la qual recon*e*ſcie q*ue* es de
comu*n* *z* de mitat de la d*i*ta capieylla *z* el d*i*to caſal, *z* getar a p*ro*-
p*r*ias miſſione*s* dellos |⁹ las aguas de lad*i*ta capiella *z* del d*i*to oſpital
ta*n*to qua*n*to el d*i*to caſal tiene enta la carr*e*ra de los Baynos, aſſi que
todo el t*e*rrado dela d*i*ta capiella *z* d*e*l d*i*to oſpital qua*n*to el d*i*to caſal   35
tien*e* pienda *z* eſte a una gota enta la carr*e*ra de los Baynos, *z* ellos
q*ue* den dreça a laſ aguas d*e*las |¹⁰ caſas q*ue* alli ſazen o fara*n* enta
otra p*a*rt o otras partes, aſſi q*ue* de aqu*e*llas no*n* de[n] ni bieſſe*n*
todas nin partida ſobre las d*i*tas capieylla *z* oſpital; en tal man*e*ra en-
p*e*ro q*ue* por la huebra q*ue* alli faran non tiren la luz dela capieylla,   40
antes ſian tenidos ſer en man*e*ra |¹¹ q*ue* y entre luz qua*n*ta meſt*e*r ſara;
aſſi encara q*ue* la huebra q*ue* ellos y fara*n* no*n* torne agora ni a t*ie*npo
a dayno ni deſtruccio*n* dela huebra dela d*i*ta capieylla *z* oſpital, *z* ſi lo
fazian..... |¹³ ſian tenidos met*e*r ma*n*o aguiſar *z* reparar aqu*e*ll dayno *z*
destruccion, *z* que continueye*n* en aquell adobo |¹⁴ entro que acabado   45
habran ..... |¹⁷ Et los d*i*tos Bernart Ramo*n* |¹⁸ *z* Narbona, muyller del,
prometieron *z* obligaro*n*se al dea*n* que es *z* por t*ie*npo ſera en la d*i*ta
egleſia de Jacca, ten*e*r, conplir *z* obſeruar todas *z* cadau*n*as coſas *z*
condiciones ſobred*i*tas, como myllor d*i*tas ſon deſſuſo, obligando ad
aqu*e*llo todos ſus biene*s* moble*s* *z* ſediente*s*, |¹⁹ hauidos *z* por hauer en   50

todo lugar, ɀ ſpecialment la poſſeſſion ɀ propriedat delas ditas caſas....
|³³ Et el dito ſeynor viſpo al preſent contrato ɀ a todas ɀ cada unas coſas
en aquell contenidas die ſu actoridat ɀ interponie ſu decreto..... Feyto
fue |³⁴ eſto ſeptimo kalendas octobre, era milleſima treſcenteſima ſep-
tuageſima octaua. |³⁵ Sig-(●)-no de mi Garcia Perez del Aſieſo, notario ₅₅
publico de Jacca ɀ por auctoridat del ſeyonr rey por todo el regno dAragon, que a todas las ſobreditas coſas preſent fue ɀ eſta carta ſcriuie.....

A. C. de Jaca, perg. núm. 12. — Tilde sobre *afronta*, línea 7, y constantemente sobre *yn* en *Baynos, ſeynor* y *dayno.*

110

Año **1341,** 26 de marzo.—ALQUÉZAR (?), part. de Barbastro.—Not.: Juan Martínez de Mendoza.

*Cuestión entre los vecinos de Huerta y los clérigos de Santa María de
Alquézar sobre si aquéllos debían o no ayudar a pagar cierto subsidio demandado por el obispo de Huesca.*

Manifieſta coſa ſia a todos que como pleyto, queſtion ɀ demanda
fueſe o eſperaſe deſeer entre los muyt honrados ɀ ſauios don Johan de
Canales, prior de Santa Maria dAlqueçar..... |³ ɀ Pero Melero ɀ Domin-
go Morcat, vecinos dUerta ɀ procuradores de los |⁴ homnes del ſenyal
del dito lugar..... vaſſallyos dela dita ecleſia..... |⁸ enla qual procuracion ₅
los ſobreditos procuradores an poder de firmar ɀ ſegurar..... o quantra
deçir quales quiere coſſas que ſeran tractadas..... |⁹ ɀ dar fiança de
dreyto, de firme ɀ de riedra ɀ de ſaluedat ɀ qualquiere otra ques con-
uera..... |¹⁰ ɀ fer todas coſas que leyales procuradores pueden ɀ deuen
fer, ... |¹¹ ɀ como ſea ɀ yes coſſa notoria ɀ manifieſta quel lugar dUerta ₁₀
yes de Santa Maria dAlqueçar ɀ de nos dito prior ɀ racioneros..... |¹³ por
eſta raçon, quel ſenyor viſpe dUeſca a gitado a las gleſias ɀ a la glere-
çia a el ſotzmeſſa ſubſidio por ſu uiſpado..... |¹⁵ entendemos nos que
como nos ayamos a aiudar ɀ acorer al dito ſenyor uiſpe en las ante
ditas coſas, que los homnes ɀ femnas que ſon del ſenyal de ſanta Maria ₁₅
ante dita..... |¹⁶ deuen ſeer tenidos de aiudar ɀ acorer anos aquelyo
que juſto es en ſenblantes caſos, aſi como buenos vaſalyos deuen ſer
a ſenyor; ɀ agora como nos ditos prior |¹⁷ ɀ racioneros fiçieſemos de-
manda a los ditos homnes ɀ femnas dUerta..... quelyos al dito ſubſidio

nos quifiefen aiudar..... elyos dixieron q*ue* nonde eran tenidos nin acore- 20
|[18]rian de ninguna coffa, por que decian que en fe*n*blant caffo nunca
auian pagado, *z* ques dupdauan que fi pagauan en aquelyo que les le
querian demandar por huffo; *z* fobrefto enuiaron aHuefcha *z* dieron a
entender al d*i*to fenyor vifpo la demanda que les facia|[19]mos, *z* que
non deuian pagar..... El d*i*to fenyor uifpe, entendida la raçon d*e*fu part, 25
dioles vna carta pora nos otros que fobrefeefemos de no*n* conftrenyerlos
porla d*i*ta.raçon, pero que parexiefemos ante el |[20] por ferle a entender
el f*ei*to dela uerdat; *z* parexieron ante el algunos delos d*i*tos racioneros,
z dieron le a entender fegunt decian el f*ei*to de la uerdat, *z* lel auian
moftrado por liuros de contos ya del tienpo paffado..... El d*i*to fenyor 30
vifpe..... |[21] dio por juge don Pero Lopez de Boltanya, rehctor de Bol-
tanya, el qual fue a Alqueçar, *z* fueron en el palacio de Santa Maria
del d*i*to lugar el |[22] d*i*to prior *z* racioneros *z* el d*i*to juge. *E* los fobre-
d*i*tos procuradores acordaron *z* vidieron por bien, que la demanda *z*
defenfion d*e*las d*i*tas partes fe fegiria grandes danyos *z* mefiones; trah- 35
taron auiniença..... que |[23] cada uegada que fubfidio fera gitado por
Papa, por arcebifpe, por rey o por ifant ho por pronu*n*ciacion de uifpe
que los homnes *z* femnas del fenyal de Santa Maria dAlqueçar.....
|[24] fean tenidos de dar *z* pagar..... |[26] *z* que demanda alguna por raçon
de fubfidio no les podamos fer ni les fagamos..... |[36] F*ei*to fue efto feys 40
dias enla fin d*e*l mes de março, era M.ª CCC.ª LXX.ª nona. |[37] Sig-(●)-nal
de mi Johan Martinez de Mendoça, por ahctoridat del fenyor rey publico,
notario general por todo el regno de Aragon, que efta carta efcriuie *z*
por letras la partie.

A. P. de Alquézar, signatura cronológica. — Línea 3, siguen los nombres de
varios racioneros de Alquézar. — 22, *ques,* la *s* confusa, rehecha sobre otra letra.

III

Año **1342,** 29 de mayo. — VALLE DE SARRABLO, part. de Boltaña. — Not.: Juan
de Gara.

Presentación de un privilegio de Santa María de Alquézar al sobrejun-
tero de Sarrablo, sobre la posesión del término de Albas.

Era M.ª CCC.ª LXII.ª, dia martes, q*ue* fue .IIII. kalendas junii, fue
Garcia Sant Arroman, uecino d*e* Albas *z* procurador del prior *z* de los

clerigos racioneros de la glefia de fancta Maria de Alqueçar, con carta de |² procuracion..... an*te* la prefencia de Domingo Uillacanpa, tenient lugar de fobrejuntero en las juntas de Sarraulo *z* de |³ Guarga, *z* prefento *z* fiço leyr una carta del feynor rey, efcripta en paper, fillada en el dos con el fiello del feynor rey, de cera bermeylla..... |⁵ La qual carta, prefentada *z* feyta leyr an*te* el d*i*to Domingo Villacanpa, |⁶ tenient lugar de fobrejuntero, ... |⁷ requerieu al d*i*to Domingo Villacanpa que el mandamiento a el feyto porla carta del feynor rey luego en continent feguis *z* conplis, ... |¹⁰ *z* requerieu lo que lo metes en pofefion del termino de Albas, del qual auia puefto en pofefion quanto en si, Johan de Allue, los homnes del d*i*to lugar de Torreylolla plana. *E* el d*i*to |¹¹ Domingo Villacanpa refpufo *z* dixo que obedia *z* obferuaua· *z* con grant rebrencia recebia la carta *z* el mandamiento a el feyto por el feynor rey, *z* obferuaua encara |¹² el priuilegio del d*i*to feynor rey don Jayme *z* la fentencia dada por don Bernabe de Hurgel, juge, por el d*i*to feynor rey don Jayme. Teftimunias fueron |¹³ a efto prefentes clamados don Domingo, abat de Ofieto, *z* Martin de Miç, uecino de Miç. Feyto fue efto en el era *z* kalendas de fufo efcriptas. Johan de Gara, notario publi|¹⁴co de las juntas de Sarraulo *z* de Guarga, efta carta façie fcriuir *z* efte fig-(●)-nal y façie.

A. P. de Alquézar, signatura cronológica.

112

Año **1344,** 26 de junio. — SARDAS, part. de Jaca. — Not.: Pedro Jiménez.

Concordia entre los vecinos de Cortillas, Cillas y Yebra sobre los pastos de sus ganados.

Manifiefto fia a todos como yo don Arnalt de Fontoua, rector de villya dIau*r*a, enonme proprio *z* anfi como |² procurador que fo de los opnes *z* concellyo dIau*r*a..... |³ *z* nos Sancho *z* Garcia Giral, jurados de los omnes de Cortiellyas..... |¹¹ pllegados a concellyo ala eglefia de Santa Maria, on emos vfado *z* coftumnado de pllegar concellyo, con |¹² finyal de canpana, todos enfenble concillyalment d*e*los fobred*i*tos concellyos de Cortie|¹³llyas *z* de Ciellyas, nos conpofamos *z* femos pacto *z* aviniença perpetua, pora todos tienpos jamas, con vos d*i*to

11

|¹⁴ don Arnalt de Fontoua..... fobre demanda o plleyto que fe fegia
|¹⁵ fobre deguallas z fumas de miefes z de vedados z de boballalles, la ₁₀
qual dita conpofficion..... |¹⁶ yo dito don Arnalt, enonme, z nos ditos
jurados..... |¹⁷ femos en efta manera : Que los onmes z con|¹⁸cellyo de
Iaura, que agora fon z por tienpo feran, que fe paffcan z puedan paxer
con fus ganados, cordos |¹⁹ z menudos, z con qual quiere otros bien
vifto fera, el boballar fuyo clamado Pardiniellya, de |²⁰ Santa † de ₁₅
mayo entro a la fiefta de faMigel de feptienbre..... |²² z las villyas de
Ciellyas z de Cortiellyas no fian te|²³nidos dentrar por el fobre dito
tienpo en el dito bouallar, z findy entrauan que fuefen tenidos de leuar
|²⁴ de fuma los onmes del concellyo de Iaura, o feran vedalleros, del
ramado dovellyas z de crabas, dos *fueldo*s |²⁵ de nuytes, z doze dineros ₂₀
de dia, por cada entrada, z de las vacas o buyes, fi trobadas feran
|²⁶ de diaz afufo, que pagen de nuytes dos fueldos z de dia doze dine-
ros, z fi de diaz ayufo feran, que pagen feys dineros |²⁷ de nuytes z
tres dineros de dia; la qual sobre dita fuma fia tanbien en la padul de
Iaura, en |²⁸ aquel tienpo que vedada fera; mager que puedan paxer ₂₅
los ganados grofos z menudos de las ditas villyas |²⁹ de Cortiellyas z
de Ciellyas en la dita padul, cada que fuelta fera..... |³² Encara que
puedan jazer z amallyadar depues falran de femar o de couillar.....
|³⁵ Encara que fobre nuyt dagua o fortuna de tienpo puedan jazer
|³⁶ en las efplungas de las ditas penas, fien de ninguna pena..... |⁴¹ *E* fi ₃₀
por uentura los ganados gordos o menudos de cada huno |⁴² de los
ditos concellyos fazen talla en mieffes, que qual quiere de los ditos
concellyos, quel fenyor |⁴³ de la mies que tallada fera que pueda leuar
el precio daquellya o tres dineros de fuma z no nenguna |⁴⁴ otra cofa;
z que las ditas mieffes fian pre*çadas por hun onme dIaura z por otro ₃₅
de Cortiellyas o de Ciellyas, |⁴⁵ z fi por ventura amos enfenble non
podian concordar de preçar la mies que tallada fera, que dira |⁴⁶ la
huno que no yes tanta la talla como el otro dezia, que la pueda preçar
el huno, z feyta fe..... |⁴⁷ que tanta talla ya que fia tenido de pagarla
aquel que la talla fara..... |⁵⁰ Encara queremos quel fobre dito pazto z ₄₀
conpoffacion fia firme z valledero pora to|⁵¹dos tienpos jamas. *E* qual
quiere de los ditos concellyos que quantra efto venra queremos q*uel
cofte de pe|⁵²na ci*ent moravedis doro alfonfinos; la qual pena fi fe y
efcayeçra fia la mitat de fenyor rey |⁵³ et lotra mitat de la part obedient;
z pagada la pena ono pagada, el fobre dito pazto z conpo|⁵⁴facion fia ₄₅

firme z valledero pora fienpre atodos tienpos jamas. Feyto fue efto
.v. dias en la |⁵⁵ xida del mes de junyo, era milleffima CCC.ª LXXX.ª
fegunda. Teftimonios fueron defto Pero de Vergua |⁵⁶ z Garcia de Ver-
gua, fillyo fuyo, fcuderos, vezinos de Vergua. |⁵⁷ Sig-(●)-no demi Pero
Xemenez de Sardaffa, notario publico de las juntas de |⁵⁸ Baffa z de Sa-   50
rablo z de la honor de Lares, qui de las notas de Martin |⁵⁹ Xemenez
de la Canal, notario publico de las ditas [juntas], que fue, vezino de
San |⁶⁰ Jullyan, z por fentencia del hondrado Jurdan de Latras, jufticia
|⁶¹´delas ditas juntas por el fenyor rey, z por auturidat de aquel, efta
|⁶² carta fcriuie z por letras la partie dabece.   55

A. P. de Cortillas, perg. núm. 1.

113

Año **1349,** 4 de febrero. — BIELSA, part. de Boltaña. — Not.: Castayn de
Cortina.

*Requerimiento de la ciudad de Aínsa a la villa de Bielsa sobre el cum-
plimiento de ciertos privilegios.*

Conofcan todos quod anno Domini millefino CCC.° XL.° nono, dia
jueues, intitulado pridie nonos de frebero, hen el logar de Vielfa, ante
la eclefia |² mayor, do yeran perfonalment plegados z conftituidos Fer-
tunyo del Son, jufticia de Ainfa z bayle general, tenient logar por el
fi|³nyor rey hen Sobrarb z en las Ualles, Sancho de Grima, jufticia de   5
Vielfa, Guillem del Palaco z Johan Borrel, bayles de Vielfa, |⁴ Belen-
guer de Puertolas, Domingo las Planiellas, jurados, z defi los otros
homnes buenos de la uilla de Vielfa, vniuerfalment |⁵ hen aquel logar
plegados, fue conftituido perfonalment Mateu dEfcuin, jurado z pro-
curador de la vniuerfidat del concellyo |⁶ de la uilla de Ainfa, con carta   10
feita por mano de Exemeno de Buerba, notario publico de Ainfa; z
prefent mi, notario, z los |⁷ teftimonios dios fcriptos, prefento a los
ditos oficiales z fiço fe ante ellos z la dita vniuerfidat de Vielfa leyr,
exponer |⁸ fiço, dos preuilegios hen pergamino efcriptos, a los homnes
abitadores de Ainfa feitos z atorgados, el huno del finyor rey |⁹ don   15
Pedro, de buena memoria, con bulla de plomo pendient fiellada, datum
hen Lerida, .vii. jdus de agofto, anno Domini M.° CC.° L.° |¹⁰ quinto,

hen el qual hentre otras cofas fe contenia vna claufula: «volumus etiam
et concedimus uobis quod homnes menfure de |[11] Vielfa, videlicet,
tritici, vini et aliarum rerum, fint tales quales funt in uilla de Ainfa, et 20
quod homines de Vielfa non fint aufi menfura|[12]re cum alis menfuris
nifi tantum cum menfuris de Ainfa predictis, etc.». El otro preuilegio
yes del finyor rey dAragon |[13] don Pedro, agora recnant con fu fiello
pendient hen cera uermelya fiellado, datum hen Caragoca kalendis de
mayo, anno Domini M.° |[14] CCC.° XXX.° fexto, hen el cual el dito 25
finyor rey les atorga z cofirma a los dAinfa todos preuilegios z liber-
tades que ellos |[15] han, fegunt que mas largament parefce hen la dita
gracia z confirmacion, finyaladament la gracia de aqueftas cofas entre
|[16] otras hen aquel contenidas, es afaber: «ab omni leçda, pedatico,
portatico, vfatico, tolta et confuetudine, nouis et veteribus ftatu|[17]tis et 30
ftatuendis, ita que abis omnibus et fingulis forent fenper cum omnibus
rebuf et merçibus eorum habitis et habendis quas fecum ducent|[18]uel
portarent uel per aliquos nuncios aut capitularios fuyos tranfmiterent
franqui, liberi, ingenui et inmunes, quitii et pe|[19]nitus abfoluti per totam
eius terram et dominationem eius, in terra videlicet mari, ftanyo et aqua 35
dulci, vbique, etc.». E feita la dita |[20] prefentacion z fe el dito procu-
rador dixo z propufo que como las mefuras de Vielfa, fegunt fama
comunal, auiffen |[21] necefario reparacion z examinacion, por tal que
fuefen concordes con las de Ainfa, fegunt fienpre fueron z feer |[22] deuen,
z de fi los homnes de Vielfa por nueua tuelta, feu inponicion, dios uelo 40
de pontache, nueuament, de poco tienpo a|[23]ca, fe effuercen extorquer
pecunia de los habitadores de Ainfa, bienes z mercadarias dellos, z
ayan enantado z feito e|[24]nantar por pindra z otras muytas illicitas z
injuftas coftreytas, contra el tenor de las libertades reales, fueros |[25] z
buenos hufos z preuilegios del regno, z en fpecial de la uila de Ainfa, 45
aprefent preiudicada z greuiada, z aquefto por |[26] fupgeftion fraudu-
lofa al finyor [rey], fegunt diçe feita, inftantment requerie de part del
finyor rey los ditos oficiales z hu|[27]niuerfidat z cada hunos dellos, que
hen continent prendieffen z prender fecieffen amano de los oficiales
reales z del logar |[28] todas z cada hunas meffuras de pan, vino z hotras 50
cofas de Vielfa, z conferuar, examinar, exactar con las mefuras de Ain-
fa, |[29] hen logar de patron fignadas fegunt el mandamiento del finyor
rey, z que no mefurafen ni mefurar lixaffen con otras |[30] mefuras fino
con las de Ainfa o fenblantes de aquellas, ofereçiendo fe aparillyado

liurar z prefentar jufto z leal patron |[31] de cada meffura z concorrient 55
hen Ainfa..... |[33] *E* que de aqui adelante çefafen z çefar façieffen deman-
dar z leuar la d*i*ta |[34] inpoficion, tuelta o nueua coftumne, dios uelo de
pontache..... |[35] reftitui*n*do z tornando a preftino z deuido ftado aquello
que por pindra, reçepta z illiçita coftreyta, |[36] contra los d*i*tos homnes
de Ainfa..... yes enantado; |[39] ..... mayorment como el puent de la |[40] hen- 60
trada de Vielfa, do la d*i*ta exaccion fe façe fia muy gico z de rafeç man-
tenemiento, puefto fobre huna agua muyt po|[41]ca, la qual apenas poria
conplir aneçeffidat de hunos molinos, defi el pafo muy eftreyto, de
huna pen*n*a a hotra, que dos |[42] otres fuftes de foficient largueça con-
plen z an conplido tot fienpre al mantenemiento del d*i*to puent, qui 65
hen cuantia de feys paffa|[43]das poco mas o menos yes largo; folament
quantia de .xx. o trenta fueldos poria conplir a mantenimiento z fof-
tentacion del puent |[44] a .xl. o .l. anyos. *E* fi eftas cofas fuefen al finyor
rey expremidas, fegunt que fue el contrario, no tal gracia auief |[45] ator-
gada. *E* hen cafo que de f*ei*to fe enantafe contra los hom*n*es de Ainfa z 70
bienes dellos por la d*i*ta raçon, lo que no creden, contra |[46] raçon, pro-
piefta el d*i*to jurado z procurador que lo pueda moftrar, querillar z fen-
blant de f*ei*to procedir, enantar, requeriendo de part del |[47] finyor [rey]
los d*i*tos oficiales, por la fialdat hen que al finyor rey fon tenidos, que
obedefcan..... |[48] los mandamientos reales..... |[55] *E* requerie a mi, nota- 75
rio dios fcripto, que le façies carta publica. *E* els d*i*tos requeridos, en
aquel |[56] mifmo inftant, requeriendo, dixon a mi notario que les refer-
uas fu refpuefta en la prefent carta, la qual ellos me dieron hor|[57]de-
nada dentro tienpo de fuero..... |[58] *E* los jurados z vniuerfidat de Vielfa
fufo d*i*tos refponden..... |[59] al primer articho de la requeficion, hon diçe 80
que alegan de fu preuilegio..... |[60] que los hom*n*es |[61] ni el conçello de
Vielfa no fer tenidos por requeficion f*ei*ta a ellos..... |[62] dar ni render
fus meffuras por examinar ni feruar con las de Ainfa, por que la clau-
fula z el preuilegio do la d*i*ta claufula dexiende, |[63] fe trueba por la
calenda z anno hen aquel contenido, aya .xliiii. an*n*os z dias z dias 85
mas quel d*i*to preuilegio fue concedido..... |[64] nindepues hentaca no
fues prefentado al concellyo de Vielfa ni ofici|[65]ales reales ni de la d*i*ta
villa de Vielfa daquiagora; z el finyor rey don Pedro, agora regnant
z fus anteceffores quiffon |[66] z quieren todas libertades..... fer por cada
huno de los reyes..... confirmadas..... |[67] z fi no que no fian tenidas ni 90
obferuadas; z como el d*i*to preuilegio no fe mueftre cofirma|[68]çion de

los otros reyes paſſados ni del ſinyor rey don Pedro..... |[69] no puede ni
deue ſer inpueſta la dita nueua examinacion demandada..... |[70] como
fueſſe..... contra |[71] huſo del logar de Vielſa de tot ſienpre hentaca, ni
ſenblant prouacion ni examinacion de hun logar a hotro no yes deman- 95
dado |[72] hen nenguna partida del regno ſi no que alguno ſoſſmetimiento
ſia de hun logar a hotro, lo qui no yes Vielſa ad Ainſa, antes |[73] yes
muyt ſeparado adaquel; ʒ nunqua ſenblant prouacion ni examinacion
de ſeyto no fue hen Vielſa por requerimiento de los de Ainſa, antes
|[74] aya grant dificultat agora ʒ todos tienpos hen partida de las meſſu- 100
ras de Ainſa ʒ de Vielſa, porque en lo logar de Vielſa meſuran toda
natura |[75] de grano a plenas, ſino forment, ʒ hen Ainſa a raſas; ..... ma-
yorment como el conce|[76]lyo de Vielſa tienga de tot ſienpre hentaca
ſus buenas ʒ dreytas meſuras, ʒ ayan tot ſienpre huſado..... |[77] cada
que algunas meſuras han por ſoſpeytoſas aquellas ſer preſas por mano 105
de los jurados de Vielſa ʒ |[78] conſeruadas con bueno ʒ lial patron.....
|[79] Item, aloque el dito Mateu procurador diçe ellos no ſer tenidos pon-
tage por aquella |[80] clauſula que de ſuſo yes declarada..... reſponden los
ditos jurados de Vielſa que uerdat yes que los homnes de Vielſa |[81] o
alguno deputado por ellos pagar façen pontage a los de Ainſa, aſi como 110
a los hotros del regno ʒ de hotras partidas, exceptados aquellos |[82] que
ſon ecceptaderos hen la carta, ſeu gracia, quel ſinyor rey don Pedro
agora recnant fiço alos homnes ʒ gentes del logar de Vielſa con |[83] ſiello
pendient hen çera bermelya guarnido. Ni la clauſula de ſu preuilegio o
franqueça no eſprime ellos no ſer tenidos a ponta|[84]ges por que ſi la 115
uoluntat del ſinyor rey yera de afranquir los de pontages, como de
peages, leçdas ʒ paſſages, aſi eſpremeria pon|[85]tages como las hotras
franqueças, lo qui no façe. A lo que el dito requerient dice que los
puentes de Vielſa, do la dita gracia yes |[86] atorgada, que lagua aquella
yes muyt gica, que apenas conpliria aneçeſidat de hunos molinos con 120
hotras raçones cerca de |[87] aquellas poſadas, mas por algun injuſto
enducimiento que por querer ſiguir aquello que yes, porque lagua
aquella hon los ditos |[88] puentes ſon yes clamada Çinca, que yes huno
de los capdales rios del regno, no conſiderado el dito requerient que
hen aquella |[89] miſma agua, pora elogar dAinſa, ſenblant gracia por el 125
ſinyor rey yes dada ʒ obtenida por ellos en lo puent de Çinca; ʒ |[90] ſia
cierto..... que por la reparacion de meſſiones neceſſarias que yeran hen
la huno de los puentes del dito logar |[91] de Vielſa fueſen firmados con

cartas publicas *z* pagados a mayeſtros de poco tienpo hentaca .cccccl. ſueldos jaqueſes, ſie*n* de ayudas |[92] del d*i*to concelyo que auian adar a 130 mano a los mayeſtros todas fuſtas *z* piedras *z* coſas neceſarias al d*i*to reparamiento, que |[93] conplia a ſuma de mil ſueldos; *z* en la d*i*ta agua de Cinca concorran por muytas partidas del an*n*o muytos *z* diuerſos barancos |[94] *z* rios, por grandes roynas *z* ſuperfluas aguas, *z* por lo henpedimiento de muytas fuſtas *z* piedras que concorren hen la d*i*ta 135 |[95] agua, no puede aturar puent luengament hen la d*i*ta agua, *z* con-uienga de neceſidat mantener aquel, porque los de la uilla ni |[96] hotros paſſantes por el d*i*to logar no porian paſſar la d*i*ta agua por dos leguas o mas ſi no hen bien pocas partidas del an*n*o |[97] hen algun logar que ſeria muyt perigloſa coſa *z* dapnachoſa..... |[98] *E* viendo el poco poder, 140 deſtruymiento de perſonas *z* bienes que yes |[99] ſeydo hen el d*i*to logar de Vielſa *z* inquietacion de grandes meſſiones, trebalyos *z* enueyos, que han amantener *z* ſoſtenir |[100] de neceſidat muytos puentes *z* fuer-tes *z* malos *z* diuerſos caminos, dentro ſus terminos, el ſinyor rey, a el |[101] exprimidas eſtas coſas que continueyan uerdat, por la ſu merce 145 la d*i*ta gracia nos atorgo, *z* nos..... |[102] no hentendemos ceſar de pren-der pontage aſi de los habitan|[103]tes de Aynſa como de las otras par-tidas..... |[104] Yo Caſtayn de Cortina, publico |[105] notario de Vielſa, qui eſta carta eſcriuir façie *z* mi sig-(●)-nyal y facie.

A. M. de Aínsa, perg. núm. 2. — Línea 106, *lial*, en el pergamino *lian*.

114

Año **1350,** 23 de agosto. — GISTAÍN, part. de Boltaña. — Not.: Pelegrín de Castro.

Concordia entre los vecinos del valle de Gistaín y los de Aínsa para re-parar el camino de Francia y establecer en él posada para los caminantes.

Conoſcan todos como Sancho Mayral, vezino de Giſtayn *z* procu-rador conſtituydo delos jurados *z* huniu*er*ſidades delos lugares de Giſ|[2]tayn, de Plan *z* de Sant Johan, de la vall de Giſtau..... |[8] en nopne procuratorio..... por las d*i*tas uniuerſidades..... |[14] nos hobligamos auos Domingo dUeſo, vecino de Aynsa *z* procurador conſtituydo de los 5 jurados et |[15] homnes buenos de la vniuerſidat de la villa de Ainſa.....

de adobar et fer aptar, pareyllar *z* man|¹⁶tener et reparar, bueno *z* fuficient camino dentro la d*i*ta vall de Giftau, es afaber, de la fradugada de Latre et dalli afufo entro |¹⁷ acema del puerto de Giftayn, que falle a la vall dArra, pora paffar *z* leuar *z* retornar las d*i*tas mercaderias *z* cosas en la vall |¹⁸ dArra fobre d*i*ta, de manera que toda ace*n*bla caregada, fienes periglo pueda acaminar por no prender dapno a falta de camino, exceptado |¹⁹ cafo fortuyto de nieu ho de gelo; et queremos que aquefta hobligacion, pacto *z* convenio dure *z* valga por tiempo de veyto aynos primero |²⁰ venientes *z* conplidos, contaderos de medio del mes de fetie*n*bre primero venient adelant et no mas; et de obrar *z* fer efpital de dos |²¹ fuficientes eftajas en el camino del d*i*to puerto, en el lugar hon dicen la Plana del Abbat, en lugar conpetent do haura bueno *z* |²² fuficient domicilio por recoyllir a caminantes *z* mercadarias, do habitaran eftagero ho eftageros fuficientes *z* aptos, qui venderan |²³ viandas a los viandantes continuament, al menos pan *z* vino..... |³⁴ et prometemos encara de tener mefuras de Aynfa *z* no otras en comprar *z* uender pan *z* vino en los d*i*tos lugares encadauno daquellos, dentro el tie*n*po de los d*i*tos .viii. |³⁵ años..... |³⁶ enpero que fobre la èxfequcion ho examinacion delas mefuras no hayan ni puedan auer ninguna jurdiccion ni coftreyta alguna los homnes de la d*i*ta vi|³⁷lla de Aynffa; *z* prometemos..... obrar et |³⁸ mantener puent *z* fuficient paffage *z* bueno pora perfonas *z* beftias en el rio de Cinqua, en la ribera de Plan..... |³⁹ a feruicio del camino real, paffant porla d*i*ta vall de Giftau en las partidas de Francia..... |⁴¹ et dalli adelant, que fera mantenido bien *z* fuficientment dentro el d*i*to tie*n*po delos d*i*tos .viii. annos, con buena |⁴² entrada..... di*os* la pena de .cc. foldos..... |⁴⁴ las quales penas o cada huna daquellas, fe fi auenian, fueffen partidas enla manera auant d*i*ta..... |⁴⁸ Feyto fue efto decimo kalendas fete*n*b*r*e, anno Domini millefimo .CCC. quinquagefimo. |⁴⁹ Yo Pelegrin de Caftro, notario publico de la vall de Giftau, effo fcriuie *z* mi acoftupnado fig-(●)-nal hy façie.

A. M. de Aínsa, perg. núm. 3.—Tilde sobre *p̃n* en *nopne*, línea 3, y en *acoftup-nado,* 36.

115

Año **1351**, 8 de junio. — Botaya, part. de Jaca. — Not.: Sancho López.

Arrendamiento de unas casas y una viña del monasterio de Santa Cruz de Jaca a Domingo de Botaya.

Sepan todos como nos dona Berinſe de Caſeras, por lagracia de Dios abadeſa del moneſterio de Santa Cruc delaSeros, z Sancha Exemene de Lobera, priora, z Maria Pez deAe, ſagiſtana, z Sancha Goncaluec de Rueſta, z Uraça |² Pez de Penynalenque, z deſy todas las otras dueynas del dito moneſterio, plegadas acapitol en la clauſtra del dito ⁵ moneſterio, do ſienpre auemos vſado z acoſtupnado de plegar capitol, todas en ſenble, avna voc, |³ con cordantes, e de cierta ciencia z de agradable voluntat, damos eluego de preſent liuramos atreudo auos Domingo Botaya z a vueſtra muyler Maria Deſcarp, vecinos dela cipdat de Veſca, z deſy atoda vueſtra |⁴ generacion, yes aſaber: vnas caſas ¹⁰ z vna vjna quenos z nueſtro moneſterio emos z auer deuemos en la cipdat de Veſca, las quales caſas ſon ſetiadas en la peljcaria, que afruentan de vna part con caſas de Domingo de .....as, |⁵ que fue, z de otra part con caſas de Andreu de Uia, magiſtro, z deotra part con carera publica. Item, la vinna eſ ſetiada en termj[n]o de Bincaraç, que ¹⁵ afruenta con carera publica, dotra part con la puebla de don Balero. Anſi como las |⁶ ditas afrontaciones las ditas caſas z vinnas encieran z departen de todas partes, aſi las damos nos, dita abadeſa, priora z conbento auos dito Domingo Botaya z a Maria Deſcarp, muyler vueſtra, z allos vueſtros, decen|⁷dientes de vueſtra generacion, vno en pueſ ²⁰ de vno, por treudo con benible que entre vos enos fue, yes aſaber: qujçe ſueldos de dineros jacceſes, moneda buena z firme, corjble en el reyno deAragon, quenos ſobre|⁸ ditos, Domjngo Botaya z Maria Deſcarp, muyler vueſtra, z los vueſtros, preſentes z auenideros, dedes z pagedes por cada vn anno, por la fieſta de Santa Maria deagoſto, anos ſobre ²⁵ dita abadeſa pre|⁹ſent, o que ſera por tienpo, o anueſtro moneſterio o procurador; ebos ellos vueſtros, preſentes z auenjderos, bjen pagando anos z anueſtro moneſterio oprocurador el ſobre dito treudo, ſegunt dito es, por cada vn anno, las ditas |¹⁰ caſas z bjnna ayades por adar, bender, camjar, en peynar, alienar, aſer daquelas atodas vueſtras poprias ³⁰ voluntad*es*, bjen anſi como d*e* coſas v*ue/t*ras pop*r*ias, al meyllor q*ue* decir, leyr, entend*er* ſe puede, ap*r*o |[11] v*ue/t*ro *z* d*e*los v*ue/t*ros, ſaluado anos *z* a n*ue/t*ro mon*e/t*erio el ſob*r*e dito t*r*eudo, ſegunt dito es d*e* ſuſo; enp*er*o q*ue* ſiuos abend*er* las aujad*es*, nj a enpeynar nj alienar, ſiad*es* tenjd*os* vos ell*os* v*ue/t*ros p*r*eſent*es* |[12] *z* auenjd*er*os, d*e*ſerlo aſab*er* 35 anos *z* an*ue/t*ro mon*e/t*erio o p*r*ocu*r*ador, .x. dias ant*es* d*e*la bendicio*n*, *z* q*ue* las nos ded*es* .v. ſueld*os* menos q*ue*a ot*r*i; en cara q*ue* ſinos aque- las no q*ue*remos conprar, q*ue*las bendad*es* atal*es* que |[13] ſian v*ue/t*ros ſenblant*es*, q*ue*no ſian p*er*ſonas pod*er*oſas, aſi como ricos omn*es* nj cauayleros nj ſcud*er*ós nj lebroſos, por q*ue*nos p*er*dieſemos n*ue/t*ro 40 t*r*eudo, nj menos cabaſemos en alguna coſa; encara |[14] q*ue* ſiad*es* tenj- dos vos el*os* v*ue/t*ros, d*e* ten*er* aquelas meylloradas *z* no pjoradas. E nos ditos Domi*n*go Botaya *z* Maria Deſcarp, por nos *z* por todos los n*ue/t*ros, p*r*eſent*es* *z* auenjd*er*os, con buenas |[15] gracias *z* t*r*eudo *z* con- decion*es* d*e*ſuſo ditas *z* co*n*tenidas, las ditas caſas *z* bjn*n*a, beni*n*a me*n*t 45 recebimos; ep*r*ometemos *z* co*n* benjmos en n*ue/t*ra buena ſe de conplir, oſeruar las coſas d*e* |[16] ſuſo ditas *z* co*n* tenidas, di*os* obligacio*n* d*e* todos n*ue/t*ros bien*es*, mobl*es* *z* ſedient*es*, aujd*os* *z* por au*er* entodo lugar. Teſtimonjos ſon d*e*ſto do*n* P*er*o Sanch*es* de Toloſana, capelan d*e*l dito mo|[17]n*e/t*erio, *z* do*n* Garcia P*er*ez, abat de Lacue. Feyto fue eſto en la 50 clauſtra d*e*l mon*e/t*erio de Sa*n*ta Cruz, .vIII.º dias andados d*e*l mes d*e* jupyno, an*n*o anatiuitat*e* Domini M.º CC.º qu*i*ncageſimo |[18] p*r*imo.

|[19] Sig-(●)-no d*e* mj, Sancho Lopez d*e* Botaya, por aytoridat d*e*l ſenyor [rey] publico not*ario* por todo el reyno de Arago*n*, q*ue* la nota por mj recebjda eſta carta ſcriuje, e por le|[20]tras d*e* abece partie. 55

A. H., Benedictinas de Santa Cruz, *P-90.*—El original lleva tildes largas, hori-zontales, sobre *Sancha,* línea 2; *Goncaluec,* 3; *dito,* 5; *plegadas,* 5, y en otros mu-chos casos. — Línea 28, *ſobre dito,* en el original *ſobre dita.*

116

Año **1352,** 11 de octubre. — AÍNSA, part. de Boltaña. — Not: Jaime Riquer.

Reclamación hecha por el concejo de Aínsa al de Boltaña sobre el rescate de unos carneros.

A los hondrados et ſauios et juſticia et baylle de Boltanya o ſus lugareſtenientes et los jurados et hom*n*es buenos del concellyo |[8] de

Boltanya, los jurados et hombres buenos del concellyo de Aynſa, ſaludes et aparellyada uoluntat a nueſtros placeres: Ya ſabedes como uecinos nueſtros, de mandamiento nueſtro o en otra manera, dios |[9] uelo de pindra o deguella, ſe an preſſo et con ſi leuado injuſtament al lugar de Boltanya, dos carneros de Maria, muller de Sancho Moriello, que fue, uecina nueſtra, es a ſaber de la ſierra de Cruteras, |[10] cabo nueſtras vinyas, dentro la guerda et defeſſa nueſtra, do nos auemos vſſo, propriedat et dreyto antigo et pacifico de pacer, acouilar, eſcalidar et vſſar como de termino et coſa nueſtra |[11] ..... Et aqueſt exceſſo, ſalua nueſtra honor, es ſeyto mas por manera de roparia que |[12] por alguna juſta racon; ..... |[13] por que uos enuiamos rogar et requerir porlas preſentes..... que los ditos carneros |[14] reſtituades..... o la valor de aquellos....., enſenble con las calonias de fuero z coſtupne del regno, en injuſta |[15] deguella introductas et deuidas, que montan en aqueſt caſo .c. et .xx. ſolidos jaqueſes, por dos calonias de los ditos dos carneros..... |[19] Scripta en Aynſa, dios el ſiello de |[20] nueſtro comun, .XI. dias de octobre, anno anatiuitate Domini milleſimo CCC.º quinquageſimo ſecundo. La qual preſentada et leyda, el dito procurador requerio ami |[21] notario que len ficies carta publica dela preſentacion..... E los |[22] ſobreditos juſticia, baylle, jurados et todo el concellyo dixon que aurian ſu acuerdo et que darian ordenada la repueſta.

|[23] Sig-(●)-no de mi, Jayme Riquer, por actoridat del ſeynor rey notario general por todo el regno de Aragon, qui aqueſto ſcriue.

A. M. de Aínsa, perg. núm. 5. — Línea 15, *coſtupne,* tilde sobre *pn.*

117

Año **1357,** 13 de noviembre. — ANSÓ, part. de Jaca. — Not.: Sancho Aznar.

Carta credencial de la villa de Ansó a favor de Domingo Vagón.

A los hondrados z ſauios alcaldes, juſticias, jurados, conceyllos, lezderoſ, peageros z quales quiere otros oficiales del senyor rey, los quales las preſentes veran, |[2] de nos Vicient Garcia, alcalde, jurados z homnes buenos de Anſo, ſaludes z apareyllada uoluntat aunueſtros placeres en todas coſas: Sepades que el ſenyor rey don Jayme de |[3] buena memoria z de alta recordacion, auuello del ſenyor rey don Pe-

dro agora regnant, fiço gracia a los homneſ de la val de Anſo ſpecial-
ment de lezda z de peage, por vn |⁴ priuillegio ſuyo dado en Barçalo-
na .vɪ. idus februarii anno Domini milleſimo trecenteſimo viceſimo ter-
cio.…. |¹⁸ E ſepades |¹⁹ que Domingo Vagon yes nueſtro vecino z façe 10
en el lugar de Anſo reſidencia perſonal, z va con ſus mercadarias por
la tierra del ſenyor rey; porque de partes del dito |²⁰ ſenyor rey vos
requerɪmos z dela nueſtra vos rogamos quanto podemos, que al dito
Domingo Vagon contra el tenor del dito priuilegio non enbargades ni
enbargar dexe|²¹des por alguna racon de lezda z de peage, et nos pa- 15
reyllados ſomos de facer por vos z porlos vueſtros enſenblantes caſos
z en mayores. En teſtimonio |²² de la qual coſa damos le eſt traſlat
ſiguillado con el ſiguiello del nueſtro conceyllo en cera pendient. Feɪto
fue eſto en Anſo, trece dias de nouienbre, |²³ anno anatiuitate Domini
milleſimo trecenteſimo quinquageſimo ſeptimo. Teſtimonios ſon deſto 20
don Gonçaluo z don Miguel Sanchez, cappellanes racioneros de ſan
Per de Anſo. |²⁴ Et yo Sancho Açnar, por actoridad del ſeynor rey
notario publico por todo el regno de Aragon et de la ual de Anſo,
aqueſt traſlat de ſu original priui|²⁵legio, bien z fielment, arequeri-
mɪento de los auanditos alcalde, jurados z homnes de Anſo, con mi 25
mano propria ſaque z ſcriuie, con ſobre ſcripto z raſo et |²⁶ emendado
en la trecena et quartena lineas do dice preditas, triceſſimo octauo, z
eſt mi sig-(●)-no acoſtupnado y fiç.

A. P. de Ansó, perg, núm. 2. — Línea 16, ſomos, la primera o tan abierta,
que podría leerse ſemos; hay otros casos en el mismo documento en que la o
parece e. — 28, tilde sobre pn en acoſtupnado.

118

Año **1358,** 3 de febrero. — Huesca. — Not.: Guillén de la Dux.

*El prior de San Pedro el Viejo de Huesca da a censo un campo a
García, vecino de la misma ciudad.*

Queriendo conplir el dito mi atorgamiento z paraula, certificado
del dreyto de la dita ecleſia, atorgo z do a tu, |⁶ Garcia, ….. el canpo
de partes de ſuſo afrontado, con todas ſus….. pertinencias….. |⁷ enpero
con las condiciones que ſe ſiguen do a tu el dito canpo: que tu z qui

quiere que aquell canpo tenra z poſidra des z pagues z dar z pagar 5
ſias tenido ami o aqual|⁸quiere prior que ſera de la dita ecleſia z caſa,
o aſu procurador, en cada un año, por ſanta Maria de Agoſto, vn quar-
tal de ordio, bell z linpio, meſura dUeſca, z dieçma et |⁹ premiçia de
lo que Dios y dara; el qual treudo z la dita dieçma z premicia ſias
tenido aduçir a miſiones tuyas a la dita caſa de ſant Pero, en poder de 10
mi dito prior. E ſi vender querras el dito canpo |¹⁰ que ſias tenido
aquello ſer aſaber a mi o al prior qui por tienpo ſera de la dita caſa,
.x. dias antes de la vendicion; et ſi retener aquell en mi querre que lo
pueda hauer .x. ſolidos menos del precio que ſi trobara, z ſi retener
|¹¹ en mi no lo querre que lo puedas vender por aquell precio que y 15
trobaras, enpero excepto acaueros, clerigos, infançones, ſantos z lebro-
ſos, mas aconſenblantes tuyos, tales perſonas que el dito treudo z dieç-
ma z premicia pague |¹² a mi z a mis ſuceſores, z tiengan z obſeruen
las otras condiciones ſobreditas. E tu eſto ficiendo z conpliendo como
dito es, quiero z atorgo atu que ſienpre daquia delant ayas, tiengas, 20
poſe |¹³ deſcas z eſpleytes el dito canpo z ſoto, por dar, vender, enpen-
yar, camiar, alienar z por ſer de aquell a todas vueſtras proprias voluntades, como de coſa tuya propria, tu z qui tu querras z ordenaras.....
|¹⁴ E prometo z me obligo a tu de yo tener z mantener te en poſeſion
z ſenyorio pacifico del dito canpo z ſoto, ſienpre tirado |¹⁵ todo pley- 25
to..... Eſto fue ſeyto en Hueſca, .iii. dias de febrero, anno anatiuitate
|¹⁶ Domini milleſimo CCC.º quinquageſimo octauo.

|¹⁷ Sig-(●)-no de mi, Guillem de la Dux, notario publico de Hueſca,
qui eſto ſcriuir fizie.....

A. M. de Huesca, perg. núm. 80.

119

Año **1359,** 14 de noviembre. — BANASTÓN, ayunt. de Gerbe y Griébal, partido de Boltaña. — Not.: Jordán de Arasante.

*Arrendamiento de una casa y unos campos del monasterio de San Vic-
torián a Alfonso de la Cort, vecino de Araguás.*

Conoſcan todoſ como noſ don Simon, por lla gracia de Dios abat
del monaſterio de ſant Vjctorjan, fray Arnalt de Llaguareſ, prjor de
clauſtra, fray Jayme de Çereſa, prjor de ſanta Juſta, fray Ramon de

M*uro*, monche todol co*n*uento d*e*l mona*f*terio d*e* *f*ant Vjc|²torja*n*, ple-
gado capitol enlla clau*f*tra d*e*l d*i*to mona*f*terio, do otra*f* vegada*f* ye*f*   5
aco*f*tu*m*nado de pl*e*gar qua*n*do *f*enblante*f* donaçio*n*e*s* *f*e *f*açen por no*f*
*f*obr*e* d*i*tos; çertificados *z* jnformados d*e*l dreyto q*u*e no*f* auemo*f* ho auer
deuemo*f* en huna ca*f*a |³ n*u*e*f*tra d*e*la enfermarja d*e*l d*i*to mona*f*terio,
a*f*etiada en*e*l t*e*rmjno de Arahua*f*t, extremo la huarta de Cinca de
Ayn*f*a, q*u*e yes d*i*ta la cort de Bel*f*tar, cubdjçiando la co*n*deçio*n* n*u*e*f*-   10
tra *z* d*e*l d*i*to mona*f*terio mellyorar, co*n*fiando d*e*la *f*e *z* lealdat de vo*f*
Alfon*f*o d*e*la |⁴ Cort *z* de u*u*e*f*tra mullyer Nadalja, veçi*n*o*f* de Arahua*f*t,
z por mujto*f* agradabl*e*f *f*erujçio*f* q*u*e vo*f* *z* lo*f* u*u*e*f*tro*f* auedes *f*eitos
ano*f* *z* a n*u*e*f*tro mona*f*terio *z* *f*er daquiadela*n*t no*n* çe*f*ade*s* *z* daquj-
adela*n*t, Dio*s* querje*n*do, *f*arede*s*, por e*f*to por nos *z* por todo*f* n*u*e*f*tros   15
*f*u|⁵çe*f*ores damo*f* *z* atorgamo*f* atrehudo auo*f*, d*i*tos Alfon*f*o *z* Nadalja,
lla d*i*ta ca*f*a, q*u*e a*f*rua*n*ta de dos p*a*rtes e*n* ca*n*pos de aqu*e*lla mj*f*ma
ca*f*a p*e*rtenje*n*tes, co*n* ca*n*pos, vjnya*f* *z* huertos *z* otros heredamje*n*to*f*
yermo*f* *z* poblado*f* ala d*i*ta ca*f*a p*e*rtenje*n*tes o p*e*rtenir de |⁶ ujente*s*, e*f*
a*f*aber: hun ca*n*po daredor d*e*la d*i*ta ca*f*a, *z* a*f*rua*n*ta d*e*la huna part e*n*   20
ca*n*po d*e*la abadia de Ayn*f*a *z* d*e*la otra p*a*rt e*n* ca*n*po de Mjgu*e*l Pereç
de Nabal, q*u*e fue, *z* d*e*la otra p*a*rt e*n* ca*n*po*f* de fillyo*f* de Arnalt dona
Gracia, *z* d*e*la otra p*a*rt e*n* cequia q*u*e yexe d*e*los molino*f* |⁷ d*e*l d*i*to
Miguel Pereç, *z* d*e*la otra p*a*rt e*n* ca*n*po q*u*e ye*f* d*e*la d*i*ta ca*f*a *z* ye*f*
t*e*rmjno d*e* Bana*f*to. Ite*m* otro ca*n*po en*e*l d*i*to t*e*rmjno, q*u*e a*f*rua*n*ta   25
e*n* ca*n*po d*e*la abadja de Ayn*f*a *z* en*e*l rjo de Soto *z* e*n* ca*n*po d*e*l d*i*to
Miguel Pereç, q*u*e fue, *z* e*n* ca*n*po de Martin d*e*l Boxidar *z* de *f*o mu-
llyer Jay|⁸ma, q*u*e fue. It*e*m otro ca*n*po *z* hun ca*f*al co*n* la part d*e*la era
q*u*e *f*etiene co*n* llo d*i*to ca*f*al, *z* a*f*rua*n*ta el d*i*to ca*n*po co*n* ca*n*po de
Benedeta de Yeva *z* de *f*os fillo*f*, q*u*e fue, *z* e*n* ca*n*po d*e*la abadia de   30
Ayn*f*a..... |¹⁵ La qual ca*f*a, ca*n*pos, vinyas, huertos, |¹⁶ ..... damos auos
d*i*tos Alfon*f*o *z* u*u*e*f*tra mullyer Nada|¹⁷llja *z* a los *f*uçe*f*ores u*u*e*f*tros,
atrehudo, a*f*i q*u*e vo*f* dede*s* *z* pagede*s* por trehudo por raço*n* dela d*i*ta
ca*f*a *z* er*e*damje*n*to*f*..... | ⁸ dieç *z* *f*iet *f*ol*i*dos diner*o*s jacce*f*e*s*, buena
mon*e*da currjbl*e* en Arago*n*, ... |²⁰ *z* tingades lleytos *z* |²¹ rropa allj, *z*   35
dede*s* pallya ala*f* be*f*tia*f* d*e*l *f*enyor abat *z* mo*n*ches q*u*e agora *f*on ho
por tie*n*po *f*eran en*e*l d*i*to mona*f*terio, q*u*e por alli pa*f*arran ho allj entrar
o albercar q*u*erran de dia ho de nuejt..... |³⁰ F*e*ito fue aqu*e*fto en*e*l d*i*to
mona*f*terio d*e* *f*ant Victorja*n*, quatorçe dia*f* andado*f* d*e*l me*f* d*e* noujen-
bre, an*n*o |³¹ [anatiuitat]e Domi*n*j mjlle*f*imo CCC.° quj*n*cage*f*imo n[on]o.   40

Preſenteſ teſtimoꝛioſ fueron de aqueſto don Gyralt de Eriſa, abat de Llupes, Jayme de Honcineſ, vecino de Sant Martin de Aſan. Feito fue aqueſto |³² enel termjno de Arahuaſt, quando la dita Nadalja ſe atorgo z ſe obligo a tener, conplyr z obſeruar to[da]ſ z cadaunas condeçioneſ ſobreditaſ enlla manera z condeçion quel dito Alfonſo, marido della, ſe obligo, vjnt diaſ |³³ andadoſ del meſ de noujenbre, anno que de ſuſo; preſentes teſtimoꝛioſ fueron de aqueſto Jayme..... nçon z Ramon de Caſtillyon, veciꝛoſ de Banaſto. |³⁴ Yo Jurdan de Araſantcç, publico notario de Banaſto z del monaſterio z dela honor de ſant Vjctorjan, quj aqueſta preſent carta reçebie z por lletraſ partida ſcriuie, con lletras ſobre ſcriptaſ enlla XXI.ª linea, do dice |³⁵ alaſ beſtiaſ, z mj acoſtumnado ſig-(●)-no hy façie.

A. H., San Victorián, P-327.—Línea 4, *monche,* tilde sobre *nch.*—5, *do,* tilde encima.—9, *extremo,* borrada la *x* por una arruga del pergamino.—23, *yexe,* la *x* se parece tanto a una *y* que podría leerse *yeye.*—29, *llo,* las dos *ll* están claras y separadas, constituyendo un caso distinto del de las letras *p, f* y *ſ,* las cuales, aun cuando también aparentemente dobles en este documento, como en otros muchos, se comprende que no son sino signos simples.—31, *Aynſa.....,* sigue deslindando campos y repitiendo la forma *afruanta.*—38, *nuejt,* escrito *nujt,* habiéndose sobreescrito después la *e.*—Llevan tilde encima *termjno,* línea 25; *Araſantcç,* 48; *ſant,* 49, y algunas otras palabras.

120

Año **1360,** 10 de junio.—Panzano, part. de Huesca.—Not.: Ramón Fort.

Inventario de la iglesia de San Pedro el Viejo de Huesca.

Anno annatiuitate Domini milleſimo CCC.º ſexſagezimo, dia martes, .x. dias entrados nel mes de juyno, prezent mi, notario, z los teſtimonios dius eſcriptos, los honrados don Belenguer del Puent, prior de Vilielas, |² et don Sancho Frayhella, racionero z procurador dela caſa de ſan Per el Vyello dUeſca, rendieron z acomendaron por inventario, ſegunt ſe ſiegue, a Bernart Fort, eſcudero z rendador dela dita caſa, la hor|³namenta et baldaquines, joyhas, libros et otras coſas dela dita caſa z eccleſia de ſan Per. Enpieça ſegunt ſe ſiegue: En la canbra del prior, .i. leyto de tablas, .ii. arquibanques, vna arca, .ii. taulas de comer, |⁴ la vna baradiça z lotra redonda, vna arqueta de tener candelas, .i. tablero

de taulas. It*em,* en la ca*n*bra baxa otro leyto de tablas, con vn alma-
drac biello, .ı. trauefero, .ıı. literas....., vn par de li*n*çols medio rotos,
|⁵ vna taula enclauada con piedes, .ı. e*n*budo, .ıı. canadas, vna cuba con
daquia .ıııı. palmos de vyno. It*em,* leyna, fue preciada .xv. fueldos. It*em,*
nel cellero, brefca..... .ıııı. cubas gra[*n*]des, .ıııı. taueft, .ıııı. car|⁶gas de
cuauanos, .ıı. bancos de defcargar huvas. It*em,* en la cozina vna holla
de cobre hont cozinan, vna farta*n*, .ı. efpedo, vna alloça, vna cobertera
crebada, vna brumadera, .x. efcudiellas, .v. talladores. |⁷ It*em,* en la
maffadaria vnas peffas de la maffa pezar, otras pezas dela farina, vna
arca dela farina abaratar, vna bacia crebada. It*em,* nel refertorio .ıı. tor-
nos de leuar la maffa al forno, .ıı. candelleros, la vno en media del
|⁸ refertorio *z* lotro con piedes. It*em,* en la defpenfa vna arca, *z* vna,
cuba de tener farina, *z* vna arroua, vn almut. It*em,* nel cellero mayho
.v. cubas, vna hornaleta. It*em,* en la ecclefia, libros, .ıı. fanturals, |⁹ vno
de lienda, lotro de canto, .ı. dominical de canto et dos de lienda, .ıı. fal-
teres con cadenas encadenados, .ıı. hoficieros *z* la vno encadenado,
.ıı. piftoleros, ... tolero, el mifal del rey don |¹⁰ Remiro, .ıı. hotros
mifales, .ı. prefero, .ıı. libros chicos de profefiones, vn manual de
batiar, vn enfenfero dargent, .ıı. calices dargent, vn euangeliftero,
.ıı. [a]gnu*m* Dei con piedes *z* con fus eftu|¹¹dios, .ı. veftiment vert con-
plido, .ıııı. dalmaticas verdes, otro veftiment conplido nel cual ys la
cafubla del rey do*n* Remiro, otro veftiment blanco conplido, otro vef-
timent de los domingos |¹² conplido, con cafubla de fil doro. It*em,*
.ıııı. baldaquines finos, vno bla[*n*]co, otro ba[*n*]diado, otro vert, el
cuarto vermello. It*em* mas, .v. baldaquines viellos, vna polpra, .ı. belo
con que fe dize lavan|¹³gelio, .vıı. façaretas hobradas de feda, .ıı. otros
facarole*s* hobrados, .ıı. calices de plumo, .ı. cirio pafcual que peffa da-
quia .vııı. liuras de cera, vna cafubla negra con dos dalmaticas neg|¹⁴ras.
It*em,* .vııı. trapos negros de cobrir los altares, vna cortina que efta dera*n*
fan Per, otra cortina nel crocificio. It*em* mas, .ıııı. baldaquines bielos,
vna capa negra, la cruç mayhor dargent. Del qu|¹⁵al inventario los fobre
d*i*tos don Belenger del Pue[*n*]t *z* Sancho Frayhella, procurador fobre-
d*i*to, *z* el d*i*to Bernat Fort, rendador et recibidor de las fobre d*i*tas
cofas, requirieron a mi, notario dius |¹⁶ efcripto, que de las fobre d*i*tas
coffas les fizieffe carta publica. Teftimonios fueron defto Miguel de
Vin*n*a, racionero dela d*i*ta cafa, *z* Gil Ferero, efcollar enla d*i*ta ecclefia
de fa*n* Per. Efto fue |¹⁷ feyto ayno, dia, mes fobre d*i*to. It*em* mas,

enla dita eccleſia .ii. capas priorales, .iii. capas bielas de baldaquins. Sig-(●)-no de mi Ramon Fort, notario publico de |[18] Pançano, por acto- ridat del feynor rey por todo ei reyno de Aragon, qui a las fobre ditas   50 coſſas prezent fue z a requirimiento delos fobre ditos, eſt publico inven- tario |[19] efcriuie. En la quinta regla radie, enmende, hont dize, palmos.

A. M. de Huesca, perg. núm. 284. — Línea 10, *redonda,* en el original *ren- doda.* — 12, *literas.....,* sigue un roto que ocupa unos 3 centímetros. — 15, *breſ- ca.....,* roto un centímetro. — 20, *aðaratar,* la tercera *a,* abierta por arriba, tiene semejanza con una *u.* — 27, *..... tolero,* roto un centímetro. — 31, *ys,* sin tilde. — 39, *deran* (sic).

121

Año **1360,** 18 de noviembre. — GRAUS, part. de Benabarre. — Not.: Domingo Pérez de la Closa.

Sentencia arbitral sobre el pleito seguido por el concejo de Jaro contra el rector de Morillo, sobre la servidumbre de cierta heredad.

Conoſcan todos que anno a natiuit*ate* Dominj Milleſimo CCC.º LX.º, dia miercoles, a xviij dias del mes de noujembre, enel monaſterio de ſant |[2] Victorian, ante el muyt hondrado religioſo padre en Jheſu Chriſ- *to,* don Simon, por la gracia de Dieos abbat del monaſterio de ſant Vic- torian, fu|[3]eron conſtituydos Bernart deMur, uezino de Jaro, procurador   5 del conceyllo del dito logar de Jaro, con carta publica de procuracion, feyta a xvi |[4] dias del mes de noujembre, anno fobredito, por Pero Tie- rrantona, notario publico dela honor de ſant Victorian dela vna part, en nopne procuratorio de|[5]mandant, et don Ramon dels Moljns, rec- tor de Morjello Tierrantona, dela otra part defendjent, fobre ſentencja   10 z declaracion que demandaron porel dito |[6] ſenyor abbat, afi como fen- yor del logar de Jaro, ſeer dada, por raçon que los homnes del dito con- ceyllo demandauan fobre vn heredamjento |[7] clamado dela ſcalera, que yes agora del dito rector, enel dito logar, vſo, dreyto z antiga poſſeſſion et ſeruitud que deuja cadaun anyo vna uega|[8]da hauer z reçeber, de vn   15 beuer vezinal de buen vino fobre el dito heredamjento, et el dito rector en contrario afirmant el heredamiento tenér |[9] z poſſedir francho z libe- ro, z negant la ſeruitut z vſo fobreditos; et fobre aqueſto las ditas par- tes hauieſſen querido z conſentido z conſentieron el |[10] hora quel dito

12

ſenyor abbat ſummariament z ſienes pleyto z meſſiones, certificado ſola-   20
ment dela verdat del feyto, la dita queſtion, arbjtrarjament o ju|[11]diciaria,
ſegunt que le ſeria bien viſto, difinjſſe z determjnaſſe; poreſto con jnſtan-
cia, ſentencja z declaracion difinjtiua, ſuplicaron z demandaron las
|[12] partes ſobreditas porel dito ſenyor ſeer dada, como ya hauies haujda
certificacion tienpo hauia z deliberacion retenjda ſobre las ante ditas   25
coſas; |[13] pordo el dito ſenyor abbat, preſentes las partes z ſentencja
demandantes, enanto a ſu ſentencia et declaracion ſegunt que ſe ſeguex:
Ond nos don Simon, |[14] por la gracia de Dieos abbat del monaſterio
de ſant Victorian ſobredito, viſto z entendido el dreyto de cadauna delas
partes ſobreditas, et ſobre aquell |[15] haujda plenera certificacion z jnfor-   30
macion et encara conſeyllo de buenas perſonas dignas de fe z de tienpo
antigas, ſolo Dieos haujendo ante |[16] nueſtros hueyllos, como trobemos
por teſtimonjo de verdat z documentes publicos el dito rector z ſus
anteceſſores, quj por tienpo fueron senyores |[17] z poſſedidores del dito
heredamiento, hauer tenjdo z poſſedido et tener z poſſedir aquell de   35
preſent pacificament, ſienes mala voç, francho et li|[18]bero dela ſobredita
ſeruitud demandada, et los homnes de Jaro njn ſu procurador, alguna
coſa contrarja ſobre aquello no hayan podido prouar por drey|[19]to nj
vſo de poſſeſſion nj nos por teſtimonjo de verdat trobar, poreſto, por
nueſtra difinjtiua ſentencja pronunciamos z declaramos ſentencial ment   40
|[20] el dito heredamjento con ſu cabomaſo z pertinencias ſeer francho
z libero dela ſobredita ſeruitud z vſo de beuer vino demandada; z ſobre
la |[21] dita demanda z accion alos ditos homnes del conceyllo de Jaro,
por aqueſta miſma ſentencia, ſilencio perpetuo jmpoſamos. Teſtimonios
fueron ad |[22] aqueſto preſentes fray Eſpanyol Garcia et fray Arnalt de   45
Laguarres, monges del dito monaſterio de ſant Victorian. Eſto fue feyto
|[23] anno, dia z logar ſobreditos.

|[24] Yo Domjngo Pereç dela Cloſa, notario publjco dela uylla de Graus
z de toda la ſeynorya de ſan Ujtorjan, que eſta carta |[25] recebje, eſcrjujr
facje e mj acoſtumnado ſeyn-(●)-al y facje.   50

A. H., San Victorián, *P*-333. — El texto es de distinta mano que la suscrip-
ción del notario. — Tildes largas horizontales sobre *nopne*, línea 9; *ſenyor,* 11;
anyo, 15, y *ſeynorya,* 49.

122

Año **1361,** 26 de agosto. — JACA. — Not.: Pedro Sánchez.

Donación de una viña de Pedro de Acomuer a Martín Esporrín.

Como nos Petro dAcomuer *z* Andreua, mull*er* fuya, uezi*n*os de Jacca, non forcados, etc., fguardando los muytos bue*n*os, etc., que tu Martinico, fillo de do*n* Marti*n* dEfporrin, clerigo, habitant en la ciudat de Jacca, has f*ey*tos anos, etc., pore*s*to en conpenfacio*n z* remun*e*racio*n* d*e* aqu*e*llo, amos enfenble, etc., damos *z* luego d*e* prefe*n*t liura*m*os *z*   s femos donacion *z* ceffio*n* pura int*e*ruiuos, a tu dito Martinico, d*e* vna vigna q*u*e nos hauemos fitiada en termi*n*o dAfiefo, do dize*n* el fenero dAfiefo..... ond queremos *z* exprefame*n*t confentimos *z* atorgamos q*ue* daqui adela*n*t, tu dito Martinico *z* qui tu querras, ayades la dita vinya franca *z* quitia, a ten*e*r, poffedir, h*e*redar *z* fpleytar, *z* por dar, vend*e*r, 10 enpenyar, etc., facando la dita vinya d*e* todo dreyto, poder, *e*tc., me-tiendo end a tu *z* qui tu q*u*erras, etc., *z* dando a tu *z* qui tu querras todas tus uez*e*s, dreytos, etc.; *z* amayor firmeça *z* feguridat tuya damos a tu fiança d*e* faluedat d*e* la d*i*ta vinya qui con nos et fienes de nos, a tu aq*u*ella falue *z* faluar faga, fegu*n*t fu*e*ro *z* bue*n*a coftupne dAragon 15 quier*e* en tal cafo, y*e*s afaber, a Coftantin, fillo d*e*l honrado do*n* Cof-tantin don Chicot, h*a*bita*n*t en la dita ciudat. *E* yo d*i*to Coftantin, ftando pr*e*fent, por tal fiança me atorgo, fegunt que dito y*e*s de fufo. Tefti-monios don Joha*n* (fol. 78 v) dAuena*n*, cl*e*rigo, *z* Garcia Bon*e*t, uezi*n*os de Jacca, vint *z* feys dias d*e* ago*s*to. 20

A. M. de Jaca, libro de protocolos del notario Pedro Sánchez, año 1361, fo-lios 77 y 78. — Línea 8, *atorgamos,* la segunda *a* está rehecha sobre una *o;* la primera escritura fué, por consiguiente, *atorgomos.*

123

Año **1362,** 19 de enero.—AÍNSA, part. de Boltaña. — Not.: Jaime de Elson.

Venta de unas heredades de don Juan Díez, señor de Bielsa, al concejo de Aínsa.

Conofcan todos como yo Pero Exemeneçs de Larocha, fcudero *z* procurador del noble don Johan Dieç, fenyor de Vielfa..... |30 en nopne procuratorio z por vigor z poder de la d*i*ta procuracio*n*, yo d*i*to procurador vendo z vendiendo liuro a uos Jayme Ri|[31]g*er* z Domingo Jous, jurados, hombres buenos et todo el concellyo z vniuerſidat, de ⁵ la villya de Ajnſa, en nopne, voç z lugar del d*i*to conçellyo z vniuerſidat, z a los vu*e*ſtros preſe*n*tes z abſentes |[32] qui ſodes z ſeran por tienpo, es a ſaber, la thore de Bueſa z la thorre del Puyal clamadas, con todos z cadahunos terminos, villares et pertinencias, acciones et dreytos ſuyos perten|[33]ecientes et ſguardantes a las d*i*tas thorres z ¹⁰ cadahuna de aquellas, et ſinyaladament a la d*i*ta thorre clamada de Bueſa, q*u*e yes cabo principal de la coſa de la qual la thore clama|[34]da del Puyal yes mienbro z pertinencia; la qual thorre de Bueſa, con la thorre del Puyal z con ſus terminos z pertinencias ſon ſetiadas et ſetiados en Sobrarbe, cerqua d*e*la d*i*ta vi|[35]llya de Ajnſa, z confruenta con ¹⁵ el puent de la d*i*ta villa z rio de Ara et con el rio de Cinq*u*a, z con terminos de los lugares de Moriello de Cou de Boyl et dUeſo, por precio que entre vos |[36] z mi amigablement es ſeydo pueſto et auenido, es aſaber, dos mil z hueycientos ſol*i*dos dineros jacceſes, buena moneda del regno de Aragon..... |[44] z las ditas thorres ayades tinguades..... ²⁰ con todos z cadahunos ſus terminos, edificios, caſas, caſales, huertos z ortales, |[45] rendas, tributos, exidas, montes, ſeluas, paſtos, aguas, fuentes, canpos, vinyas, exanplos, ſalidas, piedras, ſuſtes, yerbas, erbages, adempriuios, arboles fruytales ono fruytales, de|[46]ſeſas, penas, calonias, guardas, deguallas, pendras, repe.....n*e*s, planos, ſierras, collados, ²⁵ yermos z poblados, conocidos, partidos, abogados z limitados z no conecidos ni partidos, ... |[55] *E* yo vendedor, prometo facer vos uerdadera euiccion z guarancia con proprias meliones et |[56] expenſas del d*i*to noble don Johan Dieç, de qui yo ſo procurador..... |[71] Eſto fue feyto en Ajnſa a xviiii dias de janero, anno anatiuitate Domini Milleſi- ³⁰ mo .CCC.º ſexſageſimo ſecundo. |[72] Yo Jayme de Elſon, publico notario de Aynſa, ... |[73] ..... aqueſta carta, de las notas |[74] recebidas por Johan de la Ballera, notario qui fue..... |[75] qui ocupado de muert publicar non podie..... |[76] en forma publica reduçie z eſcriuie.

A. P. de Aínsa, perg. núm. 91. — Tilde sobre *pn* en *nopne*, líneas 2 y 6. — En *repe.....nes,* línea 25, hay unas letras destruídas.

124

Año **1363,** 26 de octubre. — Jaca. — Not.: Gil Sánchez.

Albarán de pago extendido por Pero Gil y Pero Esquerra, vecinos de Avay, al hospitalero de Summo Portu.

Sepan todos como nos Pero Gil z Pero Esquerra, vezinos de Auay z promjcieros dela glesia daquel mjsmo lugar, atorgamos z venjmos de manjfiesto que hemos |² aujdo z recebido de uos Gujllyem Arnalt de Castehc, espitaler de Santa Crestina, quaranta sueldos dineros jacqueses, los quales son los que uos deujades dar anos en el nonbre sobredito, z 5 |³ uos erades obligado al liuro dela cort del oficial de Jacca por razon de hun uestiment que Pes de Verriol, espitaler z predecesor uuestro que fue, priso dela dita glesia de Auay; et |⁴ quanto de aquesto prometemos uos en seer de manjfiesto z catar uos ende danyo, dios obligacion de todos los bienes de la dita promjcia; z que porel dito uestiment 10 njn por la |⁵ dita obligacion nunqua uos en pueda seer seyta demanda alguna, z si feyta uos ende era prometemos uos aquella redrar z tirar a mesiones dela dita promjcia. Testimonjos fu|⁶eron desto presentes don Ferrer dAsun, clerigo, z Pero Pueyo, habidantes en Jacca. Feyto fue aquesto en Jacca xxvi dias andados de octobre, anno anatiuitate Dominj 15 millesimo CCC.º sexsage|⁷simo tercio. |⁸ Sig-(●)-no de mj Gil Sanchez de Tolosana, notario pupblico dela ciudat de Jacca quj aquesta carta scriuje.

A. H., Summo Portu, P-126. — La abreviatura de *promjcieros*, línea 2, y *promjcia*, 10, 13, constituída por un trazo curvo que cruza el palo de la *p*, es idéntica a la de *prometemos*, 8, 12, y distinta de la de *predecesor*, 7, y *presentes*, 13, con tilde curva sobre la *p*. — Línea 9, tilde sobre *danyo*. — 17, *pupblico*, la segunda *p* es distinta e independiente de la primera; no es un doble trazo de la consonante inicial, como ocurre en *sobredito*, línea 5, y en *feyto*, 14; además, en *priso*, 8, *pueda*, 11, etc., hay una sola *p*; por esto leo *pupblico* y no *ppublico*.

125

Año **1369,** 20 de junio. — Huesca. — Not.: Andreu de Aguas.

Albarán de pago extendido por el notario y ciertos jueces arbitradores a don Arnal de Sellán, vecino de Huesca.

Sia manifiesto a todos como nos don Aznar Perez de Santa Cruz, sauio en dreyto, de la ciudat dUesca, z Guiralt de Çacarias, ciudadano dela dita ciudat, τ yo Andreu dAguas, notario dius ſcripto, atorgamos hauer hauido τ recebi|²do de vos don Arnalt de Sellyan, cauallero, habitant en la ciudat dUeſca τ ſenyor del lugar de Alborje, huytanta ₅ ſolidos dineros jacceſes, yes aſaber, los trenta ſolidos los quales tocan auos en aquellos sixanta ſolidos que nos don Aznar τ Gui|³ralt nos taxomos, como arbitros que fuemos entre uos τ la ciudat dUeſca, τ los cinquanta ſolidos los quales tocan a uos en aquellos cient ſolidos que los ditos arbitros taxaron a mi dito Andreu, notario dius ſcripto, por ₁₀ la ſentencia |⁴ conpromis entre uos τ la dita ciudat, los quales ſalarios ſobre ditos uos hauedes pagado dentro el tienpo contenido en la dita ſentencia, et en teſtimonio de verdat fazemos uos end eſt preſent publico albara. Eſto |⁵ fue ſeyto en Hueſca, vint dias de junyo, anno anatiuitate Domini milleſimo .CCC.º .LX.º nono. Teſtimonios ſon deſto ₁₅ Pero Sanchez de Salas, ſcudero, τ Ferrando de Luna, notario, habitantes en Hueſca.

Sig-(●)-no de mi Andreu dAguas, notario publico de la ciudat dUeſca, qui aqueſto ſcriuie.

A. M. de Huesca, perg. núm. 132. — El mismo pergamino contiene, delante de la parte transcrita, el texto de la sentencia arbitral que aquí se menciona.— Línea 8, *taxomos,* escrito con toda claridad. — 14, tilde sobre *junyo.*

126

Año **1370,** 25 de julio. — Aɴsó, part. de Jaca. — Not.: Sancho Aznárez.

Los procuradores del valle de Ansó y los de Borsa, del valle de Aspe, deslindan la jurisdicción de dichas villas sobre ciertos lugares de la montaña.

In nomine Domini noſtri Jheſu Chriſti, ad ſit nobis gratia amen. Noſcan todos que anno anatiuitate Dominj milleſſimo treçenteſſimo septuageſſimo, vinte τ .v. dias de julio, enel ſolano, naua τ puerto τ ſelua de entre Spelunguera, puerto de Borça, τ Cauedallo, puerto |² de Anſo, en preſencia de mi notario τ de los teſtimonios de iuſo ſcriptos..... parecieron τ enantoron en τ por el dito ſolano, naua puerto τ ſelua a partir, determinar, declarar, abouar, ſenyalar, cruçar, |²⁹ pronunçiar, ſentenciar τ a dar todos los ditos procuradores concordantes en vna en la ſeguient forma: Hont Loppe Açnareç τ Garçia Gil, pro-

*cu*rado*res* fobred*i*tos de la beçiau de Borffa |³⁰ *z* de otros hom*n*es de ¹⁰
otr*a*s *p*artidas, hauida plena informacio*n*, qual, que *z* por do yes de
los d*i*tos solano, naua, puerto *z* felua d*e* los homis *z* beçiau de Borça,
z qual que *z* por do yes de los hom*n*es *z* beçiau d*e* Anfo *z* fu vall. Et
auiendo al Nueftro Seynor Dios dela*n*t |³¹ los hueyllos de *nue*ftros co-
raçones, portal que de la fu cara o faç *p*rocedefca *nue*ftra fente*n*cia o ¹⁵
*p*rono*n*ciacio*n*, et por el pod*er* a nos dado fiqu*i*ere atribuydo enlas
d*i*tas *p*rocuracio*n*es por efto *z* por las d*i*tas cofas mouidos, *z* por otros
que nos han inducto *z* inducen raçonablem*en*t a fente*n*ciar, declarar
z p*r*ono*n*çiar, |³² partiendo, dete*r*minando, declara*n*do, fenyalando,
aboando *z* fendo cruçes en las pennas, conpeçando cabo del rigo pof- ²⁰
tremero d*e*l dito folano *z* naua enta..... que fon de Agua Tuerta, puerto
de Anfo; *z* dexendiendo rigo arrigo, façiendo *z* posando cruçes en las
|³³ pen*n*as entro a la felua dEfpelu*n*guera; et por cabo de la dita felua
facie*n*do *z* pofando cruçef en las pen*n*as por el mas jufano çinglo*n* de
la pen*n*a entro a la vall prim*er*a del puerto de Laftanes, q*u*e fe tiene ²⁵
con Agua Tuerta; et dalli *z* de las d*i*tas boas *z* cruçes enta yufo enta
p*ar*tes deSpelun|³⁴guera, dimos *z* adjugamos todo feer de los hom*n*es
z beçiau de Borffa perpetualment; et d*e*l aboado *z* cruçes enta fufo enta
p*ar*tes de Cauedallo *z* de Agua [Tuerta] adjugamos perpetualment todo
feer de Anfo *z* fu vall. Et encara nos d*i*tos *p*rocu*r*ado*r*es de Anfo *z* fu ³⁰
vall *z* |³⁵ de la beçiau de Borffa todos concordant*es* en vna et recono-
xie*n*tes, confider*an*tes *z* efguarda*n*tes que los hom*n*es de Anfo *z* fu
vall folian hauer *z* han leyna de la felua deSpelunguera pora fus cabanyas de Agua Tuerta *z* de Cauedallo, por efto gracioffamente fidimos
z p*er*petualment |³⁶ a los hom*n*es de Anfo *z* fu vall *z* a los q*u*i feran en ³⁵
Agua Tuerta *z* Cauedallo, toda leyna q*ue* menefter hauran perpetualment pora fus cabanyas que fon *z* feran en Agua Tuerta *z* Cauedallo.
Item mas nos procuradores de Anfo *z* fu vall *z* de la d*i*te beçiau de
Borffa, por el |³⁷ pod*er* a nos dado fiq*u*iere atribuydo en las d*i*tas *p*ro-
curacio*n*es, todos concordantes en vna, fente*n*cia*n*do, declarando *z* pro- ⁴⁰
nunciando, dici*mos* *z* expreffame*n*t confentimos que q*uan*do q*u*iera
q*ue* los carnerado*r*es de la vall de Anfo carneraran lo beftiario *z* ganado de la beçiau de Borffa o de fus herbajantes, ³⁸ de las ditas boas *z*
cruçes afufo enta partes de Agua Tuerta en lo de Anfo et fu vall, et fi
los de la beciau de Borffa o fus herbaga*n*tes defendr*a*n con armas, con ⁴⁵
tocho o con fufta o con piedras, *z* metran bia fu*e*r a..... aquellos, que

fian los defenffadores encorridos en pena |[39] de xixanta *z* feys foldos
d*e* buenos morlan*e*s bla*n*cos, los qual*e*s q*ue* fian de los acarnerado-
res..... exo mifmo fi los de Borça acarn*e*rara*n* de las d*i*tas cru*ç*es *z* boas
enta fufo del beftiario *z* ganado de la vall de Anfo *z* de fus herbajan-   50
tes, *z* defendran |[40] lo dit carnal *z*.metra*n* bia fuera, que fian encorri-
dos en la d*i*ta pena de xixanta *z* feys fol dos, buenos morlan*e*s blancos;
z fi del d*i*to beftiario *z* ganado morra en la d*i*ta defenfion, que fe muera
al fenyor o al defenfador de q*ui* yes el d*i*to beftiario *z* ganado *z* no al
|[41] calnarador; *z* en todo efto que fia creydo el carnerador por fu jura   55
que façia dreyto carnal en fu t*er*mi*n*o *z* non otram*en*t. Et entramos d*i*tos
p*r*ocu*r*ador*e*s de Anfo *z* fu vall *z* del beçiau de Borça, todos concordantes en vna *z* por el poder a nos dado fi quiere atribuido en las d*i*tas p*r*o-
cu*r*acion*e*s, f*en*t*en*ciando, p*r*onu*n*ciando *z* declarando, |[42] queremos *z*
expreffament confentim*os* que diez cabeças de beftiario mayor *z* de   60
çinquenta de menor enta yufo non hayan carnal; et fobre *z* por razon
de aquefto que fia creydo el feynor de d*i*to beftiario *z* no*n* otram*en*t. Et
en todas *z* cada unas otras cofas |[43] nomi*n*ibus q*ui*bus fupra obedimos
z obf*er*uamos la carta de la paç que yes entre la val de Anfo *z* Afpa
en las cofas en aquella co*n*tenidas. Et a fer, ten*er* *z* conplir todas *z*   65
cada unas cofas fobre d*i*tas, çerca nafçientes, em*er*gentes *z* dependien-
tes de aq*ue*llas *z* co*n*tra aquellas por t*ie*npo ni*n*gu*n*o venir, |[44] fi obli-
gamos todos n*ue*ftros bienes *z* de aquellos de qui nos fomos p*r*ocu*r*a-
r*e*s, mobles *z* fedientes, hauidos *z* por hauer en todo lugar. Feyto fue
efto en Cauedallo de Agua Tuerta, puerto de Anfo, anno *z* die ut   70
fupra; teftes Beltran de Ferrera, vezino de Lascun, *z* Curt de |[45] Cap
de Viella, vezino dUrdos, *z* Gualart de Sala, vezino de Seta. *E* yo Sancho Açnareç, per auctoridat del Seynor rey notari*o* p*u*blico per todo
el regno de Aragon *z* de la vall de Anfo, q*ui* de la nota por mi rece-
bida |[46] aq*ue*fta carta fcriuir fiz con fobr*e* fcriptos en la cinquena, on-   75
çena, doçena, quatorçena, diçefeptena, trenta hu*n*a, trenta cinq*uo*,
quaranta dos *z* quaranta *z* quatro lineas|[48]..... *z* por a. b. c. la partie
et eft mi |[49] fig-(●)-nal acoftupnado y fiç.

A. M. de Ansó, perg. núm. 1. — Línea 21, hay unas palabras ilegibles; *Tuerta,* la *e* dudosa; podría leerse *Tuarta.* — 46, hay una palabra destruída; lo mismo ocurre en la línea 49. — 54, tilde sobre *fenyor.*

127

Año **1373,** 9 de marzo. — Aínsa, part. de Boltaña. — Not.: Jaime Riquer.

Salvador de Arán, vecino de Aínsa, pide autorización al obispo de Huesca para poder vender unas casas que pagaban censo a la iglesia de Aínsa.

Sepan todos quod anno a natiuitaie Dominj milleſimo CCC.º LXX.º III.º, yes a ſaber, dia miercoles, .IX. dias del mes de março, en la ciudat dUeſca, en el palacio epiſcopal del ſenyor viſpo dUeſca, ante la preſencia del muy|²t hondrado z diſcreto don Ramon dOliete, bagiler en derectos, ... |³ conſtituydo perſonalment Salbador dAran, vezino dela vilya dAinſa, dixo z propuſo que como el tenies z poſedies como bienes ſuios, yes aſaber, hunas caſas ſetiadas en la v|⁴ilya de Ainſa, ... |⁹ por los quales bienes z heredades de ſuſo confrontadas, el dito Salbador façia por nopne z voç de trehudo trenta ſoldos, dineros jacceſes, z mea liura de pe|¹⁰bre, por el pagaderos en cada hun anyo perpetual-   10
ment, en el dia ho fieſta de ſan Migel del mes de ſetienbre al capellan de la capellania inſtituida dios invocacion del Sant Eſpirito, por dona Sancha Perez dAran, vezina de la dita vilya |¹¹ de Ainſa, qui fue, ho al dito ſenyor viſpo dUeſca..... |¹² .....et agora por ſu neceſida|¹³t quiera vender las ditas heredades, z truebe qui da z ſe hoferece dar ael por   15
precio de aquellya, conel dito trehudo z ſadiga enſenble, verdadera-ment, dos mil .DC. ſueldos dineros jacceſes, los quales |¹⁴ preferex de dar Johan de San Vicient, vezino de la dita vilya de Ainſa, honbre abonado z de refeç conuenir z no vedado por dreyto ni por pacto..... |¹⁵ el dito Salbador intimo z intima las ſobre ditas coſas al dito vicario gene-   20
ral, z le preſienta z le preſento..... la dita ſadiga por el dito Salbador fa|¹⁶zedera, z lo requerio z lo requiere que ſi el queria ho quiere las ditas heredades treuderas por el dito precio de dos mil .DC. ſueldos enſi retener..... que pagando aquellyos al dito Salbador z .X. |¹⁷ ſueldos menos del dito precio..... era yes parilyado de firmar z fazer al dito   25
vicario general poral dito ſenyor viſpo carta de vendicion de las ditas heredades..... |¹⁸ ho ſi el dito vicario general no queria ho quiere fazer la dita conpra..... por el preciò |¹⁹ el qual el dito Salbador i trueba, que lo requeria exſuperabundant capellan quel das lecencia al dito Salba-

dor de vender ʒ firmar carta de vendicio*n* de las d*i*tas heredades..... 30
|²⁰ El d*i*to Salbador requerio a mi notario dios efcripto que len fizies carta publica por defenfion ʒ mueftra fuya..... |²¹ Et encontinent el d*i*to don Ramon, vicario general, hoyda la intimacion..... refpufo ʒ dixo q*ue*s tenia delib|²²eracion por auer confellyo ʒ deliberar fobre aquellyas entro a la hora de las viefpras del prefent dia..... E*n*pues defto eft mif- 35 mo dia, a la d*i*ta hora de las d*i*tas viefpras..... |²³ el d*i*to don Ramon dixo..... |²⁵ quel en el nopn*e* qui de fufo..... no auian ni an hoportunidat ni aume*n*teza ni yes necefario fazer la d*i*ta conpra mayorment como no auies ni aia bienes mobles o pecunia |²⁶ de la d*i*ta capellania de los quales fe podiefen conprar las d*i*tas heredades..... |²⁸ ..... et dio liçençia 40 ʒ actoridat al d*i*to Salbador |²⁹ de vender..... las d*i*tas heredades..... en- pero proteftando quel d*i*to trehudo de .xxx. fueldos ʒ mea liura de pebre |³⁰ pora fienpre fia ʒ finque faluo.....

|³³ Sig-(●)-no de mi Jayme Riqu*e*r, notario publico de la villya de Ajnfa, ʒ por acturidat del fenyor rey notario general por todo el regno 45 dAragon qui |³⁴ aquefto efcriuir fiç.

A. P. de Aínsa, perg. núm. 96.

128

Año **1374,** 4 de octubre. — ¿Cortillas?, part. de Boltaña. — Not.: Sancho López.

Sentencia arbitral sobre cuestiones existentes entre los concejos de Cillas y Cortillas.

Sepan todos que fobre demandas que los honbres ʒ concellyo de Corti*e*llas |² fazian a los hombres ʒ concellyo de Ciellyas, ʒ los hom- bres ʒ concellyo de Ciellyas a los hombres ʒ concellyo de |³ Cortie- llyas..... entro a *e*fte prefent dia que fue conprometido en nos don Mar- tin..... |⁷ ond nos, ditos arbitros, oydas las demandas ʒ defenfions de 5 la huna part ʒ de la otra, oydo aquellyo que ante nos dezir ni pofar que|⁸rieron, ʒ viftas ʒ confideradas todas ʒ cadaunas cofas que a nos uer ʒ confiderar fazian nel ant*e* d*i*to negocio, |⁹ como renu[*n*]ciado fe por amas las d*i*tas partes fiendo prefentes ʒ auido confelyo de fauios ant*e* nueftros guellyos, |¹⁰ todos enfenble..... fentenciando, lodando, dezi- 10 mos..... |[11] ..... que el vedado de|[12]tras lo Lauaye*n*, que afruanta a San Pelay *z* a la fenata de canpo de Sancha Safe *z* fale al canpo de Garcia dIpe |[13] ..... *z* fale por la marguin del canpo del cafal de Jame dAranies, *z* fale a la carera de Veferan; item, pronu[*n*]|[14]ciamos que el vedado deuant la glefia que vaya como diz la eglefia de fan Pelay en joío..... |[15] *z* vuelve al canpo de Garcia dIpe *z* al canpo de Juhan dAlue, *z* dali avant por |[16] la fenata, entro al barranco de la fuent dios. Item pronu[*n*]ciamos que los de Cortiellyas non puedan foltar el fobre|[17]d*i*to pedado entro a dia de fa Migel del mes de fetie[*n*]bre, el lano que feran las miefes de la carrera entafufo, |[18] *z* fi alguno fi aventura *z* prefo fera que page de pena huna galeta de vino..... |[25] Teftimonios fon defto don Garcia dAluee, reytor de Cortiellyas, *z* Garcia de Vergua, habitant nIevra. |[26] Feyto fue efto quatro dias andados del mes de otobre, anno anatiuitate Dominj millefimo CCC.° LXX.° quatro.

|[27] Sig-(●)-no de mi Sancho Lopez de Sarafa, notario publico de las |[28] juntas de Saraulo *z* de Guerga *z* de Vafa *z* de la Honor de Cortiellyas, |[29] que efto efcriue.

A. P. de Cortillas, perg. núm. 3. — Líneas 4-5, *Martín.....,* siguen los nombres de otros árbitros. — 16, junto a Cortillas existe aún hoy la «Fuente dios», cuyo nombre interpretan los vecinos como equivalente a «Fuente de Dios».

129

Año **1380,** 25 de noviembre. — BANASTÓN, part. de Boltaña. — Not.: Juan de Monzón.

Venta de una viña de Juan de Ceresa al monasterio de San Victorián.

Sepan todos como yo Joha*n* de Cerefa *z* yo Jordana, mullyer d*e*l, vecj*n*os de Arahuaft, por nos *z* por todos los n*ue*ftros pr*e*fentes *z* auenjd*e*ros ve*n*demos no reuocable me*n*t, *z* lue|[2]go de pref*e*nt ljuramos *z* en corporal pacefjca pofefjo*n* metemos con efta pref*e*nt carta p*u*bljca por todos tie*n*pos valedera a uos Jayme Sala, racjon*e*ro d*e*l mon*e*fterjo de Sant Vj|[3]ctorja*n* *z* a los v*ue*ftros por todos tie*n*pos de jamas, y*e*s afaber, hu*n*a vi*n*ya n*ue*ftra fetiada en*e*l t*e*rmjno de Arahuaft en*e*l vinyero de Exaujerre, en *e*l logar ho*n* dice*n* alo medjano mayor, |[4] que afrua*n*ta de la vna part en vjnya d*e*l Gay *z* d*e* la otra p*a*rt en vjnya de

los fillyos de Domingo de Soto z en vja publjca z en vjnya de Gjl delo 10
Pueyo. Item fi vendemos nos a vos |⁵ hun canpo nueftro, fetjado enel
dito vinyero de Exaujerre, enel logar hon dicen a lo Furco de la Pera,
que afruanta dela huna part en baranco z de la atra part en vjnya de
Bernat de Erjfa z en |⁶ vjnya de Marcho de Bju; fegunt quellas ditas
afrontacjones en cluden z en caran la dita vinya z el dito canpo afi 15
vendemos nos avos z a los vueftros aquellos con todas fos en|⁷tradas
z exjdas z arbole z fructos z con todos fos dreytos, pertenjencjas z
mjllyoramjentos en aquellyos z en cadauno de aquellyos feytos z por
fer del cielo entro enlo abj|⁸fo, por precio placjble que entre nos z vos
fue puefto z avenjdo, z aliara pagada yes afaber por .c. .ɪxxx.ª. fueldos 20
de dineros jaccefes, buana moneda, los quales luego encontjnent vos
a|⁹nos dieftes z aquellyos nos de uos aujemos z recebjemos en poder
nueftro, bjen pagados fuemos z fomos atodas nueftras propprias volun-
tades, renuncjantes atoda excepcjon de fra|¹⁰u z de en ganyo z de fuero
z de dreyto, de no auer aujdos, contados z recebjdos de uos los ditos 25
.c. .ɪxxx.ª. fueldos con la aliara enfenble. Et por efto queremos que
ayades la dita vinya |¹¹ z el dito canpo francos, qujtos, liberos z feguros,
menos de todo treudo z cenf z de todo ljnyage de ferujtut, ad aver,
tener, pofedjr, efpleytar z heredar, conpoder de dar, |¹² vender, enpj-
nyar, camjar, aljenar z fer de aquellos z en aquellyos a todas vueftras 30
z de los vueftros propprias voluntades, asj como de cofa vueftra propria
et afi como millyor z mas proue|¹³ytofament fe puede decir, efcriujr
z entender, aconfellyo de fauios atodo proueyto z faluamiento vueftro
z de los vueftros. Et prometemos z conuenjmos z enfobljgamos |¹⁴ fer
auer auos z a los vueftros franquos, qujtos, ljberos z feguros, fegunt 35
como dito yes la dita vjnya z el dito canpo por afienpre jamas, con
nueftras propprias meffiones, |¹⁵ djos obljgacjon de todos nueftros bje-
nes. Et a mayor fjrmeça z fegurjdat vueftra z de los vueftros fj damos
fjança de faluedat z de fegurjdat quj la dita vjnya z lo |¹⁶ dito canpo
falue z fegure, z aquellyos faluar z fegurar faga avos z a los vueftros 40
por todos tjenpos de jamas, con nos z fjenes de nos, contra todas z
quales quj|¹⁷ere perfonas del mundo, z mantjengua omantener faga enla
dita vjnya z enel dito canpo, fegunt fuero z obferuanca del regno de
Aragon, franquos z qujtos, fe|¹⁸gunt que dito yes dela part de fus, yes
afaber, a Guillyen dela Vjllya, vecjno de Arahuaft. La qual fjadorja yo 45
dito Gujllyen de volenter fago z atorgo, djos la for|¹⁹ma fobre dita.

F*ey*to fue e*f*to en*e*l *f*obr*e* d*i*to mone*f*terjo d*e* *f*an*t* Victorja*n*, .xxv.°. djas d*e*l mes d*e* nouje*n*bre an*n*o anat*iuitate* Domi*n*j M.° CCC.° LXXX.° Te*f*-tj*m*onj|²⁰os *f*on de*f*to fray Ramo*n* d*e*lo Pueyo, mo*n*ge *z* enfermarero d*e*l d*i*to mone*f*terjo, *z* Pedro d*e* la Barta, vecj*n*o d*e* Arahue*f*t *z* racjo-   ⁵⁰ n*e*ro d*e*l d*i*to mone*f*terjo.

²¹|Sig-(●)-no d*e* mj Joha*n* d*e* Mon*ç*on, not*ario* publjco d*e* Bana*f*to *z* d*e* toda la hon*or* *z* tiera del mone*f*terio d*e* Sa*n*t Vjctorja*n*, q*ue* e*f*to e*f*cri-uje *z* enla .x.ª. lj*n*ea *f*obr*e* e*f*criuje, q*ue* lje dos.

A. H., San Victorián, *P*-342. — El documento 343 de la colección San Victo-rián es pareja del presente y ofrece las siguientes variantes: línea 13, *atra;* en el 343 falta esta palabra.— *21, buana;* en el 343 escrito sin abreviatura. — *34, enfo-bljgamos;* en el 343 escrito en dos palabras: *ens obligamos.* — *35, franquos;* en el 343, *francos.*

130

Año **1390,** 22 de enero.—BANASTÓN, part. de Boltaña.—Not.: Juan de Monzón.

Donación de unos bienes de Jaime Sala al monasterio de San Victorián.

Sepan todos como yo Jayme Sala, racion*e*ro del mone*f*terio d*e* *f*ant Victoria*n*, dono *z* d*e* pre*f*ent liuro et en cor|²poral pacifica po*ff*e*f*ion meto, por remedio d*e* mi a*n*ima *z* d*e*las a*n*im*a*s d*e* mi padre *z* d*e* mi madre *z* d*e* mis par*i*entes |³ *z* d*e* todos aquellos q*ue* yo *f*o tenido, a Dios *z* aS*a*nta Maria *z* ala *f*acri*f*tia d*e*l mone*f*terio d*e* *f*ant Victoria*n*, en   ⁵ pre|⁴*f*encia d*e*l reuere*n*t padre en Jhe*f*u Chri*f*to don B*e*rnat, por la gra-c*i*a d*e* Dios abbat d*e*l *f*obr*e* d*i*to mone*f*terio d*e* |⁵ *f*ant Victoria*n* et d*e* los ho*n*drados *z* religio*f*os fray Bele*n*ger Ferer, p*r*ior d*e* clau*f*tra, *z* fray Anthoni |⁶ d*e* Barcelona, *f*acri*f*tan, *z* fray Jayme Paniello, almo*f*nero *z* fray Pedro d*e* Arahue*f*t, p*r*ior d*e* *f*ant Lor*e*|⁷n*ç*, *z* fray Domi*n*go d*e*l   ¹⁰ Maye*f*tre, p*r*ior d*e* *f*an*t*a Ju*f*ta, *z* fray Marti*n* d*e* A*ç*ara, p*r*ior d*e* *f*ant Marti*n* d*e* Ara*f*an*ç*, |⁸ *z* fray Sancho dela Toue*n*ya, enfermarero, *z* fray B*e*rnat d*e* Mur, p*r*ocu*r*ador d*e* Barba*f*tro, fray Ra|⁹mo*n* Gay, clauero, co*n*juntame*n*t todos enla ca*f*a d*e*l capitol d*e*l d*i*to mone*f*terio plegados, ye*f* a*f*ab*e*r: prim*e*ra|¹⁰me*n*t hu*n* cellero mio *f*etiado en*e*l lugar dela Torre   ¹⁵ d*e* Eri*f*a, aldea d*e* Lupes, co*n* tres cubas d*e* *f*u*f*ta |¹¹ d*e* roure, tenie*n*tes la vna .v. mietros *z* las dos cada dos mietros; el qual celero afrua*n*ta en |¹² ca*f*a d*e* Domi*n*go Toledo *z* en ca*f*a d*e* Dome*n*ga, fillya d*e* Marti*n*

de la Ca*n*bra, *z* en ca*f*a d*e* Domenga, fillya d*e* |[13] Bernat Si*f*on. It*em*
hu*n*a vinya mia, *f*etiada q*ue* y*e*s ho*n*t di*çen* a*f*a*n*ta Maria d*e* Exauiere, 20
ter*mi*no d*e* Ara|[14]hue*f*t, q*ue* afrua*n*ta en vinya d*e*la Caridat d*e f*ant Vi-
cie*n*t d*e* Lup*e*s, *z* en ca*n*po d*e f*ant Victoria*n z* en bara*n*cho |[15] *z* en
via p*u*blica. It*em* otra vinya mia, *f*etiada en*e*l vinyero d*e* Exauiere, en*e*l
lugar ho*n*t di*çe*n a lo me|[16]diano mayor, ter*mi*no *f*obr*e* d*i*to, q*ue* afrua*n*ta
en vinya q*ue*l di*çe*n d*e*lo Gay *z* en vinya d*e*los fillyos de Do|[17]mingo 25
d*e* Soto *z* en via p*u*blica *z* en vinya d*e* Joha*n* d*e*·lo Pueyo. Segu*n*t q*ue*las
d*i*tas afro*n*tacion*e*s en|[18]cluden *z* e*n*çara*n* el d*i*to çellero *z* las d*i*tas vin-
yas a*f*i dono yo aqu*e*llas co*n* entradas *z* exidas |[19] *z* arbol*e*s *z* fruct*os*
z co*n* todos *f*os dreytos, p*er*teniencias *z* millyoramientos en aq*ue*l *z* en
aq*ue*llas fe|[20]ytos *z* por *f*er, dentro *z* de fu*e*ras, d*e*l ciello entro en lo 30
abip*f*o. Lo qual cellero co*n* las d*i*tas cubas *z* |[21] vinyas yo dono por
todos ti*en*pos co*n*las condecion*e*s dios e*f*criptas: primeram*en*t q*ue*l d*i*to
*f*acri*f*tan q*ue* |[22] agora y*e*s *z* por ti*en*pos *f*era del d*i*to mone*f*terio tienga
z po*f*fede*f*ca, rege*f*ca *z* co*f*tode*f*ca el d*i*to cel|[23]lero *z* las d*i*tas cubas *z*
vinyas en*f*e*n*ble, millyoradas *z* no en piyoradas, et que aqu*e*llas po|[24]de 35
z caue *z* ap*a*rellye por cadau*n* an*n*o, *f*egu*n*t q*ue* alas d*i*tas vinyas *f*e
co*n*uiene, millyora*n*do *z* no en|[25]piora*n*do. It*em* q*ue*ll d*i*to *f*acri*f*tan *z*
la d*i*ta *f*acri*f*tia *z* qualquier*e* otr*o* q*ue*lo d*i*to cellero con las d*i*tas |[26] cu-
bas *z* vinyas tenra *z* po*f*fidira *f*ia*n* tenidos d*e* ten*e*r vna la*n*pada d*e*ua*n*t
lo altar d*e* Sa*n*ta Ma|[27]ria d*e*l coro d*e*l d*i*to mone*f*terio, la qual cr*i*eme 40
d*e* dia *z* d*e* nueyt c*o*ntinum*en*t por todos ti*en*pos. |[28] It*em* q*ue f*elo d*i*to
*f*acri*f*tan o *f*acri*f*tia o otros por el no tenia lo d*i*to cellero *z* las d*i*tas
vinyas bie*n* |[29] co*f*todidas, podadas *z* cauadas *f*egu*n*t q*ue* avinyas *f*e
co*n*uiene, millyora*n*do *z* no enpiyora*n*do, *z* la d*i*ta la*n*|[30]pada bien ap*a*-
rillyada *z* ba*f*tada d*e* oli, *z* cr*i*eme d*e* dia *z* de nueyt, como d*i*to y*e*s, 45
aco*f*ta *z* me*f*fio*n* |[31] d*e*l d*i*to *f*acri*f*tan et d*e*la d*i*ta *f*acri*f*tia, q*ue* yo d*i*to
Jayme o otr*i* por mi men pue*f*ca enp*a*rar d*e*lo |[32] d*i*to celero et d*e*las
d*i*tas cubas *z* vinyas *z* fruct*os z* rendas de aqu*e*llas por mi pr*o*pria acto-
ridat, |[33] menos d*e* coniximie*n*to d*e* ningu*n* juge *z f*enyoria, *z f*ien*e*s d*e*
ningu*n*a pena. Et façie*n*do, tenie*n*do *z* |[34] co*n*plie*n*do todas *z* cadauna*s* 50
co*f*as *z* co*n*decion*e*s *f*obr*e* d*i*tas, quiero *z* atorgo q*ue*l d*i*to *f*acri*f*tan *z*
*f*acri*f*|[35]tia ayan, tie*n*gan *z* po*f*fede*f*can *f*ien*e*s d*e* cotrieredat *z* enbargho
d*e* mi *z* d*e*los mios el d*i*to cel|[36]lero *z* las d*i*tas cubas *z* vinyas *z* fruc-
t*os* d*e* aqu*e*llas por a*f*ienpre jamas. It*em* q*ue* yo d*i*to Jayme, |[37] apr*e*s
d*e* mis dias e*f*table*f*co *z* jn*f*titue*f*co patron*e*s *z* vededor*e*s *f*obre las d*i*tas 55

cofas lo prior de cla|³⁸ultra z monges del dito monefterio que agora fon
z por tienpos feran, a periclo de fos animas z de ca|³⁹dauno delos. Et
fray Anthoni de Barcelona, facriftan de la dita facriftia, con voluntat z
atorgamiento |⁴⁰ delos ditos fenyor abbat z monges feu conuentu dicti
monafterij, recebie los fobre ditos cellero et las |⁴¹ ditas cubas z vinyas 60
con todas z cadaunas condeciones fobre ditas, et de tener, fer z con-
|⁴²plir aquellas, fegunt que dela part de fus yes dito, dios obligacion de
todos los bienes z rendidas dela |⁴³ dita facriftia. Et los fobre ditos prior
de clauftra z monges, feu conuentu, prometieron z atorgo|⁴⁴ron de fer
patrones z vededores, z de fer fer, tenir z conplir todas z cadaunas 65
cofas z |⁴⁵ condeciones enla prefent carta contenidas. Item que en cafo
que la dita facriftia o el facriftan de aquella |⁴⁶ no feua o feuan el dito
feruicio z cultiuacion de los ditos bienes, eftando millyorados z no en
pi|⁴⁷yorados como dito yes de la part de fus, que lo dito prior de clauf-
tra z conuento de los ditos mon|⁴⁸ges fen puedan enparar delo dito 70
cellero z bienes z fructos delas ditas vinyas o rendas |⁴⁹ de aquellas,
fegunt que dito yes, et las puedan meter a otro z a qui ellos queran o
bien vifto |⁵⁰ les fera portodos tienpos, con la carega del dito feruicio
z treudo. Et de todo efto requerieron feren feytas dos |⁵¹ cartas publi-
cas partidas por letras. Feyto fue efto enel dito monefterio, .xxii. dias 75
del mes |⁵² de janero, anno anatiuitate Domini M.º CCC.º XC.º Tefti-
monios fon defto el hondrado Rodrigo de |⁵³ Mur, efcudero z fenyor
de Formigals, z fray Marcho de Fofado, monge del dito monefterio.
|⁵⁴ Sig-(●)-no de mi Johan de Monçon, notario publico de Banafto z
|⁵⁵ de toda la honor z fenyorio del monefterio de fant Victorian, que 80
|⁵⁶ efto efcriuie z por letras partie, enla .xxxix. linea fobre efcriuie que
lie, el |⁵⁷ dito; en la .iiij. de la ultima linea que lie, por todo[s] tienpos.

A. H., San Victorián, *P*-349. — Línea 9, *Paniello,* tilde sobre la *n.* - 44, *con-*
uiene, con una segunda tilde sobre *ne,* la cual hace que se pueda leer *conuienen.*—
49, *coniximiento,* tilde sobre la primera sílaba.— 74, *feren,* escrito *fn* con dos tildes,
una sobre la *n* y otra que cruza el palo de la *f.*

131

Año **1391,** 28 de marzo. — Jaca. — Not.: Guillem Ramón de la Laguna.

Martina Exavierre deshereda a sus ahijados Jimeno de Blazaco y María.

Anno anat*iuitate* Domjnj *q*ill*efimo* trecente*fimo* nonage*fimo* primo, dia martes, vint *z* hueyto dias d*el* m*e*s de março; en*el* mona*fterio de* Santa Cruz d*e*las Seros, en pr*e*fencia d*e*la muy*t* reu*e*r*e*nt en Jh*efu*-|²Chri*ſto*, *ſe*nyora dona Brimi*ſſen*, por la gr*aci*a de Dios abbade*ſſa*, dona Sancha X*e*m*e*n*e*z de Lobera, pr*iora*, dona Maria P*e*rez de Baylo, sagri*ſ*-   5
tana, dona Arnalda Martin*e*z de Moriellyo, mo*n*jas d*el* |³ d*i*to mona*ſte*-rio, *z* de otras bu*e*nas perfonas, *con*ſtituyda p*e*rfonalm*e*nt dona Martina Exauierr*e*, mully*e*r de Johan dAltornes, qui fue, h*a*bidant en*el* lugar de Santa Cruz d*e*las Seros, *z* |⁴ en pr*e*fencia d*e*l not*ario z* d*e*los te*ſti*monios di*u*s *f*criptos, propu*f*o *z* dixo q*ue*, ti*e*npo ha, la d*i*ta Martjna hauia afi-   10
llyados *z* acolljdos como fillyos en sus bien*e*s a Exemeno de Blançaco, njeto dellya, *z* a Maria, |⁵ mully*e*r del, habidantes en*el* d*i*to lugar de Santa Cruz, cuydando hau*e*r dellyos buen *ſe*rujcio, con carta p*u*blica f*e*yta por Palazi*n* P*e*rez de Villyanua, not*ario* general d*e* actoridat real |⁶ por todo el regno d*e* Arago*n*, con çiertas *con*diciones en aquellya *con*-   15
tenjdas, en *ſ*pecial q*ue* ellya fues senyora *z* mayor*a* por todo el ti*e*n*/*po d*e* fu vida, et *e*llyos fue*ſſen* tenjdos |⁷ de *ſe*ruir la bien *z* lealm*e*nt, *z* de dar le com*e*r, beu*e*r, be*ſt*ir *z* calçar en todo ti*e*npo d*e*la vida dellya, et encara ellya podies ordenar de fus bjenes pora su anjma, fegu*n*t |⁸ bien visto lj *ſe*ra. Ond como los d*i*tos Exemeno *z* Maria, *con*iuges, lj haya*n*   20
fallydoen las d*i*tas condjçiones *z* enla mayor partida de aqu*e*llyas, senyaladament |⁹ la hauje*ſſen* de*ſ*honrada *z* jnjuriada *z* prorru*m*pido enta ellya palauras jnjurio*f*as *z* de*ſ*hone*ſ*tas, *z* çer*c*a dado li *z* ferida la, *z* no dado li de ve*ſt*ir segu*n*t deuja*n*, |¹⁰ et encara gitada la d*e*las ca*f*as dellya mi*f*ma diu*e*r*f*as vezes, *z* *f*eria muerta de *f*ambre *z* de frio, sino   25
por Dios *z* la d*i*ta senyora abbade*ſſa z* duenyas del |¹¹ d*i*to mone*ſterio*, q*ue* li acorriero*n z* la gou*e*rnaron *z* la recebjero*n*, q*ue* no lj lexaro*n* mal pa*ſſ*ar nj de com*e*r, ve*ſt*ir nj calçar, et agora d*e* pre*f*ent, *z* ti*e*mpo ha, goujerna*n z* ma*n*tiene*n* |¹² aquellya; et *ſ*ia ju*ſ*ta *z* razonable co*f*a q*ue* al no tenjent *z* crebanta*n*t las *con*diciones, aqu*e*llyas no li *ſ*ia*n* tenidas,   30

poreſto la díta Martjna Exauierre, mouj|[13]da porlas antedítas razon*es* z
por otras juſtas z legitjmas cauſaſ, enſu *tiem*po z lugar explicad*eras*,
dixo q*ue* deſafillyaua z deſaſillyo, alos dítos Exemeno z |[14] Maria, *coni*u-
ges, z les tiraua z tiro, ſi quj*ere* reuoco, toda grac*ia* q*ue* ſ*eyt*a les haujes
de todos ſus bien*es*, aſſi como jnh*o*bedientes aellya z tranſgreſſor*es* d*e*las 35
dítas |[15] ſus *condiciones*; queriendo z manda*n*do q*ue* daquj adelant ellyos
nj algu*n*o dellyos nj ſus deſcendjentes, no*n* ſe goyen nj alegren nj ſe
pueda*n* goyar nj ale|[16]grar d*e*los bien*es* suyos, nj de mobl*es* nj de sedien-
tes, de todos nj de partida, por algu*n*a man*e*ra nj razo*n*. Et la díta Mar-
tina dixo q*ue* por la gra*n*t deuocio*n* |[17] q*ue* auja en*e*l dito mon*e*ſterio, z 40
por los muytos agradables plazer*es*, honras z bien ſ*ey*tos, q*ue* hauja rece-
bjdo z recebja cadadja, z recebjr eſperaua d*e*las dítas senyora |[18.] z duen-
yas, z por q*ue* era viellya z antiga z defallyida de ſus fillyos z criazones,
z deſeaſe ſeer enterrada en*e*l dito moneſterio enel *tiem*po de ſu fin, |[19] de
ſu cierta sciencia z con agradable volu*n*tad q*ue* fazia z fizo donacio*n*, 45
ceſſion pura, p*er*ſecta z jrreuocable jn*te*ruj*u*os, alas dítas senyora abba-
deſſa, duenyas et |[20] co*n*uento d*e*l dito monaſterio, d*e* todas sus caſas,
caſal*es*, campos, vinyas, huertos z otras heredad*es* z bien*es* qual*es* quj*er*
q*ue* eliya hauja z ha en*e*l dito |[21] lugar z t*e*rmjnos de Sa*n*ta Cruz, z en
otros qual*es* quj*ere* lugar*es*..... 50

|[36] Sig-(●)-no d*e* mj Gujllem Beltran d*e*la Laguna, h*a*bitant enla cju-
dat d*e* Jacca, p*u*bljco not*ario* p*o*r a*c*toridat |[37] real por todo el r*e*gno d*e*
Arago*n*, q*u*i alas ſobr*e* ditas coſas pr*e*ſent fue, z aqu*e*ſto ſcriuir fiz.....

A. H., Benedictinas de Santa Cruz, *P*-225. — Tilde sobre *ny* en *senyora,* línea
16, y en *senyaladament, 22*; pero no en *ſenyora,* 4, 26, ni en *duenyas, 26*, etc.

132

Siglo **XIV.** — ¿Huesca?

*Encarecimiento de las virtudes de una maravillosa oración encontrada
en el Valle de Josafat.*

Aqueſta or*aci*on a tal virtut que toda perſona que la dira o la fara
dizir o la leuara conſy no morira en fuego ni en auga ni en batalha ni
en prezion de ſus enimigos; z encara a tal virtut, |[2] que qual quiere p*er*-
ſona que ſia tocada del ſpirito m*a*ligno, que en ſy tienga aqueſta ſanta
nom*in*a, tan toſt li exira del cuerpo z miedo nonde aura; z encara a tal 5

13

virtut q*ue* qual|³quiere molher que uaya en parto *z* tenga aquefta fanta
nomina fobre fy, tantoft parira *z* miedo no aura de morir de aquel parto;
z encara a tal virtut que qui todos dias la |⁴ dira vna vegada con deuo-
cion vera la vergen Maria vefiblament tres dias antes que morra *z* non
morra fin confenfion ni morra amort fubitana, sabra lo dia |⁵ de la fu   10
mort; aquefta oracion fo trobada en la Ual de Jofafar fobre el fepulcre
de Santa Maria. Dizefe anfy com sen fiege: Jh*e*fu Chr*i*fto filho, diuinal
Trenidat.....

A. M. de Huesca, perg. núm. 164.—Pergamino procedente del archivo de San
Pedro el Viejo; letra de fines del siglo xiv; la oración a que se refiere no llegó a
ser escrita; en el documento sólo figuran las palabras copiadas.

133

Año **1409,** 26 de septiembre. — Jaca. — Not.: Miguel Alamán.

Pero López de Ipiés, vecino de Baraguas, declara no tener derecho alguno
sobre los bienes de su hijo Pedro, vecino de Fanlo.

Manifiefto fia atodos que yo Martin Lopez de Ypies, fcudero, habitant en el lugar de Baranguas, atendido *z* confiderado que tu Pero Lopez, fillyo mio legitimo *z* habitant enel palaçio fi quiere cafa de Fanlo,
por muytos infuportables deudos mios et de mi muller Maria et madre
tuya, te hauias partido enfemble con Martina, tu muller, et tus bienes   5
todos, muytos et diuerfos *z* de diuerfos lignages *z* fpecies, de la mi
habitacion, *z* yeras *z* yes ydo por fazer continua et perfonal habitacion
z refidencia al d*i*to palacio *z* cafa de Fanlo, por tal que por occasion de
los deudos mios *z* dela d*i*ta tu madre non podieffe feyer [ᶠᵒˡ· ⁵⁴ᵛ] feyta
exfecucion *z* conpulfa alguna en los d*i*tos tus bienes *z* por tu obtentos   10
z poffefos..... et que yo d*i*to Martin Lop*ez* et la d*i*ta Maria tu madre
fomos viellyos *z* ental hedat conftituydos que no podemos fuportar
nueftra vida propia fienes el tu feruicio et adminiftracion de tus bienes
et fubftancia, confiantes de tu como de buen fillyo [ᶠᵒˡ· ⁵⁵], et mayor-
ment que no hauemos bienes nueftros algunos con los quales la d*i*ta   15
vida podamos fuportar, et que conftreytos de grant neceffidat por todas
et cadaunas cofas fobre d*i*tas et por la d*i*ta nueftra vida contu conferuar, nos mouemos *z* fomos mouidos de hir perfonalment al d*i*to tu

palacio z casa de Fanlo, z con tu habitar z habitacion continua de toda
nuestra vida fazer. Por aquesto yo dito Martin Lopez, tu padre, reconosco, 20
atorgo, expresament conuiengo z manifestando atorgo, que no he bienes
otros o dreytos [fol. 55v] algunos..... enel dito tu palacio et sus guardas
et terminos et que a tu se puedan acatar et pertenescer, ni por nonbre
tuyo se puedan nonbrar, dezir, si non ses et tan solament que por tu
natural obligacion et afillyacion deuida me finquas tenido et obligado 25
administrar la vida ami z a la dita Maria mi muller, tu madre; et por
indepnidat et descargo tuyo et de todos tus bienes, z que por occasion
[fol. 56] mia vexacion no te pueda seyer feyta, quiero que por el notario
infrascripto de todas et cadaunas cosas sobreditas tende faga carta publica atodos tienpos daqui adelant firme et valedera, et en alguna cosa 30
non reuocadera. Feyto fue aquesto en la ciudat de Jacca a xxvi de sep-
tienbre, anno anatiuitate Domini M.º CCCC.º VIIIJ.º.....

A. M. de Jaca. Protocolos de Miguel Alamán, año 1409, folios 54-56.

134

Año **1412,** 31 de octubre. — Jaca. — Not.: Sancho de Arto.

*Pedro de Aguilar da posesión al sacristán de la catedral de Jaca de
una casa y una viña en el lugar de Ascar.*

Anno anatiujtate Domjnj millesimo quadrjngentesimo duodecimo,
dia lunes, vltimo del mes de octubre, enel logar de Ascar, delant el
palacio siqujere casas quj solian estar delos honorables Ferrer de Lanuça
z dona Gostanca de Benjes mullyer suya, habitantes enla cjudat de Ca-
ra|²goça, do eran presentes el honrado Pedro dAguilar, comorant con 5
los ditos Ferrer z dona Gostança, conjuges, procurador dellyos z de
qualqujere dellyos, con carta publica de procuracion feyta en Çaragoça,
dia martes, a quatorze dias del mes z anno sobreditos, por Domjngo
Berdun, notario publico dela ciudat de |³ Çaragoça, dela vna part; e el
honorable don Blasco Ximenez dEmbun, sagristan dela seu dela dita 10
cjudat de Jacca, dela part otra; en presencia de mj notario z los testi-
monjos jnfra scriptos, el dito Pedro dAgujlar, procurador, e enel nombre procuratorjo quj dessuso, propuso z dixo que como por vigor de
vna vendicion |⁴ que el enel dito nombre procuratorjo hauia feyta al

díto don Blafco Ximenez, fagriftan, del díto palacio, fiquiere cafas, con 15
todos los baxiellyos bjnarios, arcas, arqujbanques z oftillas otras que
dentro aquel fueffen, z con todos z qualefqujere heredamjentos de cam-
pos, vjnyas, heras, huertos z otros adaquel pertene|[5]cientes, z con todos
fus dreytos z rentas de aquell, que folia effer ante dela dita vendicion
delos ditos fus principales, z el qual yes confrontado e defignado enla 20
dita carta de vendicion, feyta enel monefterio delos frayres menores
dela dita cjudat de Jacca, a trenta dias del mef z anyo fobreditos z por
el |[6] notario jnfra fcripto, que en continent enel nombre procuratorio
fobredito, metia z mifo en poffefion realment z de feyto enel díto palacio fiqujere cafas al díto don Blafco Ximenez, fagriftan, prendiendo 25
aquel por las manos z metiendo lo dentro el díto palacio fiqujere cafaf;
e el díto don Blasco Ximenez, |[7] sagríftan, affi mefo en poffefion, ende
gito al díto Pedro dAguilar, procurador, e en fenyal de verdadera z
pafcifica poffefion çarro e obrie las puertas del díto palacio fiqujere
cafas, e fe finco en aquell affi como fenyor z mayor. E en aquel mifmo 30
jnftant fiqujere el díto Pedro dAgujlar, procurador, fiqujere el díto don
Blafco Ximenez, fagriftan, comprador z fenyor del díto palacio fiqujere
cafas, e |[8] delos dreytos pertenefcientes adaquel, cadauno por fi z fu
part z por conferuacion del dreyto del díto don Blafco Ximenez, dixieron que requerian z requerieron mj díto z jnfra fcripto notario, quende 35
fizies carta publica teftimonial de todas z cadaunas cofas fobreditas,
vna o muytas, |[9] fi mefter fera, de vn mifmo tenor. E apres de aquefto
quafi en continent los ditos Pedro dAgujlar, procurador, e don Blafco
Ximenez, fagriftan, fueron con mj díto notario z teftimonios jnfrafcrip-
tos a vna vinya que yes entre otras del díto palacio, fita en plan de Be- 40
narre, termjno del díto logar, la qual yes confron|[10]tada en la carta dela
dita yendicion, e el díto Pedro, procurador, mifo afi mifmo en poffefion
dela dita bjnya al díto don Blafco Ximenez, fagriftan, prendiendo aquel
por las manos, e lo miffo de dentro la dita bjnya. E el díto don Blafco,
fagriftan, gitando ende al díto Pedro, procurador, z el fincando|[11]fe en 45
la dita bjnya; e en fenyal de verdadera z pafcifica poffefion tallyo,
fiqujere podo, con vn gauinyet, delas bites z farmjentos dela dita vinya;
e fiqujere el díto Pedro procurador z fiqujere el dito don Blafco reque-
rjeron mi díto z jnfra fcripto notario quen de fizies carta publica tefti-
monjal.....   50

|[13] Sig-(●)-no de mj Sancho dArto, habitant enla cjudat de Jacca,

por auct*o*ridat real not*ario* p*u*blico por todo el regno de Aragon, quj alas fobreditas cofas pr*e*fent fue e aq*ue*llyas efcr*i*uie e çerre. Conſta de fobre pofado, enla vii.ª Ijnea do fe liye: ende gjte |[14] al d*i*to Pedro dAguilar proc*ur*ador e en fenyal d*e* verdadera *z* pafcifica poffefion.   55

A. H., Benedictinas de Santa Cruz, Jaca, *P-233.* — Precede a lo transcrito, en este mismo pergamino, la escritura de venta y el albarán de pago referentes a la venta de que aquí se trata.—Línea 7, *çarro,* primeramente se escribió *çarre,* y después se enmendó la *e* en *o.*

135

Año **1420**, 19 de marzo. — Jaca. — Not.: Antón Ordaniso.

Acta notarial de los sucesos ocurridos entre los vecinos de Avay y don Pedro Gavarcet, recaudador de ciertos tributos.

Dia martes que fe *co*ntaua xix del mes de março, enel lugar de Auay, prefent*es* mi not*ario z* los teſtimo*n*ios infrafcriptos, perfonal-ment conſtituydo don Pedro Gauarcet, clerigo, h*a*bitant en la ciudat de Jacca, asi como p*ro*curador de los honorables cano*n*ges *z* capitol de la feu de Jacca, delant Garcia Salama*n*ya, vezino del dito lugar   5 dAuay, dixo tal*es z* fe*n*blant*es* pal*a*uras de las infrafcriptas:

— Muyto me marauellyo de tu Garcia Salamanya que ayer quando yo vin al dito lugar dAuay de mandamiento de los cano*n*ges *z* capitol d*e*la seu de Jacca, por leuar pindras por razon q*ue* los vafallyos del dito lugar no q*ue*ria*n* pagar aq*ue*llyo q*ue* era*n* tenidos *z* por jeta lis *co*n-   10 uer*n*a, en la ayuda del cafamiento de la infa*n*ta dAragon, *z* tu me fizieſte refiſtencia, defendiendome las ditas pindras, *z* entre otros me fueſte rebel.

Et el dito Garcia Salamanya refpufo *z* dixo q*ue* era verdat aquellyo q*ue* el dito don Pedro hauia dito, et q*ue* el dito Garcia con [fol. 3 r] algu-   15 nos otros del dito lugar lo hauia feyto, *z* aqueſto de mandamiento de fu mayor *z* de fus p*ro*c*ur*adores.....

Eadem die et en *e*l dito lugar dAuay, apres quaſi por poqua diſtan-cia de tienpo, el dito don Petro Gauarcet, p*ro*c*ur*ador, defcaualgo de fu rocin en q*ue* hiua cauall*er*o, *z* quiriendo pindrar *z* p*re*nder por pin-   20 dra dos beſtias mulanyas, vna de pelo negro *z* otra de pelo pardo, jun-

tas, que venian de laurar, rimo las a vna paret et quiſo lançar mano en
ellyas. Fue ally [ᶠᵒˡ·³ᵛ] Garcia Salamanya, z dixo:

— ¡Et como, don Lop de Soduaz z don Pedro Gauarret! ¿Voſotros
querez leuar por fuerça las beſtias de Auay por el cuerpo? Daſi ara 25
veremos como las ne leuarez. Ves, moço, da dos bathalladas a la canpana, que ſe replegue la gent.

Et de feyto, por mandamiento del dito Garcia Salamanya, fue el
dito moço z repiquo la dita canpana tres toches, et de feyto se reple-
goron et vinieron con ſus armas el dito Garcia Salamanya, Xemeno 30
dAyn..... z por fuerça tiroron lis las ditas beſtias, a poder de colpes,
dando a las ditas beſtias, hont encara diziendo todos enſenble:

— Mal aqui ſoz venidos, car todos o en partida hi podremos finquar,
[ᶠᵒˡ·⁴ʳ] mas voſotros con mal ne partirez.....

Don Pedro Gauaret [ᶠᵒˡ·⁶ʳ] delant el dito Garcia Salamanya recito 35
la ofenſa z rebellion que el li hauia feytas z las injurioſas palauras que
el li hauia ditas. El dito Garcia Salamanya perſeuerando en ſu malicia
z deſordenada ſuperbia, muyt irreuerentment et en vituperio z deſonor
del dito procurador z ſus principales, altament z pub[l]ica, conſeſo z
dixo que el hauia feytas las ditas ofenſas z rebelion z ditas las de par- 40
tes de ſuſo expreſadas injurioſas palauras, z que non ſe repentia de
aquellyas, antes las queria hauer por feytas z por ditas.....

Don Pedro Gauarez, [ᶠᵒˡ·⁷ʳ] tornado al dito logar de Auay, priſo dos
mulas, huna de pelo negro z otra de pelo griſo. Feytas las ditas pindras, houſcament..... ſallio Garcia Salamanya, z cruidando gruandes 45
uozes [dixo]:

— ¡Vehaſe lo cobeçoro de don Pero Gauaret!

Et fizo ripicar la canpana, z fueſe por armas acaſa, et vino con todos
los otros de la villa, mano armada..... qui tenprando las lancas z comi-
nando de muert al dito don Pero z ſus conpanyones z cruidando 50
«¡Mueran los traydores robadores!» violentament z de feyto tiraron al
dito don Petro, procurador, las ditas exſecucion z pindras..... las quales
con ſii leuaron z tornaron al dito lugar dAuay.

Et el dito don Petro Gauarez, procurador, dixo que como el veyes
ocularment z con gruant furor z inpetu, delant el venido, el dito Garcia 55
Salamanya con los otros del dito lugar, manu armada, et [non] podies
reſiſtir al ſu mal propoſito, que requeria z requerio mi dito notario
[ᶠᵒˡ·⁸ʳ] que de todas z cada unas coſas ſobreditas li continuaſe proceſo

et apart li faziefe carta publica, de las quales los pueda acufar en fus
logar z tyenpo z delant qui fe *con*uienga. 60

A. M. de Jaca. Protocolos de Antón Ordaniso, año 1420, folios *2v* a 8. — Línea 45, después de *houfcament* hay un roto que ha hecho desaparecer una palabra; en los demás casos los puntos suspensivos sólo indican pasajes abreviados.

136

Año **1425.** — Jaca. — Not.: Pedro de Ipas.

Relación de los gastos hechos por Pedro de Ipas con motivo de la muerte de su hijo Juan.

Efta y[*e*]s la defpenfa que yo don P*e*ro dIpas e feyta por Joha*n*
dIpas, fillyo mio:

Primeram*en*t el dia de la fu defuncion co*n*pre .vii. copdos lie*n*co, ada razo*n* de .xviii. d*i*n*e*ro*s lo copdo, q*ue* monta........................	.x. fs.,	.vi. ds.	5
Item, pora la defunción .vi. *libras* de cera, la qual fe conpro en cafa de Ylenaua, a precio de .xx. d*i*n*e*ro*s, monta............................	.x. »	»	
Item, defpendie la nuet que morie .ii. *fueldo*s de vino pora los q*ue* lo veylaua*n*.			10
Item, el dia q*ue* fentero, la mifa................	» .viii. »		
Item mas, los pobres z laf freyras z los que leuoro*n* los capacez............................	.i. »	»	
Item, el dia d*e* los fiet dias, la mifa............	» .viii. »		
Item mas, los pobres z los capacez z las freyras...	.i. »	»	15
Item, fue leuada la nouena, oblada z candela z vino, que monta............................	.ii. »	»	
Item mas, tornemos la vfrenda a los dominegos en torta z mifal, cada domi[*n*]ego, que montan acabo de lanyo................................	.xl. »	»	20
Item mas, cofto lo cabo d*e*lanio, cera .iii. *libras*, que montan a precio de .xx. d*i*n*e*ros.............	.v. »	»	
Item, la mifa................................	» .viii. »		
Item, pobres z freyras z capacez...............	.i. »	»	

A. M. de Jaca. Protocolos de Antón Ordaniso, año 1425. Hállase lo transcrito en una hoja suelta dentro del libro de protocolos de este notario, con letra de otra mano, pero coetánea de la de Ordaniso. Pedro de Ipas figura como notario en muchos documentos de este tiempo. — Línea 22, *montan,* escrito *monton.*

137

Año **1427,** 28 de enero. — JACA. — Not.: Antón Ordaniso.

Bandos publicados en Jaca por orden del justicia y jurados del concejo.

Dia martes, a .xxviii. de janero, año M.º CCCC.º XXVII.º, Jacca. Garcia de Fuerz, corredor publico de la dita ciudad, fizo relacion que hauia feytas las cridas infrafcriptas por mandamiento de los juſticia z jurados.

Crida, la primera. 5

Oyt que vos fazen afaber, por mandamiento del juſticia z de los jurados de la ciudat, a todo vezino, habitador ni eftrangero, que ninguno non fia tan vfado que lieue armas vedadas de nueytes ni de dia, fpadas, broqueres, bannetes, mandretes, coyraças, cotas de malla, balleſtas ni aljauas, en pena de perder las ditas armas. 10

Crida, la segunda.

Oyt que vos fazen afaber, por mandamiento de los ditos juſticia et jurados de la ciudat, que ninguno no prenga arrealegios fino mialla a mialla, ni ardites fino dinero a dinero, ni encara malos arreales, fino qui el contrario fara que fia a fu periglo. 15

Crida, la tercera.

Oyt que vos fazen afaber, por mandamiento de los juſticia z jurados de la ciudat, a todo vezino et habitador de la dita ciudat ni eftrangero de qualquiere ley, que non fia ninguno tan vfado que jugue afequo con dados en cafa ninguna ni en efcondido, en pena de .xl. fueldos, o fi 20 pagar no los pora, .xl. dias en la carcel jazera, enpero fi jugar querra que jugue en la plaça o por las carreras publicament.

Crida, la cuarta.

Oyt que vos fazen afaber, por mandamiento de los jurados de la ciudat, a todo vezino et habitador, de qual quiere ley z condicion 25 fia, que ha itado fiemos, tiera, vinaça ni efcopilla ninguna en la plaça del mercado de la ciudat, que lande hayan quitada dentro tienpo de .xv. dias, en pena de .lx. fueldos, fi prouado fera.

A. M. de Jaca. Protocolos de Antón Ordaniso, año 1427, folio 33. — Línea 9, *bannetes;* puede también leerse *banuetes.* — 19, *fequo,* la *o* final dudosa, acaso *feque.*

138

Año **1430,** 26 de marzo. — JACA. — Not.: Miguel Alamán.

Cuentas presentadas al concejo de Jaca por Juan de Gombres, cabo de ciertos soldados que la ciudad había enviado al servicio del rey.

Aquefto yes lo que Pero Miguel fe vendie hen Uillyaroya, que hauiamos lixado hen la poffada he conprado de los dineros de la ciudat, hel qual non fue dado hen conto.

Primerament, huna ola que cofto, de aranbre, ftanyada...................................	.x. fs.,	.ii. ds.	5
Item mas, .i. pica que cofto..................	.IIII. »	»	
Item mas, .i. odre que cofto..................	.IIII. »	»	
Item mas, a Pero Miguel hen Uillya Roya, que era malaudo, extraordinario hen dia de comer carne, por raçon de la corentia, congrio............	.I. »	.II. »	10
Item mas, que li conpraua olio pora de nuytes, quel cremana hel crefuelo, he pora nos otros, .IIII. *libras*...........	.II. »	»	
Item mas, que li lexe quando partimos henta Deza.	.II. »	»	
Item mas, fe de[ue] prender hen conto a Johanes, que no fue contado fino la expenffa de manya[na] he tarde.			15
Item conpre hen Calatayu .i. ala de buytre pora henplumar los lanços que cofto............	.I. »	.II. »	
Item mas, conpre .i. madaxa pora Johan dAyfa, pora cuerda a la balyesta, he dos madaxas mas, que coftoron.........................	.I. »	.IX. »	20
Item mas, conpre dos feraduras pora el mullo, he qual fabe la conpania que coftoron..........	.I. »	.IIII. »	

Item mas, de referar hentramas las beſtias por todo   25

el camino............................   .ii. ſs., .iiii. ds.

Item mas, conpre hen Çaragoza .i. t*ier*za, .i. cigla

con ſu ramal, poral mulo, que coſto.........   .ii. »   »

Item, conpre en Çaragoza .i. ſaco de ſalſas que

coſto.................................   .ii. »   »   30

Item mas, me deue*n* prender he*n* conto la ciuada

ordinaria que yo cariava a queſtas hen Caſtiellya,

que are*n*ſa ni meyolo non ſe dauan nada, que ſon

.xv. dias, a dos beſtias .xxx. q*uartales,* que

monta .viii. d*ineros,* mas ne comian de cada   35

.iii. q*uartales.........................*   .xx. »   »

Item mas, la carne anſi matex, de Caſtiellya hentro

aqui.

Item mas, ſe perdieron hen los florines. . ...   .vi. » .viii. »

Item mas, los extraordinarios.................   .iii. »   »   40

De .i. manya[na] he m*e*o dia h[en] colacio*n.....*   .xxv. »   »

Item mas, conpre candelas he[*n*] Calatayu, de cera,

que coſtoron............................   .i. » .iii. »

Item, la barca de paſar.....................   .ii. » .ii. »

Item mas, dos quartariços de uino............   .v. »   »   45

Item mas, me deue co*n*te[*n*]tar la ciudat vnas to-

ualyas, .i. litera, .i. ſaco que ronpieron hellyos.   .vii. »   »

Item mas la mi ballyeſta, que coſto de adobar, la

qual pago Johan dAyſſa.................   .ii. » .iiii. »

Item mas, las cuyraças, hel bacinet, que coſtoron   50

hen Çarago[za] de adobar con las de Sauls....   .vii. » .vi. »

Item mas, huna lança.....................   .i. » .vi. »

Die d*ominica,* .xxvi. marcii, anno M.º CCCC.º XXX.º, Jacce, ante la
preſencia de Brun Deça, olim jurado Jacce, *z* de mi notario *z* los teſtimonios infraſcriptos, Johan de Gonbres, ciudadano Jacce, propuſo *z*   55
dixo que como el dito Johanes aſi como cabo de deyta que fue de
ciertos hombres que fueron enuiados *z* otros de la ciudat en lanyo
paſſado, enſeruicio del ſenyor rey, *z* hauieſſe dado conto a la dita ciudat de aquello que le fue dado para miſſion a ell *z* pora la dita ſu deyta,
z en el dito conto ſe le fueſſen oluidadas las coſas *z* quantias de partes   60
de ſuſo contenidas, las quales por los ditos jurados le deuen ſeyer pre-

fas en conto, z le fe deuen abbat*er* de aquellos .cxcvii. *f*ueldos .viii. di-
neros en los quales el era obligado el deuoluer.....

A. M. de Jaca. Lo transcrito se halla en unas hojas sueltas dentro del libro
de protocolos del notario Miguel Alamán, año 1433. — Tilde sobre *be* en *fabe,*
línea 24; sobre la *y* de *meyolo,* 33; sobre *ue* en *deue,* 46, y sobre *ta* en *deyta,* 56.—
Línea 53, *Die dominica,* de aquí en adelante la letra es de distinta mano que lo
anterior.—Línea 56, *deyta,* o acaso *deyca;* la misma duda más abajo, línea 59.

139

Año **1435,** 23 de mayo. — JACA. — Not.: Sancho de Arto.

Declaración de Tomás, conde de Egipto, ante el peajero de Jaca.

Anno anatiuitate Domini M.° CCCC.° XXXV.°, a .xxiii. del mes
de mayo, en la ciudat de Jacca, ante la prefençia del muyt honorable
z inclito Thomas, comte de Egipto, menor, fue per*f*onalment confti-
tuydo el honrado Johan de la Sala, mercadero z ciudadano de la dita
ciudat de Jacca, affi como collidor z receptor de los dreytos del peatge   5
de la dita ciudat z portal de Campfranch, por el muy honorable don
Arnalt de la Sala, mercadero z ciudadano de la mifma ciudat, rendador que yes de los ditos peatges, z..... dixo z *p*ropuffo que como el
dito inclito Thomas, comte, el con fus gentes leuaffen cauallyos, robas
de feda, oro, argent z otras aue[fol. 39]rias, las qual*e*s deuian pagar peatge,   10
que lo rogaua z requeria, rogo z requerio, que manifeftas aquellas me
diant fagrament; z apres, de aquellyo que trobado fera en cauallyos,
robas de feda, oro, argent z auerias otras quales quiere, que pagaffe el
dreyto del peatge, aquellyo que deuidament pagar deuieffe; en otra manera que hi proueyria fegund deuieffe, requeriendo mi d*i*to z infra*f*cripto   15
notario, que linde fizieffe carta publica, la qual do mef*te*r fizieffe me la
daria mas largament por fcripto.

Et el dito Thomas, compte de Egipto, el chico, dixo que el confus
gentes z familias hiffe por el mundo en peligrinacion por la fe chriftia-
na, z el muyt inclito *p*rincep z fenyor, el fenyor don Alfonfo rey dAra-   20
gon agora bien auenturadament regnant, li hauieffe dado licencia hir z
paffar por fu regno z tierras con toda fu companya z familia, franca-
ment z quita, fienes pagar peatge ni carga otra alguna, fegunt parefcia
por letra patent a el dada por el dito fenyor rey, z de aquellya hauieffe

feyto fer hun trafunto en la villa de Montalban en pergamino fcripto ²⁵
z en pendient fellyado, del qual encontinent fizo prompta fe que yes
del tenor feguient..... [fol. 45] Et feyta fe del dito tranfumpto, z aquell
prefentado, dixo que no yera tenido pagar dreyto alguno del dreyto
del dito peatge a el demandado.

Et apres de aquefto, el mifmo dia, el dito Johan de la Sala, receptor ³⁰
de los ditos peatges, rogo z requerio al dito comte que li quifieffe ma-
nifeftar los cauallos que leuaua, robas de feda, oro, argent z auerias
otras, no obftant que el fueffe quito z exempto de pagar los dreytos
del dito peatge, por vigor de la dita letra del fenyor rey. Et el dito
Thomas, compte, mediant fagrament porel corporalment feyto fobre ³⁵
la cruz z fantos euangelios porel corporalment tocados, dixo que el con
fu companya z familia leuaua cinquo cauallyos, valientes cadauno de
vint florines afuffo; item cinquo robas de beftir, que yeran de feda;
item quatro taças dargent, peffantes cadauna fendos marcos poco mas
o menos. Et en aquesta manifeftacion fue teftimonio Johan de Saules, ⁴⁰
ciudadano de la dita ciudat.

A. M. de Jaca. Protocolos de Sancho de Arto, año 1435, folios 38 v, 39 y 45.

140

Año **1435.** — JACA. — Not.: Sancho de Arto.

*Declaración de Juan de Pardinilla y María Pérez respecto a los favo-
res y donativos que en ayuda de su matrimonio habían recibido de su tio
don García de la Tenda.*

Sepan todos, como nos Johan de Pardiniellya, jurifta, fenyor del
lugar de Larbefa, z Maria Perez de la Sala, mullyer mia..... reconocemos..... hauer hauido de vos el honorable moffen Garcia la Tenda,
canonge z sagriftan de la seu de la dita ciudat de Jacca, tio qui fodes
de mi dito Johan de Pardiniellya, z qui en logar de padre vos he hauido ⁵
z vos tiengo, yes afaber, aquellyos quatro leytos de ropa z tres taças
dargent, no ftimado el peffo, de quanto que vos entre otras cofas pro-
metieftes darnos quando entre nofotros ditos conjuges fue contraydo
matrimonio. *Et* los ditos quatro leytos de ropa z taças dargent hauemos
recebido de vos en la manera feguient : primerament en la camenya ¹⁰

que nos ditos conjuges dormimos, dentro la ciudat de Jacca, yes hun almadrach, vna bella cozna, dos traueſeros, hun par de lincuelos, huna liytera, hun ſobreleyto, huna cortina de lienço al derredor del leyto. Item a otro cabo, dos leytos en la caſa de Larbeſa, z en la uno, do noſotros dormimos, yes la ropa ſeguient : primo, porque el almadrach 15 no yera gayre bueno nos dieſtes el millor almadrach [fol. 68] de ſuſtanyo de caſa, que yes a bandas ſtreytas, el qual teniaz en vna de vueſtras camenyas en la ciudat de Jacca, alli do vos jaziaz; z mas la otra ropa qui yera en la dita camenia do nos jaziamos, en el dito lugar de Lar- beſa, que yes hun traueſſero, dos lincuelos, yna liytera z hun sobre- 20 leyto..... Item a otro cabo, nos hauedes dado dos bannas bellyas z competentes. Item por las tres taças dargent nos hauedes dado dos taças grandes, peſantes entramas vint onzas menos quatro arienços..... *Et* mas adelant, que dieſtes a mi dito Johan vna ſpada de dos manos, guarnida, la qual vos coſto nueu florines doro, z otros muytos dona- 25 [fol. 68 v]tiuos que nos hauedes dados deſpues que nos entramos ſomos conjuntos en matrimonio; el primer anyo nos laureſtes las vinyas de Santa Cruz a vueſtras coſtas z meſiones, z nos dieſtes la vendema libe- rament..... *Et* de todo aquello bien contentos ſomos, renunciando a excepcion de no hauer hauidas z en nueſtro poder recebidas las ditas 30 ropas de leytos z taças dargent, z a toda otra excepcion de frau z de enganyo. *Et* en teſtimonio de las coſas ſobreditas fazemos vos end aqueſt preſent publico albara.....

A. M. de Jaca. Protocolos de Sancho de Arto, año 1435, folios 67 *v* y 68.

141

Año **1441,** 12 de febrero. — Jaca. — Not.: Juan de Buisa.

Nombramiento de árbitros para intervenir en el pleito mantenido por el concejo de Sabiñánigo contra Domingo Cortillas.

Die .xii. februarii, in loco de Sauinyanego. Eadem die, Domingo dEſpin z Gil de Baylan, menor de dias, jurados del concellyo z lugar de Sauinyanego, z Domingo Cortillyas, habitant en el dito lugar, juroron z fizioron omenage de manos z de bocca en poder de don Do- mingo, clerigo, rector del lugar de Allyue, de qual quiere queſtion o 5 debat que fueſſe entre los ditos jurados z concellyo, z Domingo Cortillyas, por razon de la cauallyaria del lugar de Sauinyanego, de ellyos lixarlo en poder; et primerament los jurados z concellyo lixoron lo en poder de Exemeno de Latas, habitant en Sardas, z Johan Lopez de Ipies, habitant en Saſſal, z de Sancho del Puent, habitant en Ayſa; z Domingo Cortillyas en poder de Pedro, ſobrino de Oſpan, habitant en Yeura, z de Jorge de Albalat, habitant en Aorin, de qual quiere coſa quellyos pronunciarian z ſentenciarian todos concordes, de aceptar aquellya ſentencia z los ſobreditos arbitros porla jura que ſeyto hauian; z de todo lo ſobre dito requirioron a mi notario quende fizieſſe carta publica. *Et teſtimonios* Martin Nauarro, habitant en Oſſan, z Johan Aznar, habitant en Saſſal.

A. M. de Jaca. Protocolos de Juan de Buisa, año 1441, folio 10. — Línea 4 *fizioron,* la primera *o* parece enmendada, como si se hubiera querido convertirla en *e.*

142

Año **1441,** 20 de julio. — JACA. — Not.: Juan de Buisa.

Testamento de García Pérez de Latras y de Toda de Ara, su mujer, vecinos de Orna.

Die martis, .xx. menſis julii, in loco de Orna. Eaden die : En el nonbre de Dios z de la ſuya digna gracia, amen. Como por la inobidiencia de nueſtro padre Adam ſia todo el humanal linage adquirida muert corporal, z toda perſona en carne pueſta a la dita muert corporal eſcapar non pueda, por aqueſto yo Garcia Perez de Latras z Toda de Ara, muller mia, habitantes en el lugar de Orna, conſiderant que dias ha paſſados z oras que noſſotros hauiamos deliberado de fazer teſtament z vna ordinacion de nueſtros bienes..... [fol. 14 v] queremos que ſia exſeguido z conplido ſegunt aqui de la part de yuſo yes ſcripto largament en la forma ſiguient..... Queremos z mandamos que ſian feytos nueſtros ſiet dias z mortallyas z cabo de anyos, z aquell dia o dias que ſia dado pan, vino, carne o pescado, ſegunt el tienpo que ſera, a todos aquellyos clerigos, legos o pobres que querran prender almoſna por amor de Dios. Item nos lixamos oblada z candela por tienpo de hun anyo, no[fol. 15]uena z cinquantino..... Item lixamos nos por nueſtras

animas vna capellyania que cofte vint florines doro, que fia cantada ali
do a nueftros fpondaleros fera bien vifto conel heredero nueftro dius
fcripto enfenble conel. Item lixamos por part z por ligitima a Martinico, Çalbico, Garcia, Johanico, Petrico z Albiruca, fillyos z fillya nueftros, cada .v. fueldos por part z por ligitima z por todo moble z fedient 20
acadauno dellyos fobre el huerto de la Canbriallya..... Item lexamos de
gracia efpecial a Martinico, fillyo nueftro, el palacio nueftro do femos
la habitacion..... Item li lexamos hun jugo de mulas al dito Martinico,
z cient ouellyas de fillyos z trenta carneros z vint boregos z vna taça
de argent de las dos taças chicas. Item lixamos todo el vaxiellyo vinario 25
al dito Martinico, exceptado la cuba de galaron z vna cuba de tres
mietros poco mas o menos de dius la efcalera, z lu cubiellyo de Vernuas, de quaranta quartas; z que el dito Martinico torne la cuba ad
Ara que tenemos, z la ornal de Vernuas; z aqueftas, exceptado la cuba
de Ara, las otras [fol. 15 v] que fian pora Calbico, fillyo nueftro. Item 30
lexamos al dito Martinico la boçal bermellya..... Item mas le lixamos
[a Çalbico] hun jugo de bueyes z la yegua grifa z el rocin grifo z cient
ouellyas de fillyos z trenta carneros z vint borregos z la vna de las
taças chicas..... Item mas lixamos a Garcia, fillyo nueftro, vna yegua
grifa, gafconil, con fu mulato..... Lixamos al dito Johanico, fillyo nueftro, 35
xixanta borregas femenas z diez boregos z la yegua bermiylluala.
[fol. 16] Item, lixamos al dito Petrico, fillyo nueftro, la casa que conpro-
mos de Tofton, con fuerto, franqua z quitia, z .xx. carneros pora el
eftudio, fi a Dios plazera, z .x. boregos z .x. boregas; z fi la qual cofa
Dios no mande, el dito Petrico moria, que la dita lexa torne z finque 40
del fobre biuient de nofotros. Item lixamos ad Albiruca, fillya nueftra,
xixanta boregas z .xx. florines doro z .x. caffices de trigo, pora cafamiento, fi aDios plazera que y cunple, z que prendan Martinico z Calbico z Garcia, hermanos fuyos, cada .xx. boregas, z que fe las tiengan
cada uno dellyos daquia que fia de hedat pora cafamiento, z cada z 45
quando quellya fera cafada, que los ditos hermanos fian tenidos de
dar las ditas boregas, que las den quatro mudadas, z en aquefte de
medio que fe las fpleyten ellyos..... Item, yo dito Garcia Perez, lexo a
Toda, muller mia, la taça mayor de cafa, z la ola de cobre [fol. 16 v] al
dito Garcia fillyo mio. Item, todo el otro romanien finque del fobre 50
biuient. Item, pero en tal manera et condicion lexamos al dito Martinico z Calbo z Garcia, que las fobreditas ouellyas z carneros que lis

lixamos, quellyos fian tenidos partirlos por yguales partes, z que las fortieen, z que ninguno no haya auantallya de carneros ni de ouellas. Item, affi mifmo delas boregas de Johanico z dela moça que forticen 55 por yguales partes. Item, las otras ouellyas romanientes que fian del fobre biuien de nofotros. Item, la capellyania, aquellyos vint florines, que los paguen Martinico z Calbo z Garcia por yguales partes todos tres..... [fol. 17] Yo dita Toda me retiengo el palacio de Ara pora mi, con las heredas del dito palacio, z que yo me pueda ordenar de aquell 60 a mi guifa z lixarlo a qui me querie..... Item, yes condicion que fi por la ventura las ouellyas, por guerra o por mortaldat se menoniuan, que menonefcan pora todos, affi adaquell que prende muyto como aqui prende poco, z, efto fia a conexemiento de dos parientes o amigos fuyos.   65

A. M. de Jaca. Protocolos de Juan de Buisa, año 1441, folios 14 a 17. — Líneas 11, 15, *anyo*, tilde sobre la *n*. — 21, *Canbriallya*, el notario trató de corregir esta forma, convirtiendo la segunda *a* en *e*; la primera escritura resulta aún, sin embargo, completamente clara.

143

Año **1441,** 15 de septiembre. — JACA. — Not.: Juan de Buisa.

Disolución de la hermandad de bienes que había existido entre Mateo Exavierre, Toda de Fanlo y Miguel de Cañas.

Die veneris, .xv. me[n]fis setenbris, in loco de Sardas. Eaden die, Matehu de Exauierre z Toda de Fanlo, muller del, z Miguel de Canyas, habitantes enel lugar de Sardas, de grado, etc., atorgoron hauer partido z deuidido todos z quales quiere bienes, mobles, fedientes z por fi mouientes, que ellyos z cadauno dellyos hauieffen ajermanado por 5 .XII. anyos fegunt parece por carta publica de hermandat feyta por el honrado Johan Clauero, notario habitant en el lugar de Boltanya, z de aquellyo que les to[co] fe tenioron por contentos, etc.; z prometioron z fe obligoron los vnos a los otros z conuerfo, de no fer demanda ni queftion por aquefta razon, dius obligacion de todos fus bienes, etc.; 10 z fe dioron por quitios z por abfueltos de la dita hermandat. Et por mayor firmeza z feguridat, por guardar de mal z de riedra a cada uno de nofotros, damos fianca a Sancho Vifcaria, habitant en el lugar de

Heſun, el qual tal fiança ſeſtablio ſeyer, etc. Teſtimonios, Johan de La-tas, mayor de dias, ᴢ Johan de Latas, menor de dias, habitantes en el 15 lugar de Sardas.

A. M. de Jaca. Protocolos de Juan de Buisa, año 1441, folio 24 v.

144

Año **1445.** — ALQUÉZAR.

Fragmento de un libro de cuentas del concejo de Alquézar.

Anno anatiuitate Domini milleſimo .cccc. quadrageſimo quinto. Libro que fazen Guillem de Lecina ᴢ Pero dUeſo, jurados qui ſon el preſent anyo de la villa de Alqueçar, et de lo que deſpienden por la dita villa.....

Deſpenſa.   5

Primerament, compromos paper pora ordenar el preſent conto, que coſto..................	.I. ſs.,	.II. ds.	
Item, el dia ᴢ fieſta de Santa Maria de Speratio feziomos dezir .IX. miſas en la ygleſia de Santa Maria, ᴢ coſton........................	.IIII. »	.VI. »	10
Item, diomos a los ſobrejurados por veylar los ſtatales en Santa Maria de Speratio........	.I. »		
Item, diomos a los que fazioron los ſtatales....	.II. »		
Item, quando nos liuron los jurados paſſados .ccc. ſſ. de las tornas, quando hauiemos conta-do, degaſtemos.........................	.VIII. »		15
Item, quando fueron Martin de Burgaſſe ᴢ Mi-gel..... a Çaragoça ſobre negocios de concello ᴢ de la premicia ᴢ conſrarias, dioron a don Jayme Arrenes, que hauia biſtraydo por con-cello en el pleyto de las peytas.............	.VII. »	.VI. »	20
Item, quando Stheuan dela Maca fue a Barbaſtro a don Guillen Ferriz, ſobre feyto delas peytas ſtio hun dia; loguero ſuyo...............	.II. »		
Item, diomos a los jouenes a Nadal por fer los juegos.................................	.V. »		25

Item, pagomos al notario que vino a teſtificar los
contractos de las peytas................... .cc. ſs.

Item, diomos a Johan de Crexença de las ſcriptu-
ras ʒ por sus camages................... .L. »   30

Item, quando ſueron Stheuan de la Maça ʒ Pero
dUeſo a Barbaſtro a veyer ſi era micer Johan
en Barbaſtro..... ſtioron dos dias; loguero de
cadauno, .II. ſſ. .VI. ds................ .IX. »

Item, quando fueron Blaſco la Maça y Martin de   35
Burgaſſe a Çaragoça, quando venio micer Loys
aqui, ſtioron .V. dias ʒ un domingo, loguero
ſuyo por dia., .II. ſſ. .VI. ds., ʒ del domingo .I. ſſ..................... .XXVII. »

Item, coſtoron dos beſtias que leuoron, de loguero. .XIII. » .IIII. ds. 40

Item, fezioron de miſion las ditas beſtias...... .VIII. » .IIII. »

Item, el dia que los jurados fueron a Colungo a
ytar los marauedis, degafton............... .V. »

Item, el dia que ſe ſcriuioron los marauedis de
Alquecar ʒ de las aldeas degaſton los jurados   45
et qui los ſcriuio................... .III. » .IIII. »

Item, el dia de Santa Lucia, quando ſe metioron
los jurados, veuio el concello vna quarta de
vino, ʒ coſto........................... .XI. »

Item, quando Johan de Burgaſſe ʒ Martin del Caſ-   50
caro nos liuroron dos mil ſoldos delas tornas,
degaſtomos........................... .IX. »

Item, quando los hombres de Colungo nos tra-
yoron los D.ᵒˢ soldos de la peyta de abril
los marauedis..... degaſtomos............ .I. » .II. » 55

Item, fezioron de miſſion los ninyos quando ſe
fizo la proceſſion, por pluuia, a San Pelegrin .V. » .V. »

Item, pagomos delos mal[o]s dineros que ſalli[o]-
ron en los dineros de Aynſa.............. .VI. »

   60

Item, degaſton los ninyos entre pan ʒ vino, quando se fizo la romaria de San Pelegrin....... .III. » .IX. »

Item, pagomos a los ſobrejurados, de tocar las
campanas a las romarias................ .I. » .VIII. »

Item, quando Miguel Garces leuo los contractos
a don Johan de Crexença z los vido don Gui-
llem Ferriz, ſtio hun dia, loguero . . . .   .III. »   65

Item, coſtoron de fazer los ſtatales de las romarias de San Pelegrin, ſobre pluuia . . . .   .II. »

Item, coſton de descamio de Matheu Garces los
mil ſoldos de barceloneses . . . .   .C. »   70

Item, coſton .c. ſoldos de barceloneses, de des-
camio . . . .   .II. »

Item, pagomos a los jurados viellos de lo degaſto
de las romarias de ſo anyo . . . .   .IIII. »

Item, deſcamiomos a otra part .cc. ſoldos de bar-
celoneſes z coſton . . . .   .XVI. »   75

Item, coſton las bagueras de cordel de enfarcelar
los ſacons de los dineros . . . .   .IIII. »

Item, tornomos a Johan de Burgaſſe que nos ha-
uia enpreſtado . . . .   .C. »   80

Item, pagomos al frayre de la Merce, por mandamiento de concello z por la redepcion de los
cativos . . . .   .X. »

Item, el dia que reconoſciemos el preſent conto
degaſtemos . . . .   .II. »   85

Item, tornomos a don Johan Martin que nos enpreſto pora el pagament de Caragoca . . . .   C. »

Item, pagomos a Bertholomeu de Lecina que nos
enpreſto . . . .   .D. »

Item, quando los jurados de Colungo nos pago-
ron los mil ſoldos z los .LX. de trehudo. . . . . diomos les a beuer, z degaſtomos con ellos . . . . .   .X. »   90

A. M. de Alquézar. Libro de cuentas del Concejo, año 1445. Letra grande y
clara; la o no se confunde con la a ni con la e. Al lado de *coſton* 10, *liuron* 14,
degaſton 45, etc̀., con abreviatura, se halla de una parte *costoron* 40, *liuroron* 51,
etc., y de otra *degaſton* 60, *coſton* 71, escritos sin abreviatura.

145

Año **1464,** 10 de julio. — JACA. — Not.: Blasco Jiménez.

Relación hecha por Juan Abat y Miguel de Villanúa ante el justicia y concejo de Jaca de cómo ciertos sujetos de esta ciudad habían querido matar a sus convecinos Juan de la Torre y a Pedro Cavero.

In Dei nomine amen. Nouerint vniuerſi, quod anno anatiuitate Domini M.° CCCC.° LXIIII.°, dia es a ſaber contado, decimo del mes de julio, en la ciudat de Jacca, ante las preſencias de los jurados..... ciudadanos ⱬ conſelyeros del conſelyo de la dita ciudat..... conparecioron ſiquiere fueron perſonalment conſtituidos los honorables Johan Abat ⱬ Miguel de Villanua, ciudadanos ⱬ jurados de la meſma ciudat, el qual dito Johan Abat, ciudadano ⱬ jurado antedito, dixo tales o ſenblantes paraulas en efecto poco mas o menos contenientes, endreçando aquellas alos ditos ſenyores juſticia, jurados, lugartenientes de prior de .XXIIII., ciudadanos, conſelyeros ⱬ conſelyo dela dita ciudat: Que el en el dito ⱬ preſent dia ſtando ſe en el leyto en ſu caſa, por quanto era manyana, hoyo grandes cridos en la carrera ⱬ aſſi metſo ſe el gipon acueſtas ⱬ ſalyo fuera de ſu caſa por veyer que era, ⱬ vio en la plaça, armados, a Sancho Vidos ⱬ Sancho Lacue, vezinos dela dita ciudat; ⱬ aſſi espulyado el dito exponient, aplego ſe a elyos ⱬ diziendo: «¡Al rey¡», priſo por la manga del capucho al dito Sancho Lacue; ⱬ aſſi reforçando con el por tenerlo preſo, diziendo ſienpre:«¡Ayuda al rey!», no ſe acoſto ninguno al dito jurado por ayudar ni ſocorrerle, no obſtant que hauia aly algunos vezinos de ciudat, los quales el dito jurado no conocio, ſtando entendiendo enlos actos ſobreditos. *Et* por tanto el dito Sancho Lacue, preſo, reforçando con la ſpada en la mano ⱬ cenyando de colpes, dio vna grant tirada ⱬ ſoltoſele; ⱬ encara apres el dito jurado ſienpre cridando: «¡Al rey!», fue enpues los ſobreditos, aſſi eſpulyado ⱬ eſcalço como ſe ſtaua, ſaluo que la vegada priſo vna lança enſu caſa ⱬ los perſeguio por todo ſu poder, ⱬ ninguno no lo aconpanyo ſino ſolo Garcia Bonet que fue conel. *Et* yendo en la dita proſecucion de çagua el dito Sancho de Vidos, ſtauan al canton de Johan Dayles, Pedro Anyanyo ⱬ otros vezinos de ciudat. Atendido que el dito Sancho Vidos hiua la via dellos les crido diziendo ſienpre: «¡Tener al rey, tenetme exe hombre malfactor!», ⱬ ellos no fizioron mouimiento

alguno en fauor del rey. *Et* viſto aqueſto, *z* por ſeyer ſpulyado el dito
jurado no podiendolo aconſeguir tornose enta ſu caſa a veſtirſe. *Et* el
dito Miguel de Villanua, jurado qui de ſuſo, dixo que el dito *z* preſent
dia, ſtandoſe en ſu caſa, en el guerto, hoyo roydo enla plaça de la ſeu,
z aſſi priſo vna lança, *z* ſu hermano Sancho Villanua otra, *z* fueron a 35
la dita plaça; *z* ſubados aly vioron a la puerta de Petro Cauero a Sancho Vidos, armado, *z* por quanto ſe dizia, matauan a Johan de la Torre,
yerno del dito Pedro Cauero, dentro alto en ſu caſa. El dito Miguel,
jurado, queriendo entrar en la dita caſa por euitar ſcandalo, paro ſe le
en la dita puerta el dito Sancho de Vidos, armado; *z* el dito Miguel, 40
jurado le crido «¡Tener al rey!» muytas vegadas; *z* el dito Sancho no
dizia nada, mas enuiaua le ſienpre ſtocadas; *z* el dito jurado crido:
«¡Reſiſtencia al rey!», por muytas vezes; *z* el dito Sancho, no obſtan
aquello, ſienpre le defendio la dita puerta, *z* enuiando le colpes nunca
lo lexo entrar en la dita caſa fins que algunos vezinos de ciudat que 45
ſtauan en la dita plaça le dixeron:

—Sancho, lexat entrar al dito Miguel, jurado. No le fagaz reſiſtencia.

Et la vegada el dito Sancho ſe aparto, *z* el dito Miguel, jurado, con
el dito ſu hermano entro en la dita caſa, *z* puyoron alto en aquelya, *z*
aly troboron al puyant de la ſcalera a Eſpanyol de Vidos, *z* aſu parecer, 50
otro clamado Manaut el Ferrero *z* a Peyroton dEnhorn, barbero, moço
de maeſtre Miguel *de* ſant Martin, cirurgiano enla dita ciudat, armados.

Et el dito jurado les dixo:

— ¡Tener al rey! ¿Fazeys me reſiſtencia?

Et el dito Manaut le respondio: 55

— No placia a Dios.

Et aſſi el dito jurado priſo al dito Peyroton diziendo:

— ¡Preſo por el rey!

Et aſſi preſo, deualyando lo dela dita caſa, *z conp*liendo lo a la puerta de aquella, los ditos Sancho Vidos *z* otros de ſuſo nonbrados li tra- 60
ueſſoron vna lança en la dita puerta *z* cuydo cayer ſobre aquella, *z* aſſi
tiroron le el dito preſo violentment.

Et todo lo ſobredito los ditos Johan Abat *z* Miguel de Villanua,
jurados anteditos, a eſcargo ſuyo *z* por conſeruación del dreyto de la
part de qui es interes, intimoron a los ditos juſticia, jurados..... que re- 65
ciban ſumaria informacion de todo lo ſobredito, *z* ſegunt aquella, miniſtraſſen o miniſtrar fizieſſen juſticia condigna de los ditos malfactores,

de manera que los malos fueſſen caſtigados ꝛ los buenos conſeruados; ꝛ requirioron a mi, dito ꝛ infraſcripto notario que de todo lo antedito lis fizies ꝛ teſtificas vna ꝛ muytas cartas publicas.....   70

Dia que ſe contaua detzeno del mes de julio, en la ciudat de Jacca, ante las preſencias de los muy honorables juſticia, jurados...... fue perſonalmente conſtituydo el honrado Pedro Cauero, mercadero, vezino dela dita ciudat, el qual dixo..... como el dia preſent, el dito Pedro Ca-Cauero ſtando jus *protec*cion ꝛ falua guarda del ſenyor rey, del fuero   75 ꝛ dela carta dela paz, no faziendo mal, injuria ni danyo a *per*ſona alguna ni temiendo ſeyer lende feyto por igualdat de razon, le hauian hido a la caſa de ſu habitacion, armados, con ſpiritu diabolico *con*ſcitados, la verga de la juſticia totalme*nt* menoſp*re*ciando, Sancho de Vidos, Spanyol de Vidos, e*r*manos, Sancho de Saraſa, al*ias* d*e* Lacue, Peyro-   80 ton dEnhorn ꝛ Manaut dAraus, ferrero, vezinos o habitadores dela dita ciudat; ꝛ aſſi armados hauian entrado enla dita ſu caſa violentment ꝛ por fuerça, ꝛ deſque fueron dentro lo hauian cuydado matar, ſino por interuencion de algunos jurados ꝛ vezinos de la dita ciudat que a la rumor ſobreuenieron; ꝛ con eſto, intimando todo lo ſobredito a los ditos   85 juſticia ꝛ jurados, los requiria ꝛ requirio que elyos fizieſſen deuido proceſſo acerca de aqueſto, ꝛ miniſtraſſen la juſticia deuida, ꝛ lo intimaſſen al ſenyor rey. *Et* requirio a mi dito ꝛ infraſcripto notario que de todas ꝛ cada unas coſas ſobreditas yo le fizies ꝛ teſtificas vna ꝛ muytas cartas publicas.   90

Et los ditos juſticia ꝛ jurados, en lo ſobredito no *con*ſentiendo, ante adaquello expreſſam contradiziendo, demandoron copia corregida ꝛ ſignada ꝛ fe fazient de aq*ue*llo, la qual hauida, farian lo que deurian, ꝛ que no fues carrada la dita carta publica menos de ſu repueſta.

A. M. de Jaca. Protocolos de Blasco Jiménez, año 1464, fol. 28 y sigs.

146

Año **1465,** 16 de junio. — BOLTAÑA.

Apuntes notariales sobre varios asuntos.

A .XVI. de junio, en Boltanya, anno predito, preſent mi notario y teſtimonios, conparecioron Johan de Canpodarbe ꝛ Johan Lopez de

Fanlo, habitant en Boltanya, ꝫ conparecio Pero Saſe, habitant en Sameljan, aldea de Morcat, el qual endrecando ſus paraulas alos ditos
Johan de Canpodarbe ꝫ Johan Lopez de Fanlo, jnterogandolos de dezir ₅
verdat, que como el dia que elyos con los otros de la conpanya que
fizioron la cabalgada en ſu caſa de Sameljan ꝫ levaſtes ſciertas vacas ꝫ
ovellas, en el camino vos ſalyo Ramon de Sant Pietro, habitant en Sant
Martin, aldea de Morcat, et vos capleuo toda la cabalgada, ſi el, la dita
cavalgada capleuada de voſotros, auia ningun pacto entre voſotros ꝫ el ₁₀
dito Ramon capleuador ꝫ por quanto precio la capleuo, porque el dito
Ramon ſe vendio toda la cavalgada por pagar a voſotros, ꝫ nonde puedo
ſaber la verdat del, ꝫ por eſto quiero ſaber de voſotros la verdat como
paso. *Et* los ditos Johan de Canpodarbe, Johan Lopez de Fanlo, cadauno por ſi, dizioron que ſciertament el Ramon de Sant Pietro les auia ₁₅
capleuado toda la dita cavalgada por trezientos ſcinquanta ſueldos, los
quales obligo por carta de comanda; pero que era anſi, que el dito
Ramon no fues tenido de pagar por aquelya razon, ſino que los trezientos ſueldos, ꝫ los .L. ſueldos reſtantes que finquaſen pora el meſmo, et
nonde pago ſino .CCLXV. ſueldos. *Et* aqueſto dizioron ꝫ depoſoron con ₂₀
toda verdat; ꝫ ſi el Ramon de Sant Pietro queria dezir o dezia el contrario, que ellyos le ſoſtendrian aqueſta razon con verdat. *Et* el dito
Pero Saſe re*quirio* a mi notario, lende fizieſe carta publica en teſtimonio de verdat.....

Johan del Canpo ꝫ Domenja dAlbellan, conjuges, habitantes en ₂₅
Boltanya, entramos por ſi et por el todo, vendioron ꝫ vendiendo liuroron a vos Pero del Canpo, habitant en Boltanya..... yes a ſaber : vna
tenienza de canpos, reglas ꝫ oliueras, todo contigo, ſetiados do dizen
la Ronezuela, termino de Boltanya, que afruenta por el ſuelo con canpo
del dito Ximeno ꝫ con canpo ꝫ reglas de Sancho Castielyo, ꝫ por el ₃₀
cabo con vinya de Ximeno Saraulo, por precio de ſetanta sueldos,
aliara pagada, ꝫ ſe obligoron de fer ne buena, luenga, legitima garencia
ꝫ euiccion.

Damos en camio vnas caſas que afruentan con caſas de Pero dAlbella ꝫ con via publica quentra ꝫ ſalye al molino, vn palyar ſetiado aly ₃₅
meſmo, vn canpo ſetiado do dizen tras lo rio, termino de Sieſt, que
afruenta con canpo de Johan dAlbella ꝫ con via publica. Item mas, vna
cort ſetiada en la ſiera de Troteras, termino de Boltanya, ſobre la Cruz,
con lus anthuxanos alderedor, que afruenta con vinya de Johan de Na-

val *z* con mont dOtor, *z* aſi meſmo generalment todos quales quiere ₄₀ otros bienes.....

De la dita poſſeſion paſcifica *z* de todas *z* quales quiere coſas ſuſo ditas requerioron a mi notario les ende fizieſe carta publica..... *z* alli luego conparecio Juliana de Ripol, vidua, muller que fue de Johan Lopez de Fanlo, quondam, la qual dixo que no conſentiua en res que ₄₅ fueſe perjudicio ſuyo, ante protesto ſobre ſu dreyto de viduydat.....

Item, lexo et quiero que aqual quiere de mis fillas que caſara primero, le ſia ſeyta vna ropa de color, de hun eſcay de lana que yes en caſa, que lo le faga tintar de aquella color que ella querra. Lexo a todos mis fillos *z* fillas por part legitima *z* frayresca de mis bienes, cada cin- ₅₀ quo ſold*o*s.

Archivo de la Casa de D. Jorge de Broto, en Boltaña. Fragmentos de un libro de protocolos, incompleto, del año 1465, fols. 2, 8, 10, 29 y 30.

147

Año **1473,** 10 de agosto. — Santa Olaria, Ayunt. de Abella y Planillo, part. de Boltaña. — Not.: Jordán de Januas.

Donación de unos bienes de Sancho Lanuza y de su mujer a Miguel de Allué.

Sepan todos, que anno a natiuitate Domini mileſſimo quadragenteſſimo ſeptuageſſimo tercio, dia lunes que ſe contaua a diez dias del mes de agoſto, ante la preſencia del |² honrado Pedro de Guri, habitant en el lugar de Fiſcal, juſticia del lugar de Fiſcal et de Ciellas, fueron perſonalment coſtituydos los honrados Sancho Lanuça he Migela Gauarre, con |³ juges, habitantes en el lugar de Ciellas, los quales dixon ₅ et propuſſon en cort ante el dito juſticia, que como ellyos fueſe ſeyta o mandada façer et teſtificada vna carta publica de donacion... |⁴ de todos los bienes que ſon en la dita donacion nopnados al honrado Migel de Allue, eſcudero, nieto nuestro..... |⁵ de la qual ſoplicamos por ₁₀ merçe vueſtra juſticia, por que vos ſodes eſtituido |⁶ aqui en do ſomos plegados nos con nueſtros parientes et amigos, et por evitar dannyos coſtas *z* meſſiones queremos que ante vos ſia ſeyta la preſent carta publica, firme et valedera |⁷ ..... et porque ſegunt el buen fuero, en las cortes en la ciudat de Scaragoça vltimament ſcelebradas por el muy

alto ſenyor rey don |⁸ Martin, de buena memoria, aquellas oras reg-
nant, ſia ordenado que donacion alguna no ſia valedera ſino que ſia
ſinnada ante algun juge o juſticia, por tanto dixo que la enſinnaua et
|⁹ en ſinno ante el dito juſticia la dita donacion et vindicion, requerien-
dolo quel daſſe aquellya ſu actoridat et decreto, portal que auieſſe fir- 20
meça ʒ valor pora ſienpre de jamas. |¹¹ ..... Et el dito juſticia, oydo el
requerimiento et la grant volundat de |¹² la dita Sancha Migella, reque-
rio por mi, infraſcripto notario, ſer feyta la de ſuſ dita carta publica.
Feyto fue eſto en el lugar de Ciellyas..... |¹⁴ Sig-(●)-no de mi Jordan de
Januas, habitant en el lugar de Santa Holaria, notario publico del dito 25
lugar et de la ribera de Fiſcal et |¹⁵ de Ciellyas ʒ de la val de Sollana,
por actoridat de los ſenyores juſticias de los lugares et ribera et val,
eſcriuie et cerre.

A. P. de Cortillas, perg. núm. 2. — Tilde sobre *nopnados*, línea 9, y sobre *So-
llana*, 26.

148

Año **1476,** 2 de enero. — JACA. — Not.: Domingo de Campo.

*Crístóbal Alamán, herrero de Jaca, se querella ante el justicia de esta
ciudad contra el propietario del local en que tenía su taller.*

Die martis, .II. januarii, anno predicto M.CCCC.LXXVI, Jacce.
Eadem die. En la ferraria, obrador o patio que tiene el honrado Chriſ-
toval Alaman, ciudadano de la ciudat de Jaca, clamada la Alffondiga,
que afruenta con caſas..... de Johan de Caſaus, quondam, cuytellero,
ʒ via publica, ʒ en preſencia de los magnificos don Johan dArtho, juſ- 5
ticia, ʒ Miguel dArtho, jurado de la dicha ciudat, mi notario ʒ los teſtimonios infraſcriptos, conparecio ʒ fue perſonalment conſtituydo el
dito Chriſtoual Alaman, el qual dixo tales o ſenblantes paraulas o quaſi
en efecto contenientes: Que como el tenieſſe la dita botiga, patio o
ferraria, por cierto trehudo ʒ con ciertas condiciones ʒ pactos, ſegunt 10
dixo, contenidas enel contracto, por vigor de la tributacion del qual le
hauieſſen de tener cubierta de alto la dita botiga ʒ ferraria, ʒ no lo
fueſſe, ante bien, grant parte ſtaua deſcubierta, ʒ ſe plouia toda la botiga, ʒ la anglumen, en part dela pluuia, ſtaua ormoſa, ʒ el suelo todo
vardoſo, ʒ los barquines cubiertos con ropa, ſegunt quel dicho juſticia 15

ʒ teſtimonios ʒ yo notario a huello veyemos; porla qual razon el hauia
requerido, ſegunt dixo, vna ʒ muytas vezes a los jurados del anyo
paſſado de la dita ciudat, ʒ no le hauieſſen dado reparo alguno, de que
le conuenio depoſar en poder del dicho juſticia los dineros del trehudo
de la dita botiga..... por los reparos que ſatiſfazerle ſon tenidos, juxta   20
tenor del dito contracto, lo qual fueſſe en grant danyo ſuyo ʒ ahun
periglo de ſu perſona ʒ de aquellos qui ally hauieſſen de obrar ʒ eſtar
portanto ſuplico por el dicho ſenyor juſticia, todo lo ſobredicho occu-
larmente por el..... viſto, ſeyer aſſi como es recitado, lo hauieſſe por
notorio, por tal que en jodicio ʒ fuera ſe podieſe ayudar de las coſas   25
ſuſodichas a defenſion de ſu juſticia ʒ por el intereſſe ſuyo, por el danyo
que ha recebido ʒ depreſente recibe por feyer deſcubierta ʒ en el
ſtamiento queſta la dita botiga. Et el dicho juſticia, viſtas las dichas
coſas occularment paſſar aſſi como de ſuſo ſon recitadas con verdat,
aſſentado por tribunal huuo aquellas ʒ todo lo ſobredito por notorio   30
ʒ manifieſto etc... Preſent el dito Miguel dArthro, jurado..... el qual no
dixo res. *Et* el dito Chriſtoual a conſeruacion de su drecho ʒ porque
de lo ſobre dicho en el ſdeuenidor parezca, requirio por mi, Domingo
de Campo, notario, ſeyer fecha carta publica vna ʒ muytas etc.....

A. M. de Jaca, Protocolos de Domingo de Campo, año 1476, fol. 3.

149

Año **1484.** — Panticosa, part. de Jaca. — Not.: Miguel Guillén.

Deslindamiento de los términos de Gavín y Biescas.

Sub anno a natiuitate Domini milleſimo quadringenteſimo octua-
geſimo quarto..... en el lugar de Gauin..... |⁹ atendientes ʒ conſideran-
tes que la dicha villa de Bieſcas |¹⁰ ʒ el dicho lugar de Guauin tuuieſen
ʒ tenguan contiguos ʒ partan buega la hun termino con lotro, del riu
clamado Sia faſta el puerto clamado de Ezeto, ʒ haya paſado grant   5
tienpo de que los dichos terminos |¹¹ ʒ puertos fueron aboguados,
limitados ʒ determinados, de manera que es neceſſario ſe faguan cartas
de nuevo, porque las que ſon antiguas, de los terminos ʒ puertoſ ſuſo
dichos, no ſe pueden bien leer, ʒ por renovar |¹² los nombres de los
pueyos, ſarratos, penyas, pinares, barranquos ʒ buegas otras, deuida-   10

ment ⁊ buena, ſegunt las poſſien los vezinos ⁊ habitadores de la dicha
villa de Biescas ⁊ del dicho luguar de Guauin ho[n]t ⁊ encara |¹³ por
darnos algunas entradas ⁊ patouienças pora nueſtros guanados groſos
⁊ menudos, cada unos en ſus terminos, a ſaber es, noſſotros de Bieſcas
a voſſotros de Guauin ⁊ uoſſotros de Guauin a noſſotros de Bieſcas ₁₅
|¹⁴ viceuerſa, ⁊ por evitar ⁊ tirar otros muchos ⁊ diuersos carnales,
penas, calonias ⁊ inconuenientes |¹⁶ ..... renovamos, ſiquiere senyala-
mos, las buegas ⁊ terminos ⁊ reconocemos a ſcargo de nueſtras conſ-
ciencias ſeyer |¹⁷ verdaderas, segunt ſe ſiguen de part de yuſo, ⁊ de
aquellas adentro ſeyer los terminos de la vna part de la villa de Vieſ- ₂₀
cas, ⁊ de la part otra del lugar de Guauin : Primerament, comiencan
las dichas buegas |¹⁸ de los terminos ſuſo dichos a vna buega, ſiquiere
piedra, que y da hun senyal de cruz fecha manualment con martiello,
do dizen Marguin Luanga, que es cerqua el riu clamado de Sia, en el
plano, ⁊ de alli tirando enta ſuſo, drecho enta otra buega, |¹⁹ a ſuelo de ₂₅
Pueyo Arretimno, a hun boco, ſiquiere, piedra, que ſta enta part de la
villa de Bieſcas, do ha vna cruz en el dicho boco fecha con martiello;
⁊ entremedio de las dichas buegas ha tres otras buegas ſiguientes ⁊ la
una al otra aguar|²⁰ dantes de drecho a las dichas buegas..... |²² En
medio del pinar clamado de lo Broqual de Martiello ha vna buega fin- ₃₀
quada drecha, do ha vna cruz, ⁊ de alli tira al abrebradero a la primera penya que ha en dos bocos, la vno del hun cabo del riu, elotro de la
otra part..... |²⁴ a otra buega que ſta en la lanna dannOria, ⁊ de alli
por el ſarrato, como agua bieſſa, faſta acima de la ſierra, ⁊ ſierra ſierra
como agua bieſſa a la cima del |²⁵ pueyo clamado Puey Niero..... |²⁶ de ₃₅
alli tira a vna piedra que ha en la faxa, que y da vna cruz, ⁊ de alli
tira acima de Ezeto todo drecho..... |²⁷ Item damos ⁊ atorgamos [los
de Biescas] paſo, entra|²⁸da, ſiquiere patouiença, que podays entrar,
pacer, eſp[l]eytar con vueſtros guanados groſos ⁊ menudos a voſſotros,
vezinos de Guauin |²⁹ ..... do claman Cuello Foratatuero..... de mollon ₄₀
a mollon al cabo alto del cobilar de la Conilella, ⁊ ſarrato ſarrato faſta
Puey Niero..... |³³ Item, damos [los de Gavín] paſſo, entrada, ſiquiere
patobiença, |³⁴ que podays pacer, aguar, ſpleytar con vueſtros guana-
dos, groſos ⁊ menudos, de como dize la buega della el couilar de Fora-
to, en lo ſarrato, tirando aſuſo acabo la faxa enta part de Ezeto faſta a ₄₅
la buega del termino de Bieſ|³⁵quas ⁊ de Guauin, empero que no y
podays entrar..... faſta noſſotros los de Guauin o los nueſtros ſuceſſo-

res paſceremos nueſtro puerto..... |[37] Item, por no danyar nueſtros beſ-
tiarios groſos, porque leuandolos los oficiales pendrados de los puertos porian recebir danyo por do ſeria queſtion entre noſſotros..... 50
|[38] concordamos que los officiales, asi de la vna part como de la otra,
que trobaran guanados groſos en los puertos, aſſi en los de Bieſcas
como en los de Guauin, cada uno do ten|[39]dra el poder de lançar enta
ſuſo enta los puertos, empero que no ſean tenidos de levar el guanado
pendrado a los lugares, ſino ſolo que los giten, ſiquiere lancen, del 55
vedado enta la part otra de do ſera el guanado z termino..... |[42] z los
jurados ſean tenidos buſcar de quien es aquel guanado, ſegunt los
ſenyales les dara aquel qui lo abra gitato del vedado, z aſſi que faguan
paguar a de quien el dicho guanado ſera..... |[43] Item, ſi guanados me-
nudos ſeran trobados..... |[44] de como dize el riu de Sia al abebradero 60
Arriatiello, guanado empero que la yvernada vaya a Spanya o a yber-
nar fuera de los dichos villa |[45] z lugar, que hayan z les poſamos de
calonia, cada ramado de numero de vint cabeças aſuſo, tres ſueldos
dineros jac*ceſe*s de dia, z de noche seys ſueldos, |[46] z ſi ſeran caſalibos
o |[47] guanado que ybernada no vaya fuera de la tierra que hayan calo- 65
nia, por cada rabanyo, ſeys dineros jac*ceſe*s de dia, z doze dineros
jac*ceſe*s de noche..... |[49] z beſtias ſolteras de ſingulares, que hayan de ca-
lonia dos dineros..... exceptado en las entradas z patobienças..... |[50] que
alli dentro aquellos limites que no y haya jerra ni carnal de los vnos
a los otros..... Item, por quanto ſe fazian muchos carnales y calonias 70
en la entrada del abebradero dArriatiello a voſſotros de Guauin en
vueſtros gua|[51]nados, por lo qual veuiamos en grandes queſtiones, z
buenament ſinſe grant trebaxo no vosne podiades guardar, por tanto
porque todos viuamos en buena paz z malicias ſean apartadas, proue-
yendo poral eſdeuenidor, nos |[52] vos damos entrada z paxienta, que 75
podays entrar z pacer con v*ueſ*tros guanados..... |[53] de como dice el
riu de Arriatiello, tirando a la marguin de entre entramas las ſazones,
z marguin marguin faſta el riu de Sia; z en ſem|[54]blant manera noſſo-
tros [los de Gavin a los de Biescas] damos |[55] entrada z patobienca,
ſiquiere paxienta, pora ſiempre..... |[56] por evitar malenconias z vivir 80
empaz, ſegunt que en cunvezinos z virtuoſos acoſtumbran fazer, de
como dize el riu de Sia..... |[58] a ſuelo el campo de Matheu, al mas baxo,
z a cabo la penya, drecho al viero del abebradero....

|[81] Sig-(●)-no de mi Miguel Guillem, habitador del luguar de Pan-

ticofa, z por actoridat del fereniffimo senyor rey de Aragon, notario 85 |⁸² publico por los regnos de Aragon z Valencia, qui a lo fobredito enfemble con los teftimonios prefent fue z aquello de |⁸³ mi mano fcriuie z faque, z la prefent carta z otra femblant, vna pora los jurados z concello de la villa de Biefcas z otra pora los jurados |⁸⁴ z concello del lugar de Guauin, por letras de a. b. c. las partie z comprobe..... 90

A. M. de Biescas, perg. núm. 2. — Línea, 2, intervienen en el deslindamiento varios vecinos de Biescas y de Gavín. — 50, *noffotros*, en el original *nonffotros*.

150

Año **1495,** 9 de marzo. — Coscojuela de Sobrarbe, part. de Boltaña. — Not.: Sancho Borroy.

Escritura de cambio de unas viñas.

Sia manifiesto atodos que nos fray Benet Caftel, almofnero defenyor fant Victorian, deaffenfo, confenfo e exprefo *confentimjento del* señor prior de clauftra |² del dicho monefterio, segunt q*ue* ami not*ario* infrafcripto *confta*, et Betriana fant Pietro, vidua, h*abitant* enel Pueyo deAraguest, entramos enfemble y |³ cadauno porfi, certificados e plenarjament jnformados detodo nue*ftro* dreyto, con titol deaquefta *prefent* carta p*ublica* atodos *tienpos* firme y valedera |⁴ e enalgu*na* cofa no*n* reuocadera, denue*ftras* ciertas *fciencias* e agradables voluntades, camjamos e por via decamjo permutamos, a faber es, yo dito fray |⁵ Benet Caftel huna vinya fit*a* entermj*no* deAraguest endo dize*n* ala 10 Armarjça, *confruenta* conbarranquo y con reglas del facriftan defant Victorja*n*; et yo dita |⁶ Betriana fant Pietro camjo e por via de cambio permuto avos dito fray Benet Caftel, almofnero, hun troz de vinya fito enel dito termj*no*, enfem|⁷ble conhu*n* troz de campo, endo dize*n* aCandemor, *confruenta* co*n* via p*ublica* y co*n* reglas defant Victoria*n* por 15 el fuelo: Segunt q*ue* las ditas *confrontaciones* circundan et |⁸ departe*n* enderredor las ditas heredades defufo *confrontadas* afiaquellas contodas *fus* entradas y fallidas, dreytos, p*er*tinencias e mjlloramj*entos* q*ue* las ditas |⁹ heredades fufo *confrontadas* han e hau*er* puede*n*, deue*n*, lefconuiene*n*, p*er*tenefce*n*, conuenjr e p*er*tenefcer puede*n* e deue*n*, en 20 qualquj*ere* man*era* e por qualquj*ere* caso, |¹⁰ titol, dreyto, man*era* o razon, camjamos fiquj*ere* p*er*mutamos, fegunt dito es defufo, franquos, qujtos, liberos eseguros, sines cens, trehudo, |[11] anjversario, vinclo de-testament e obligacion alguna, voz mala, e sines contradiccion nuestra alguna e de los nuestros e de toda otra persona viujent, cessantes, |[12] renunciantes a toda e qualquiere excepcion defrau et denganyo e de no hauer canbiado, siquiere permutado, las heredades suso dichas; querient |[13] e expresament consentient yo dito fray Benet que uos dita Betriana sant Pietro y los vuestros e quj vos querredes daqujadelant, hayades, ten |[14] gades, posidades e espleytedes la dita vinya suso confrontada, franqua e qujta; et yo dita Betriana sant Pietro, otro tal que vos dito fray |[15] Benet o los vuestros o quj vos daqujadelant querredes, hayades, posidades e espleytedes ladita vinya y canpo suso confrontados franquos y qujtos, el |[16] huno al otro por dar, vender, enpenyar, camjar e en qualqujere otra manera alienar, e por fazer deaquellos atodas nuestras y de los nuestros propias volunta |[17] des, segunt en aquella millor forma e manera que mas sanament e proueytosa puede e deue ser dito, scripto e entendido atodo proueyto, sano e buen|[18] entendimjento e utilidad nuestra e delos nuestros, toda contrarjedat cessant, et de todo el dreyto, senyorio, poder y posession que yo dito fray |[19] Benet e en la dita vinya e yo dita Betrjana sant Pietro enla dita villa y canpo, saquamos, gitamos, mudamos e nos despullamos |[20] et en el dreyto poder et posession, siqujere sennorio, asaber es, yo dito fray Benet a vos dita Betrjana sant Pietro e yo dita Betrjana |[21] sant Pietro a vos dito fray Benet, los pasamos, metemos, mudamos tenjentes, poderosos e verda-deros senyores e poseydores.....

|[32] Feyto fue aquesto enel lugar delPueyo deAraguest a nou dias del mes de março, |[33] anno anatiuitate Domjnj millesimo quadringentesimo nonagesimo qujnto. Presentes testimonjos fueron a esto los honorables Bernat|[34] de Barbastro y Pedro deRaso, habitantes enel dito lugar del Pueyo.

|[35] Sig-(●)-no demi Sancho Borroy, habitant enel lugar de Coscu-lluela et por actoridat real notarjo|[36] publico portodo el regno de Aragon, quj alas sobreditas cosas y cadauna dellas, ensemble con los |[37] suso nonbrados testimonjos, present fue e aquellas demj mano escriuje e por la bece las partie...

A. H., San Victorián, *P.* 410.

ÍNDICE

CENTRO DE ESTUDIOS HISPANICOS

OBRAS EN ADMINISTRACIÓN

La Colección cervantina de la Sociedad Hispánica de América (The Hispanic Society of America). Ediciones de *Don Quijote,* con introducción, descripción de nuevas ediciones, anotaciones y nuevos datos bibliográficos, por HOMERO SERÍS, 1 vol., 158 págs., il., facs.

La segunda edad de oro de la literatura española (el siglo XIX), con bibliografía, por HOMERO SERÍS, 1 folleto, 22 págs.

La Generación española de 1936, o del destierro, por HOMERO SERÍS, 1 folleto, 6 págs.

La noche de San Juan de Lope de Vega Carpio, edición del centenario, con introducción y notas, por HOMERO SERÍS, 1 vol., xiv, 161 págs.

Catálogo de memoriales presentados al Real Consejo de Indias (1626-1630), descripción bibliográfica de más de cuatrocientos rarísimos impresos y manuscritos, por ANTONIO RODRÍGUEZ-MOÑINO, 1 vol., 291 págs.

Primavera y flor de los mejores romances por Pedro Arias Pérez (Madrid, 1621), con extensa introducción, apéndices e índices, por JOSÉ F. MONTESINOS, 1 vol., xciv, 298 págs. y 9 sin num.

SYRACUSE UNIVERSITY

SYRACUSE 10, NEW YORK

SYMPOSIUM

**A JOURNAL DEVOTED TO MODERN
FOREIGN LANGUAGES AND LITERATURES**

Literary History
Comparative Literature
History of Literary Ideas
Literature and Society
Literature and Science
Philology
Original Literary Essays
Trends in Recent Literature
Notes
Reviews and Appraisals

Published twice yearly by the Department of Romance Languages of Syracuse University with the cooperation of the Centro de Estudios Hispánicos and a distinguished board of Associate Editors.

$3.00 per year $2.00 per issue

ANTONIO PACE, *Chairman Editorial Board*
D. W. McPHEETERS, *Review Editor*
F. H. JACKSON, *Business Manager*

Address:
302 HALL OF LANGUAGES
SYRACUSE UNIVERSITY
SYRACUSE 10, NEW YORK